D0321441

TUGDUAL

Déjà parus

OKSA POLLOCK
Oksa Pollock, tome 1, *L'Inespérée*, XO Éditions, 2010 (et Pocket)
Oksa Pollock, tome 2, *La Forêt des égarés*, XO Éditions, 2010
   (et Pocket)
Oksa Pollock, tome 3, *Le Cœur des deux mondes*, XO Éditions,
   2011, (et Pocket)
Oksa Pollock, tome 4, *Les Liens maudits*, XO Éditions, 2012, (et
   Pocket)
Oksa Pollock, tome 5, *Le Règne des félons*, XO Éditions, 2012,
   (et Pocket)
Oksa Pollock, tome 6, *La Dernière Etoile*, XO Éditions, 2013

Les Petites Histoires de Dragomira, XO Éditions, 2014

OKSA POLLOCK EN BANDE-DESSINEE
Eric Corbeyran, Nauriel, Anne Plichot, Cendrine Wolf
Oksa Pollock, tome 1, *L'Inespérée*, XO Editions, 12 bis, 2013

Oksa Pollock a reçu le prix Ado 2012 de la ville de Rennes,
   Ile-et-Vilaine, ainsi que le Prix du jury des Jeunes Lecteurs
   de la ville de Vienne (Autriche).

SUSAN HOPPER
Susan Hopper, tome 1, *Le Parfum perdu*, XO Éditions, 2013

ANNE PLICHOTA ET CENDRINE WOLF

TUGDUAL

Tome 1
Les Cœurs noirs

XO
JEUNESSE

© XO Éditions, 2014
ISBN : 978-2-84563-691-0

Pour Zoé.

Personne n'est réellement ce qu'il a l'air d'être. Pourtant, on veut tous être des gens bien, perçus, estimés, aimés pour ce que l'on est. Un sacré paradoxe qui nous oblige à faire semblant, à camoufler notre nature profonde, nos faiblesses de même que certaines de nos forces, inavouables. Ou de nos horreurs les plus intimes.

La plupart des gens croient être honnêtes et vrais, avec eux-mêmes comme avec les autres. Sans doute préfèrent-ils rester aveugles. C'est plus facile. Ça fait moins mal. Mais, au final, on a tous quelque chose à cacher.

Tous.

Prologue

Serendipity, sud des États-Unis, 20 août.
La démarche à peine ralentie par ses vertigineux escarpins, la femme pénétra dans le hall de la mairie et se dirigea droit vers l'escalier.

— Ils vous attendent... lui souffla la préposée à l'accueil.

La femme la toisa d'un regard agacé et condescendant. Évidemment qu'ils l'attendaient ! Elle dépassa la statue du cheval cabré et gravit les marches aussi vite qu'elle le put. Le couloir lui parut sans fin, elle pressa le pas jusqu'à une porte plus petite que les autres, mais nettement plus sécurisée. Une fois son badge scanné par le boîtier de contrôle, l'ouverture se déclencha, dévoilant un sas étroit dans lequel elle s'engouffra. La caméra détecta sa présence et pivota. Elle lui jeta un coup d'œil impatient. Quand on était porteur d'une nouvelle exceptionnelle, même les plus indispensables précautions s'avéraient fastidieuses. Un bip retentit et elle déboucha dans une vaste pièce où se trouvaient déjà une dizaine de personnes, réunies autour d'une table ovale. Elle referma la porte protégée par un épais capiton, prit place sur la dernière chaise et s'autorisa enfin un sourire résolument triomphal.

— Je suis passée devant la maison, ils sont arrivés ! annonça-t-elle d'une voix vibrante.

Un homme d'une quarantaine d'années, assis à l'autre bout de la table, acquiesça avec une lenteur qui souligna son expression exaltée. Il pressa sur un bouton et les écrans individuels, intégrés à la table, s'allumèrent. Les membres de l'assemblée parurent aussitôt captivés par les images de trois adolescents s'adonnant à des occupations pourtant très banales : un garçon buvait un café dans une cuisine, un autre consultait Internet allongé sur un lit et une fille aidait une femme à installer des stores. Une dernière image montrait un homme âgé, debout au bord d'une piscine.

On retrouvait des photos de ces cinq personnes en d'innombrables exemplaires, accrochées au mur du fond de la pièce. Reliés par des flèches et abondamment anno-tés, les clichés semblaient avoir été pris au téléobjectif par un paparazzi et montraient surtout les trois jeunes dans différentes situations – dans un parc ; en pleine discus-sion avec une femme de chambre ; dans un chalet à la montagne...

— Nous avons réussi ! murmura un homme sans quit-ter l'écran des yeux.

D'une stature et d'une blondeur impressionnantes, il paraissait inspirer un respect particulier aux autres.

— Oui, ils sont là ! fit la femme aux talons aiguilles.

— Nous avons réussi à les amener jusqu'ici, reformula-t-il. Maintenant, c'est à chacun de nous de faire en sorte que leur nouvelle vie leur plaise, puis de les convaincre d'œuvrer à nos côtés...

1.

Chicago, quatre mois auparavant, 13 heures.
Les agents de la police scientifique s'affairaient autour du corps sans vie de la vieille femme allongée sur le sol. La lumière vive des néons du vestiaire où elle avait été découverte accentuait ses traits, les creusait dans la mort qui venait de la saisir. Il y avait cependant quelque chose de presque paisible dans la position de son corps et de sa tête, qui reposait sur un vêtement roulé en boule.

La zone avait été bouclée, les enquêteurs passaient au crible la pièce et ses accès, dans les sous-sols du Michigan Grand Hotel où avait eu lieu ce qui, selon les premières conclusions, n'avait rien d'une mort naturelle.

L'homme qui avait trouvé le corps de sa collègue, une heure avant, était interrogé un peu plus loin, à l'écart des autres employés qui parlaient à mi-voix ou sanglotaient, très affectés.

— Je vous assure que c'est Harmony Rice ! martela-t-il.

Il essayait tant bien que mal de moduler sa voix pour ne pas avoir l'air complètement fou. Cette situation était tellement déroutante. Face à lui, un inspecteur de la police criminelle de Chicago tournait entre ses doigts la carte d'identité trouvée dans le sac de la victime. Son regard alternait entre la photo et le visage de la femme auréolé d'une longue chevelure blanche striée de fils argentés.

— Je sais que ça paraît dingue, mais c'est bien Harmony… insista l'homme en face de lui.

L'inspecteur le regarda sans dire un mot. Il avait vu beaucoup de choses au cours de sa carrière, des plus étonnantes aux plus malsaines. Toutefois, il devait avouer que c'était la première fois qu'il se trouvait confronté à un cas pareil. Les analyses livreraient sans doute une explication plausible, mais à ce stade tous les éléments s'acheminaient vers une hypothèse qui n'avait rien de rationnel : cette vieille femme au visage ridé et la jeune fille de vingt ans dont il tenait la carte d'identité étaient une seule et même personne. Il était impatient de savoir comment la science allait pouvoir trouver un lien entre les deux… Car, pour le moment, lui n'en voyait aucun.

Son oreillette grésilla. Il l'ajusta et écouta l'information qu'on lui donnait. Son visage s'assombrit. Les yeux plissés, il demanda confirmation, plus préoccupé qu'il ne voulait le montrer : une femme venait de découvrir le corps de son fils dans l'espace balnéo de l'hôtel, quelques étages plus haut. Un fils de seize ans, en parfaite santé, devenu soudain un vieillard…

2.

Un *peu plus tôt.*
Tugdual tournait en rond dans sa chambre d'hôtel, avec l'angoissante sensation d'être cerné de
toutes parts. Pourtant, qu'avait-il à craindre ? Le danger,
c'était lui, pas les autres. À cette pensée, il éprouva un
profond dégoût.

Dans le couloir, juste devant sa porte, une femme de
chambre passait l'aspirateur avec une insistance singulière qui n'échappait pas au jeune homme. Il savait qu'il
s'agissait d'Harmony. Depuis la minute où ils s'étaient
croisés dans le hall de l'hôtel, ils étaient devenus l'obsession l'un de l'autre.

Quelque chose poussait Harmony vers Tugdual, une
force que ni lui ni elle ne pouvaient combattre. Mais à
la différence de la jeune fille, il était le seul à connaître
la menace mortelle qu'il représentait. Alors, tant qu'elle se
trouvait dans le couloir, il resterait reclus dans sa chambre.

Assis au bord du lit, les coudes sur les genoux, désœu-
vré, il se sentait si seul.

Le bruit de l'aspirateur lui portait sur les nerfs. Il disposait de ce qu'il fallait pour le faire cesser, il pouvait
couper le courant électrique de tout l'hôtel d'un simple
claquement de doigts ou créer une petite tornade qui
provoquerait une bonne panique. Il pouvait aussi passer
dans la chambre d'à côté en traversant le mur. Bien sûr
qu'il le pouvait. Mais les règles étaient claires, il les avait

15

acceptées : aucun usage de ses pouvoirs surnaturels ne devait être fait, sauf en cas d'extrême nécessité, de danger de mort, par exemple. Et le vrombissement de l'aspirateur n'entrait pas dans cette catégorie. De toute façon, aspirateur ou pas, qu'est-ce que cela changerait ? Harmony trouverait toujours le moyen de rôder près de lui.

Non. Il fallait qu'il fasse dévier ses pensées. Qu'il oublie, même momentanément, que cette fille existait. Alors, il se leva, saisit son iPod et se jeta sur le canapé, une jambe par-dessus l'accoudoir. Le casque calé sur les oreilles, il mit le son assez fort pour couvrir tous les échos autour de lui et s'isoler du monde extérieur.

The sun will set for you
And the shadow of the day
Will embrace the world in grey
And the sun will set for you[1]...

Cependant, rien ne parvenait à l'éloigner de ses propres réflexions, pas même la musique à laquelle il était d'habitude si sensible. Malgré ses dix-sept ans – presque dix-huit –, il avait l'impression d'avoir vécu tant de choses, heureuses et douloureuses. Surtout douloureuses. Il s'était trouvé au centre d'immenses chaos, face à mille périls et même aux portes de la mort. Mais il en avait réchappé, il se demandait encore comment. Et puis, alors que de meilleurs lendemains se dessinaient enfin, sa vie avait été complètement bouleversée. En quelques jours, son avenir s'était écroulé sans qu'il puisse faire quoi que ce soit pour empêcher le désastre. Cela, il le devait à une seule personne : son père, dont l'héritage maudit coulait dans ses veines et le mettait au supplice. Le regard polaire du

---

1. « Le soleil se couchera pour toi / Et l'ombre du jour / Couvrira le monde de gris / Et le soleil se couchera pour toi... » (*Shadows of the Day,* Linkin Park).

jeune homme devint orageux, ombrant le bleu glacé de ses prunelles.

— Merci, père. L'enfer est encore trop doux pour toi... murmura-t-il.

Et maintenant, il était là, réfugié dans cet hôtel de Chicago, avec sa nouvelle famille, en attendant de trouver une solution. Une étrange famille en vérité, fabriquée de toutes pièces, ou quasiment, qui remplaçait la sienne, décomposée au sens le plus littéral du terme : son père avait tué sa mère et lui-même était mort, une semaine plus tôt, pulvérisé par une jeune fille d'à peine dix-sept ans. Oksa... Il lui resterait reconnaissant jusqu'à la fin de ses jours d'avoir mis fin à la vie de cet homme nocif et haï. Jamais il n'oublierait. Comment le pourrait-il ? Mais pour le moment, penser à elle faisait un mal de chien.

— Tu crois que ce n'est pas assez difficile comme ça ? se sermonna-t-il.

Aujourd'hui, selon la version officielle, Mortimer et Zoé étaient son frère et sa sœur – l'arbre généalogique les situait plus exactement comme demi-frère et cousine. Avant de mourir, son père, qui avait un sens très aigu de la famille, les avait frappés du même fléau que lui. Une façon très personnelle de les unir... Le jeune homme avait également un nouveau grand-père, Abakoum, ainsi qu'une mère toute neuve, Barbara, la véritable mère de Mortimer. Aux yeux de tout le monde, c'était plus simple ainsi, ça faisait plus « normal ». Et puis, que représentaient une fausse identité et des liens de parenté un peu artificiels face à leur secret ? Des broutilles... Ils avaient tant à cacher, à commencer par la calamité dont les trois adolescents étaient affligés et leurs pouvoirs surnaturels conférés par des origines plus que prodigieuses.

Tugdual éprouva soudain un immense besoin de parler aux siens. Il retira son casque et composa le numéro de téléphone de la chambre que sa sœur partageait avec sa mère. Aucune des deux ne répondit. Sûrement se détendaient-elles au Spa de l'hôtel. Son grand-père ne semblait pas être là, non plus. Quant à son frère, il se défoulait dans la salle de sport, au dernier étage. À moins que ce soit lui en train d'ouvrir la porte ? Mais lorsqu'il reconnut le visage apparaissant dans l'entrebâillement, il bondit sur ses pieds. Sa respiration s'accéléra, il crut perdre l'équilibre et s'accrocha au dossier de son fauteuil, aussi désespérément qu'un naufragé à sa bouée. Pourtant, était-il vraiment surpris ?

— Oh, pardon ! Je croyais qu'il n'y avait personne !

Badge à la main, Harmony affichait un sourire lumineux.

— Je ne vous dérangerai pas longtemps, promis... fit-elle en pénétrant dans la chambre.

Quel prétexte allait-elle invoquer, cette fois-ci ? Le mini-bar pas assez rempli ? Des coussins mal disposés ? Que mettrait-elle en œuvre pour éveiller en lui ne serait-ce qu'une bribe d'intérêt ? Elle avait déjà tout essayé, au point d'en oublier sa fierté. Car on ne pouvait pas dire que le jeune homme avait été très réceptif à ses efforts.

Elle se précipita vers les fenêtres, le frôlant au passage et laissant dans son sillage un parfum qui lui ressemblait, frais et juvénile.

— C'est bien ce qu'il m'avait semblé quand je suis venue vous déposer des serviettes tout à l'heure ! s'exclama-t-elle.

Elle se retourna vers Tugdual, les mains sur les hanches, les reins cambrés.

— Elles sont sales ! fit-elle, un doigt brandi vers les vitres.

Son air triomphant, en décalage avec la banalité de son constat, révélait à Tugdual l'ampleur de la catastrophe qui se profilait, à cause de lui et malgré lui.

— Je vais vous laisser faire votre travail, dit-il d'une voix sourde en se dirigeant vers la porte.

— Oh, non, vous ne me dérangez pas ! s'alarma-t-elle aussitôt. Restez, je vous en prie.

Harmony rayonnait du plaisir de se trouver là, si proche de lui, une nouvelle fois. Tugdual en était paralysé. S'il n'y avait pas eu cette douleur qui perçait sa tête, il aurait pu s'éloigner, fuir. Éviter que cette jeune fille ne perde la vie. Car c'est ce qui allait arriver, sans aucun doute. Comment pouvait-il en être autrement ? La douleur qui comprimait son crâne ne cesserait qu'à ce prix. Elle allait le persécuter, le broyer jusqu'à se repaître enfin de ce qu'Harmony éprouvait à son égard, ce désir amoureux et irraisonné qui la dépassait. Alors, Tugdual resta là, planté au milieu de la pièce, les mains enfoncées dans les poches, et la regarda s'activer.

Elle lui jetait des coups d'œil fiévreux tout en s'acharnant sur les vitres. Tugdual, lui, tentait d'esquiver en feignant une impassibilité qu'intérieurement il était loin de ressentir. Quand Harmony se retourna pour engager la conversation, le désir amoureux, jusqu'alors exprimé par son regard, prit forme. Tugdual le voyait désormais, matérialisé en de fascinantes volutes noires qui s'échappaient d'entre ses lèvres à chacune de ses expirations, au travers de chaque mot qu'elle prononçait.

— L'homme qui est avec vous, c'est votre grand-père, n'est-ce pas ?

Tugdual opina et ce mouvement, bien que minime, généra un élancement fulgurant. L'image d'un câble électrique dénudé et crépitant à l'intérieur de son crâne était la plus éloquente.

— Je me disais aussi qu'il était un peu âgé pour être votre père... poursuivit Harmony. Vous allez rester longtemps à Chicago ? C'est une ville magnifique, vous ne trouvez pas ? J'y suis née et je ne l'ai jamais quittée, j'y mourrai sûrement...

Elle rit avec une insouciance qui déconcerta Tugdual. Fallait-il vraiment qu'elle évoque sa propre mort, maintenant, de cette façon ?

— Où est-ce que vous habitez ? Vous n'êtes pas d'ici, je me trompe ?

Non, Harmony, tu ne te trompes pas. On n'est pas du tout d'ici et en même temps je serais bien incapable de te dire d'où on est vraiment.

Au lieu de cela, il répondit par un vague marmonnement. Harmony cessa son bavardage pour persister à nettoyer les vitres propres. Elle faisait de grands gestes, exagérés et inutiles, pressant si fort sur le verre que son chiffon produisait un chuintement irritant à chaque frottement. Puis, gênée par le silence qui s'installait entre eux deux, elle se lança dans un monologue sur son travail à l'hôtel. Son débit rapide s'entrecoupait d'anecdotes et d'éclats de rire, nombreux, nerveux, plus ou moins justifiés. Tugdual ne savait plus quelle contenance adopter. Elle n'était certainement pas comme ça, d'habitude, il en aurait mis sa main au feu. Mais à cet instant, elle n'avait plus rien de la jeune fille rêveuse, un brin romantique, assez réservée qu'elle avait toujours été. Brûlant du désir que le jeune homme faisait naître en elle, elle n'agissait pas seulement de cette façon absurde et outrancière qu'on peut adopter lorsque quelqu'un nous plaît : tout en elle devenait excès et Tugdual savait exactement pourquoi. Huit jours auparavant, Orthon, son père – également celui de Mortimer –, lui avait inoculé ce que son esprit dérangé avait eu la folie d'élaborer : une substance redoutable qui faisait exploser son taux de phéromones, autrement connues sous le nom d'« hormones de l'amour ». Pourtant, à ce niveau, il n'était plus vraiment question d'amour. Seule restait l'attraction, exacerbée, artificielle. Zoé et Mortimer avaient subi le même sort. Depuis, ils étaient tous les trois devenus des objets de tentation primaire, destinés à attiser le désir des autres pour s'en nourrir, s'en gaver, avec la frénésie de drogués en manque.

Bien sûr, s'emparer de ce qu'ils suscitaient ne pouvait pas suffire. Orthon y avait veillé. « *Vous êtes condamnés*

à tuer ceux à qui vous plairez, ceux qui vous aimeront... »
C'est ainsi qu'Abakoum avait résumé le fléau.

Un jeune homme avait déjà succombé au baiser fatal de Zoé. Par la suite, dans l'avion qui avait emmené la famille jusqu'à Chicago, on avait évité de peu le carnage. Lieu clos, promiscuité, concentration de phéromones... D'ailleurs, sitôt débarqué, Tugdual avait cédé sous la pression et fait sa première victime, sans même attendre d'être sorti de l'aéroport.

Les trois ados savaient que leurs douleurs, si insupportables fussent-elles, ne pouvaient pas les tuer. Ils savaient aussi qu'il leur était impossible de se donner la mort. En finir aurait été trop facile et cet ultime « détail », point d'orgue de la férocité de leur défunt bourreau, laissait présager un futur bien difficile.

3.

La voix d'Harmony tira Tugdual de sa réflexion.

— Ça ne va pas ?

En un battement de cils, il prit conscience qu'il était là, debout, une main crispée sur le dossier du fauteuil auquel il s'accrochait. Une volute sombre, exhalée par Harmony, vint le frôler, aussi redoutable que la nuée ardente d'un volcan. Étant donné la brutalité de la douleur qui lui vrillait la tête, il se doutait de la mine qu'il affichait.

Harmony posa la main sur son avant-bras. Effaré, il se dégagea très vite.

— Vous voulez que j'appelle un médecin ? insista la jeune femme.

— Non, merci, ça va passer, balbutia-t-il.

Au prix d'un effort considérable, il la raccompagna jusqu'à la porte de sa chambre en évitant de la regarder, même si tout l'y incitait, son approche désarmante, son attente désespérée, son souffle, saturé de désir. Il fallait qu'elle parte.

— Vous êtes sûr ? demanda-t-elle en le mangeant des yeux.

Se rendait-elle compte du double sens de sa question ? Elle s'approcha de lui. Sans doute prenait-elle son immobilité pour un encouragement à rester, alors qu'en vérité il tremblait de peur. Car il savait désormais qu'elle ne pourrait pas lui échapper, ni maintenant ni jamais.

Le désir amoureux d'Harmony apparaissait de plus en plus nettement et forçait tous les barrages que Tugdual avait si péniblement construits. De fragiles murailles, en vérité, éphémères comme des châteaux de sable qu'une innocente vague peut réduire à néant.

Il voulait hurler à la jeune fille de faire demi-tour, de le laisser. Mais au lieu de cela, il tendit la main vers elle et s'arrêta à deux centimètres de sa joue. Elle ferma les yeux et inclina doucement la tête, à la recherche du contact avec la paume du jeune homme et de son geste resté inachevé.

— Vous... Tu es tellement... dit-elle dans un souffle.

Il l'arrêta en posant le bout de son index sur ses lèvres et le retira aussitôt quand elle chercha à le mordiller. Ses pensées empruntaient un chemin inattendu, s'attardaient sur des détails microscopiques, comme si le mal qui l'étreignait devait faire diversion pour l'empêcher de lutter. C'était bel et bien lui le plus fort. Tugdual ne pouvait que se soumettre.

Face à lui, si proche, Harmony attendait, frémissante, les yeux mi-clos. Ses paupières brillaient du fard rosé qui les couvrait, faisant penser à des pétales de fleur. Elle entrouvrit les lèvres. Tugdual glissa la main derrière sa tête et se colla contre son corps, le visage enfoui dans sa chevelure brune. Il huma son parfum, mélange de menthe et de jasmin avec, en arrière-fond, celui des produits d'entretien imprégnant les gants en caoutchouc qu'elle avait retirés. L'espace de quelques secondes, il fut convaincu d'avoir réussi. Il ne sentait rien d'autre en lui que la douceur envoûtante de ce moment. Puis il y eut le pincement monstrueux dans sa tête, sa puissance tyrannique et, à cet instant, il ne fut plus aussi sûr de pouvoir être fort.

Le soupir d'abandon d'Harmony, si spontané et si impatient, fut aussitôt aspiré. Tugdual sentit son corps se tendre et s'en délecter tout en lui faisant bien comprendre que cet enlacement n'était qu'un délicieux en-cas, loin d'être suffisant pour le rassasier. Il lui en faudrait plus. Et il en faudrait plus à Harmony. Il plongea le visage dans le cou de la jeune fille, ce qui lui permit d'éviter ses lèvres et de retarder l'échéance. Or les mains d'Harmony se faisaient plus chaudes, plus pressées. Elles cherchaient, se faufilaient, glissaient, caressaient. Ce qui émanait d'elle devenait palpable et enivrant. Le cœur de Tugdual était au bord de l'arrêt, il crut mourir.

Pourtant, non. Les mains sur les épaules de la jeune fille, il la força à plonger les yeux dans les siens pour qu'elle voie, pour qu'elle prenne peur. L'effet fut inverse, elle se serra encore plus contre lui, l'enfermant entre ses bras. Alors, il s'écarta, avec plus de brutalité qu'il ne le voulait.

— Qu'est-ce que tu… ?

Elle n'eut pas le temps de finir sa phrase : il ouvrit la porte, prit Harmony par le bras et la poussa violemment vers le couloir. Elle se retourna, la bouche grande ouverte comme un poisson qu'on vient de sortir de l'eau. Les boucles encadrant son visage voltigèrent et rebondirent comme de petits ressorts.

— Pardon ! fit Tugdual, la voix rauque.

Et il referma la porte, horrifié par lui-même. Il s'y adossa, pâle et grimaçant.

— Non, c'est moi qui dois m'excuser… résonna la voix d'Harmony.

Elle était juste derrière la porte. Tugdual se prit la tête entre les mains. Il aurait voulu y planter ses ongles et arracher tout ce qu'elle contenait, ce nœud de souffrance, le berceau du monstre.

— Je n'aurais pas dû, poursuivit la jeune fille. Je ne sais pas ce qui m'a pris. Ça n'arrivera plus, je te le promets.

Tugdual l'entendit s'éloigner dans le couloir. Il se laissa alors glisser sur le sol et resta un long moment ainsi, prostré. Il devait sûrement exister un moyen de contourner ce fléau.

Abattu, il se sentait pourtant incapable de faire retomber la pression. Une douche bien chaude parviendrait peut-être à le calmer. Péniblement, il gagna la salle de bains et prit place dans la douche italienne, enveloppé par la pénombre et l'eau qui s'écoulait en pluie fine de l'énorme pommeau. Ainsi qu'il le faisait depuis une semaine, il se savonna comme si son corps était couvert d'une crasse tenace. Son impureté, sa monstruosité invisible, inodore, indétectable, et si menaçante.

Il frotta jusqu'à s'en écorcher la peau. Son frère et sa sœur faisaient ça, eux aussi. Savons, gels douche, parfums, détergents, dissolvants… À eux trois, ils avaient déjà essayé des dizaines de produits dans l'espoir d'atténuer l'action des phéromones. Jusqu'à maintenant, ils n'avaient rien trouvé. Il cessa de s'acharner sur sa peau quand une nouvelle fulgurance surgit à l'intérieur de lui, tout au fond. Poussé à bout, il se cogna la tête, le visage contre la céramique de la douche, d'abord doucement, puis de plus en plus violemment. Chaque coup qu'il s'infligeait lui arrachait un gémissement. Des traînées écarlates apparurent sur les parois blanches, son sang que l'eau emportait avec elle vers les égouts, là où était sa place. Sous les chocs répétés, le petit brillant qui perçait son arcade sourcilière déchira sa peau comme du papier et fut englouti sous un filet de sang, salé de larmes.

Quelle illusion… Si forte fût-elle, la douleur de ses propres coups ne pouvait rivaliser avec celle qui le ravageait à l'intérieur. Il aurait fait n'importe quoi pour avoir moins mal dedans. Il *faisait* n'importe quoi, mais il n'avait pas moins mal. Même s'il se fracassait le crâne contre le carrelage, cela ne servirait à rien. Face à lui, le miroir le lui confirmait : les contusions sur son visage se résorbaient à vue d'œil, les entailles sanglantes sur son front se refermaient déjà. Il n'avait ni la capacité ni le pouvoir d'arrêter ce qui était enclenché. Seule Harmony le pouvait. En mourant.

Il tourna le mitigeur, la température de l'eau augmenta de plusieurs degrés. Les poings serrés, il leva son visage vers la pluie bouillante et des milliers de gouttes brûlantes le frappèrent de plein fouet. Un long cri l'ébranla et il s'effondra dans la vapeur épaisse qui emplissait la salle de bains.

4.

Il lui fallut un long moment pour émerger de sa torpeur douloureuse. Séché et habillé, il se sentait devenir complètement cinglé à force de tourner en rond entre les quatre murs de sa chambre. L'interdiction de sortir de l'hôtel lui pesait, il devait se dégourdir les jambes, s'aérer la tête. Le square juste au bout de la rue le tentait tellement. Il lui suffisait de quitter sa chambre, de descendre dans le hall de l'hôtel, puis de parcourir une centaine de mètres. Depuis la fenêtre, la rue semblait plutôt déserte, il n'y avait pas grand monde. Avec son bonnet kaki enfoncé sur la tête et ses lunettes noires, ça devrait aller. Franchement, quand il se regardait dans le miroir, il ne voyait rien d'autre qu'un ado un peu flippé qui avait l'air de sortir d'une mauvaise grippe. Vraiment rien d'irrésistible. Dommage que ce soit un tout petit peu plus compliqué.

Déterminé, il fourra son téléphone portable dans la poche de son sweat à capuche. Il s'assura qu'Harmony ne traînait plus dans le couloir, puis fila d'un pas pressé vers l'ascenseur. Occupé... Au bout d'une ou deux minutes, il renonça à attendre. De toute façon, il détestait ces engins.

Dans le couloir, la moquette était si épaisse qu'elle étouffait ses pas et lui donnait l'impression de flotter. Quelqu'un passait l'aspirateur entre les deux étages. Il descendit à toute allure, comme poursuivi. Le réceptionniste le vit passer en trombe et s'engouffrer dans la porte à tambour. Cet espace étroit, découpé en quartiers comme une orange, était oppressant. Très vite, il déboucha dehors. Le portier le salua, il lui répondit poliment et inspira à fond tout en inspectant la rue. Rien à signaler. Tête baissée, il avança à vive allure jusqu'au square où il se laissa enfin tomber sur un banc

Le soleil n'était pas encore trop chaud, l'air léger restait caressant. S'il n'y avait pas eu ces canards s'ébattant sur l'étang et le drapeau américain flottant mollement, on aurait pu se croire devant une de ces photos qu'on met en fond d'écran, parfaites, idéales. Un contraste absolu avec ce qui venait de se passer... Tout était si apaisant que l'envie prit à Tugdual de s'allonger sur l'herbe, aussi douce que du velours. Des fleurs d'amandier voletaient, neige parfumée au cœur du printemps.

Il n'avait jamais été un grand romantique, mais cette beauté lui apportait un tel soulagement qu'il aurait pu rester là jusqu'à la fin de ses jours, enseveli sous les fleurs.

Cela ne dura pas, malheureusement : la souffrance, tapie au fond de son crâne, lança un nouvel assaut, lancinant.

Quelques secondes de répit, c'est trop demander ?

Il gémit et se redressa, l'attention attirée par un groupe d'enfants qui avaient envahi l'aire de jeux, non loin. Il les observa un moment, princesses, chevaliers, méchants rois et vilaines sorcières, dans leur château fort fictif. Ce petit roux, là-bas, s'investissait particulièrement dans son rôle. C'était réconfortant de les voir tous ainsi, si convaincus que leur monde imaginaire existait réellement. Ils avaient de la chance de pouvoir s'échapper un moment, comme ça, presque en claquant des doigts, juste parce qu'ils l'avaient décidé. Tugdual les enviait. Est-ce que lui-même avait été ainsi, enfant ? Pas vraiment.

Par contre, les quatre femmes qui les accompagnaient, jeunes mères ou baby-sitters, se révélaient nettement moins détendues. Elles jetaient de plus en plus souvent des regards en direction du jeune homme. Il se dit qu'elles devaient le trouver louche. Peut-être s'imaginaient-elles qu'il était un pervers ou un de ces gamins perturbés qui risquaient à tout instant de sortir un flingue et de tirer sur tout ce qui bougeait – c'était très à la mode dans ce pays. Certes, il devait en convenir : il n'avait pas l'air franchement rassurant, assis dans l'herbe, planqué derrière ses lunettes et sous son bonnet.

Mais ces jeunes femmes n'étaient pas inquiètes, elles étaient comme Harmony : chacune à sa façon, toutes les quatre en plein mode séduction, alors qu'en temps normal tenter de charmer un ado de dix-sept ans paumé dans un jardin public était certainement la dernière de leurs préoccupations. Le fait qu'il soit un beau mec n'y était pour rien, il le savait bien. Il pourrait être hideux et répugnant, l'effet serait le même. Les phéromones agissaient au-delà de ces considérations.

La grande blonde se montrait particulièrement captivée, croisait et décroisait les jambes, sans quitter une seconde Tugdual des yeux. Selon le jeune homme, elle aurait mieux fait de surveiller son gosse qui s'éloignait en courant après son ballon.

Malgré l'imminence d'une nouvelle crise, il s'attarda sur cette scène qui se déroulait à quelques dizaines de mètres et, quand il vit le ballon rebondir de plus en plus fort, droit vers l'étang, il se raidit. Le gosse s'engagea sur le dénivelé, qu'il dévala à toute vitesse. Ses petites jambes étaient maladroites et sa course, gênée par les mottes de terre : il n'arriverait pas à temps. D'ailleurs, dans un dernier rebond, le ballon avait déjà franchi le parapet en métal qui bordait l'eau. Il flotta et s'éloigna du bord, un mètre, bientôt deux. Le gamin arriva en courant. Il stoppa net devant la barrière. Évidemment, il n'eut plus qu'une idée en tête : récupérer son ballon. C'était bien un truc de gosse... Il ramassa la branche d'un saule pleureur tombée sur le sol et commença à grimper sur les barres métalliques.

— Ta mère ne t'a donc jamais appris combien ce genre de choses est dangereux ? soupira Tugdual, excédé.

Le gamin était maintenant assis sur le parapet. Ce n'était pas très haut, mais, de l'autre côté, il y avait l'eau. Il se pencha et tendit sa branche de saule en direction du ballon, tout en se retenant à la rambarde de l'autre main.

— Tu ne vas jamais y arriver comme ça... murmura Tugdual.

L'enfant tomba dans l'étang sans même déranger les canards qui continuèrent de vivre leur vie, tranquilles. Il s'agita, battit des bras, sans doute cria-t-il. Pourtant, on n'entendait rien. Et dans quelques secondes, au maximum deux ou trois minutes, il ne serait plus qu'un pauvre petit cadavre flottant entre les nénuphars.

Tugdual devait intervenir. Mais hors de question que ça se voie. Alors, toujours assis dans l'herbe, il se concentra et exerça d'imperceptibles mouvements de la main, l'ouvrant et la refermant comme les pinces d'un crabe. Ça marchait. Bien sûr que ça marchait. Le gosse fut éjecté hors de l'eau, voltigea par-dessus le parapet et atterrit sur le sol, trempé, choqué, mais bien vivant. Tugdual procéda de la même façon avec le ballon, qui se retrouva dans les bras du petit. Le corps figé, il observait tout autour de lui.

— Ne cherche pas à comprendre, gamin, tu n'as pas idée...

Le petit garçon finit par se lever et s'empressa de rejoindre les autres. Allait-il leur dire ce qui venait de se passer ? Il eut l'air d'hésiter. Qui le croirait ? Personne. Il passerait pour un menteur et risquerait d'être doublement puni pour ça. Alors, il resta là, penaud, et attendit en espérant que ses habits sèchent avant qu'on s'aperçoive de quoi que ce soit.

Quant à Tugdual, l'essentiel était que le gosse soit sain et sauf. Il s'en serait voulu de ne rien faire, surtout que ce n'était vraiment pas compliqué. Il avait beau être un monstre, il n'avait perdu ni empathie ni humanité.

La mère du gamin ne remarqua pas davantage son retour qu'elle n'avait noté son absence. Sa copine, une jolie brune élégante, était en train de sourire à Tugdual. Discrètement, mais quand même... Il détourna la tête pour éviter de croiser leur regard. Il pensa à Harmony et gémit quand la douleur dans son crâne le pinça à nouveau, triomphante, comme pour lui dire : « Tu ne t'en sortiras pas comme ça, tu sais ! » Oh, oui, il le savait... Le sauvetage du gosse avait été une vaine diversion face au mal qui le torturait.

— Merci pour le rappel... grommela le jeune homme, mordant.

Il se leva, il valait mieux partir avant qu'une des femmes vienne lui parler. Il courut à travers les rues, si vite que ses poumons furent bientôt en feu. Il n'arrivait plus à s'arrêter, enivré par la sensation de remplacer la douleur enfermée en lui par celle de ses jambes, de ses muscles, de tout son corps. Essoufflé, en nage, l'air hagard, il comprit bientôt l'inutilité de sa tentative. Se cogner la tête contre du carrelage, s'ébouillanter, courir des millions de kilomètres... Rien ne lui aurait infligé une souffrance aussi dévastatrice que l'autre, dedans. Il en aurait pleuré.

*

Il n'eut pas à chercher longtemps : son instinct le mena directement auprès d'Harmony, dans les vestiaires du sous-sol de l'hôtel. Il savait qu'elle était là, il le sentait. Quand il la vit, en train d'ajuster sa robe devant un miroir, des flots de métal en fusion se déversèrent dans ses veines. Immobile et silencieux, il contempla un instant la jeune femme qui se remaquillait. Puis il apparut dans son champ de vision. Elle se retourna. Ses yeux étaient pleins d'attente, de feu et d'espoir.

— Tu es revenu, murmura-t-elle, tremblante.

Elle s'approcha, sans bruit, et ils se retrouvèrent face à face. Harmony semblait en équilibre sur un fil, à mi-chemin entre l'éblouissement et la terreur.

Que ce soit l'un ou l'autre, le résultat était le même pour Tugdual. La douleur, effroyable, le projeta contre elle. Dans une terrible méprise, Harmony frémit comme si les bras du jeune homme autour de son corps étaient la chose la plus importante de toute son existence. Son cœur battait à tout rompre. Celui de Tugdual aussi. Mais pas pour les mêmes raisons. Lorsqu'il surprit son reflet dans le miroir, il se fit horreur. Ces veines noires qui marbraient une partie de son visage et ses mains, ses yeux qui se noyaient d'encre... Alors voilà à quoi il ressemblait au moment où il basculait...

Il n'attendit pas qu'Harmony lui dise de l'embrasser. Leurs lèvres s'unirent, refermant le piège sur elle alors qu'elle s'enroulait autour de Tugdual, sans retenue, sans méfiance. Pendant ce temps, celui-ci se libérait de sa souffrance, un peu plus chaque seconde. Harmony se donnait, le mal se gavait, et Tugdual se trouvait entre les deux, ravagé.

*

La jeune fille ne s'aperçut même pas que le baiser lui dérobait tout ce qui faisait d'elle un être vivant. C'était inscrit : à la seconde où Tugdual était apparu dans cet hôtel, elle avait signé son arrêt de mort. Elle s'accrocha à lui, sans comprendre, les doigts enfoncés dans ses épaules, de moins en moins fort alors qu'elle s'éteignait tout doucement dans ses bras, les lèvres grises, les yeux écarquillés. Son visage se flétrit soudain, devenant en quelques secondes celui d'une vieille femme. Elle glissa entre les bras de Tugdual, comme si elle fondait, il la retint de justesse et l'allongea sur le sol, avec une délicatesse sincère. Il sentit qu'il saignait du nez. Une goutte, noire et épaisse, tomba sur la joue ridée d'Harmony. Ce n'était pas du sang. Il gémit, et d'une main roula la veste de la jeune femme pour la déposer sous sa tête.

— Pardon… murmura-t-il en lui fermant les yeux.

5.

Pouvait-il deviner qu'un autre drame se jouait presque simultanément quelques étages plus haut ? Même Barbara n'avait rien vu du danger qui allait s'abattre. Pourtant, Zoé en était à la fois le cœur et le bras armé.

Elles profitèrent un moment de la piscine, nageant côte à côte en silence. Puis, pendant que sa mère transpirait dans le sauna, la jeune fille disparut dans le hammam. Un garçon ne tarda pas à la rejoindre. River Fox n'était pas un parfait inconnu : ils s'étaient croisés plusieurs fois dans le jardin de l'hôtel où elle faisait sa promenade de « prisonnière ». Mais il n'avait pas eu besoin de plus pour tomber fou amoureux d'elle. Zoé, elle, savait combien tout cela était artificiel. Elle représentait le pot de miel, alléchant, irrésistible, et lui l'abeille, incapable de faire autrement que de foncer droit devant. Peu importait que le miel soit de lavande, d'acacia ou d'eucalyptus. Peu importait que Zoé soit jolie. Elle l'était, terriblement, mais c'étaient ces épouvantables phéromones qui créaient l'attirance foudroyante du garçon à son égard, elle le savait bien. Et plaire pour autre chose que ce qu'elle était vraiment la rendait amère.

Embrasser le garçon provoqua en elle les mêmes effets qu'en Tugdual : la disparition de ce qui broyait son cerveau, cet immense soulagement au fur et à mesure que la vie quittait le garçon, aveuglé de bonheur.

— Zoé ?

Livide, Barbara se tenait à l'entrée du hammam. La main sur la bouche, elle regardait Zoé d'un air catastrophé. Les veines noires qui couraient sur son visage, ses yeux vides et ardents à la fois avaient quelque chose d'irréel. La jeune fille se précipita dans ses bras.

— Ça a recommencé, murmura-t-elle, étranglée par sa peine. C'était insupportable, ma tête explosait, je… je ne contrôlais plus rien, c'est comme si je n'étais plus moi ! J'ai essayé, Barbara, je te jure que j'ai essayé !

Barbara la pressa contre elle et caressa ses cheveux humides. Elle ne pouvait quitter des yeux le garçon, étendu sur le banc de mosaïque, les lèvres décolorées, le visage et le corps ridés, desséchés.

— Je n'aurais pas dû te laisser seule, c'est ma faute, fit-elle, la voix tremblante.

Son envie de pleurer affleurait, elle lutta pour endiguer les larmes, pour repousser la panique. Il fallait qu'elle soit forte, même si tout en elle n'était que chaos. En se mettant en route, le ronronnement de l'étuve les fit sursauter toutes les deux. Barbara prit Zoé par l'épaule, lui enfila un peignoir et l'entraîna vers la sortie.

— Viens, il ne faut pas rester là, fit-elle.

Zoé résista et se tourna vers le garçon défunt.

— Mais… On ne peut pas le laisser comme ça !

Barbara secoua la tête. Avaient-elles le choix ?

— Viens, répéta-t-elle.

*

Tugdual aurait presque pu croiser Zoé lorsqu'il quitta le sous-sol pour remonter dans sa chambre. Il s'en était fallu de quelques secondes.

Il referma la porte derrière lui, perdu, le souffle heurté. Le parfum d'Harmony sur son tee-shirt lui souleva le cœur. Il le retira et le jeta au sol avec hargne avant de se

35

précipiter dans la salle de bains. Le grand miroir au-dessus du lavabo lui renvoya son image, celle d'un jeune homme hagard, au torse nu et aux narines noircies. Il s'essuya le nez. Le parfum de la jeune fille était encore plus prégnant sur lui que sur son vêtement. D'un geste brutal, il ouvrit le robinet et s'aspergea, rugissant et frottant son visage pour en effacer toute odeur. Puis il coupa l'eau. Le silence revint, à peine troublé par la rumeur étouffée de la rue en arrière-fond. Les deux mains posées à plat sur le rebord de marbre, il laissa les gouttes glisser sur sa peau en réprimant des frissons.

Un bruit lui fit tourner brusquement la tête vers le mur contigu à la chambre qu'occupaient Barbara et Zoé. Était-ce sa sœur qu'il entendait pleurer ? Il tendit l'oreille. Ce n'étaient pas des pleurs, mais plutôt les sanglots frénétiques de quelqu'un en train de craquer.

— Zoé... murmura-t-il.

Sans réfléchir davantage, il traversa le mur et se retrouva dans la chambre d'à côté, pieds et torse nus, trempé. Nullement surprise, Barbara le dévisagea. À son regard fiévreux s'ajoutait la vision de Zoé, assise au bord du lit, le corps secoué de sanglots incontrôlables. Le jeune homme s'agenouilla devant elle et inclina la tête pour qu'elle puisse le regarder. Elle n'eut pas besoin d'expliquer quoi que ce soit, Tugdual comprit dès qu'il vit son visage. Il essuya délicatement la goutte noire comme de l'encre qui perlait sous ses narines et elle se risqua enfin à le regarder. Ses yeux pleins de larmes s'écarquillèrent alors que la stupeur lui coupait le souffle. Dans un faible gémissement, elle posa la main sur la joue de Tugdual et passa le pouce sous ses narines encore un peu noircies. Elle aussi avait compris. Ils s'observèrent sans un mot, tous deux en phase, terriblement.

Spectatrice au supplice, Barbara poussa soudain un cri.

— Mortimer ? Où est Mortimer ?

Tugdual frémit.

— La salle de sport... lâcha-t-il, la voix éraillée.

— Oh, mon Dieu ! s'exclama Barbara.

Elle se précipita vers la porte. Zoé et Tugdual se levèrent d'un bond.

— Non ! cria-t-elle. Vous, vous restez là !

Stupéfaits, les deux ados se regardèrent et baissèrent la tête. Barbara avait raison : dans l'état où ils se trouvaient, il valait mieux qu'ils restent à l'abri. Leur vraie-fausse mère ouvrit la porte à la volée et la referma aussi sèchement.

*

La première chose qu'elle vit en faisant irruption dans la salle, ce furent des jambes musclées, chaussées de grosses baskets, dépassant d'un banc de musculation.

— Ce n'est pas vrai... Dites-moi que ce n'est pas vrai... gémit Barbara.

— Hé ! Qu'est-ce que tu fais là ?

À l'autre bout de la pièce, depuis son tapis de course, Mortimer la regardait d'un air stupéfait.

— Tu fais une de ces têtes... fit-il avant de s'interrompre.

L'homme installé sur le banc se redressa et apparut dans le champ de vision de Barbara, bien vivant. Vaguement troublé par cette ambiance étrange, il mit une serviette autour de son cou et sortit.

— Tu m'as fait si peur ! lâcha sa mère en se passant les mains sur le visage.

— Peur ? Pourquoi ?

En observant plus attentivement le visage de sa mère, il s'assombrit.

— Il s'est passé quelque chose... bredouilla-t-il.

Il pensait poser une question, mais c'est une constatation qui s'imposa. Le ciel sembla lui tomber sur la tête.

Il s'approcha de sa mère, l'air profondément affligé. Pour le moment, il avait été épargné par la malédiction de son père. Mais un jour ou l'autre, il passerait à l'acte. Hier, aujourd'hui, demain, la menace était là, souveraine. Et ça ne pouvait pas continuer.

6.

Réunis dans la chambre de Zoé et Barbara, les cinq membres de l'étrange famille tenaient un conseil dans l'urgence. Il fallait anticiper ce qui allait se passer afin de limiter les dégâts.

— Tu veux plutôt parler des conséquences sur nos petites personnes ? fit remarquer Mortimer en s'adressant à Abakoum sur un ton grinçant. Parce que, question dégâts, c'est déjà fait, et dans les grandes largeurs..

Sa mère le dévisagea d'un air réprobateur.

— Pardon, ce n'est pas ce que je voulais dire, bredouilla-t-il.

Alors que son frère et sa sœur, sous le choc, restaient muets et immobiles, lui ne pouvait s'empêcher de se lever, de se rasseoir, de parcourir la chambre dans tous les sens en jurant. Le fait d'avoir été jusqu'alors épargné par le fléau qui les affligeait tous les trois le rendait plus que nerveux. Et la délicatesse n'était pas sa plus grande qualité.

— Nous allons devoir faire comme si de rien n'était, poursuivit Abakoum.

Voûté, le visage cendreux, les yeux rougis, le patriarche semblait avoir vieilli de plusieurs années en quelques minutes. Mais comme d'habitude, il faisait son possible pour encaisser cette nouvelle épreuve, en dépit de l'immense souffrance qui se reflétait dans son regard comme dans son attitude.

— Je sais que c'est beaucoup vous demander et que vous pensez que c'est au-dessus de vos forces. Mais ce qui va arriver n'est pas difficile à prévoir : les corps de ces malheureux ne vont pas tarder à être découverts, la police va débarquer, faire les premières constatations, tenter de trouver les premiers liens... et interroger les clients de l'hôtel, c'est inévitable. C'est là qu'il faut vous convaincre et convaincre ceux qui vous interrogeront que vous ne savez rien, que vous n'avez rien vu.

Zoé se mit à respirer précipitamment.

— Pourquoi on ne part pas ? demanda Mortimer dans un souffle. Maintenant ?

À l'évidence, il en brûlait d'envie.

— Parce que ce serait le meilleur moyen d'attirer l'attention sur nous, répondit Tugdual d'une voix atone. On est là depuis trois jours et, même si on est super discrets, on n'est pas invisibles. Des tas de gens nous ont vus et sont capables de dire à quoi on ressemble.

Il risqua un coup d'œil vers son frère, dont il sentait à la fois la peur et la révolte, avant de conclure :

— T'as envie que nos portraits-robots fassent le tour du pays et qu'on ait toutes les polices à nos trousses ?

— Nous partirons plus tard, intervint Barbara.

— Et si vous vous plantez... si on se plante à l'interrogatoire ? insista Mortimer, tremblant.

— Personne ne se plantera, assena Tugdual. De toute façon, qu'est-ce que tu as à craindre, toi ? Tu n'as rien fait !

Son frère lui jeta un coup d'œil douloureux.

— Pour le moment... marmonna-t-il. Mais excuse-moi de me sentir un peu solidaire de vous !

Tugdual détourna la tête, épargnant à son frère l'affront d'un regard glacial et d'une repartie cinglante.

— Ça va bien se passer, fit Zoé.

Elle intervenait pour la première fois depuis le début de la discussion et, bien que tout en elle paraisse dévoré par le chagrin et le remords, on pouvait distinguer une farouche détermination derrière ses larmes et dans l'intonation de sa voix.

— On va surmonter tout ça, comme on a surmonté tout le reste, dit-elle.

*

Il y eut d'abord des cris, puis une vive agitation dans les couloirs de l'hôtel. Quelques minutes plus tard, des sirènes retentirent. Tugdual relâcha le rideau derrière lequel il se tenait pour observer la rue.

— La police... dit-il simplement.

— Il doit y avoir des dizaines d'indices, murmura Mortimer en se tordant les mains. Ça va être un jeu d'enfant de remonter jusqu'à nous.

— Ferme-la, s'il te plaît... le supplia Zoé.

Chacun dans son coin, ils attendirent sans oser se regarder. Tout leur semblait se liguer pour mettre leurs nerfs à l'épreuve, le vrombissement d'un avion en altitude, les pleurs d'un gamin dans la rue, le moteur bruyant d'un camion en stationnement. Quand Tugdual fit craquer les jointures de ses doigts, Mortimer le dévisagea comme s'il venait de commettre un acte d'une grossièreté inadmissible.

— Où vas-tu ? s'écria Barbara en voyant soudain Abakoum se diriger vers la porte.

Son appréhension était toujours visible dès qu'il s'agissait pour elle de rester seule avec les trois jeunes, notamment en présence de Tugdual. Pourtant, elle n'avait apparemment rien à craindre de lui. Cette forme d'amour maternel qu'elle ressentait pour le jeune homme annihilait-elle l'action des phéromones ? Personne ne le savait. La crainte s'effaçait de jour en jour, mais elle n'était pas encore tout à fait éteinte. Et même si tout le monde la comprenait, Barbara s'en voulait terriblement. Elle glissa un regard désolé vers Tugdual. La main sur la poignée de la porte, Abakoum fixa sa belle-fille d'un air rassurant.

— Je vais voir ce qui se passe, histoire de prendre les devants... expliqua-t-il. Attendez-moi ici.

*

Dès qu'il s'engagea dans le grand escalier, le patriarche des Cobb put prendre la mesure de l'effervescence que la découverte des deux corps suscitait. Le hall résonnait des récriminations de quelques clients, mécontents d'être bloqués dans l'hôtel dont l'entrée était filtrée par des policiers armés. Le personnel, très affecté par le drame, faisait son possible pour répondre aux sollicitations des uns et des autres. Mais l'inquiétude de tous était palpable. Et communicative.

Abakoum ne se hâta pas, profitant de la banalité de son allure de vieil homme un peu distrait et de l'acuité de ses dons pour écouter ce qui se disait autour de lui. Il pouvait entendre le moindre chuchotis, y compris les mots échangés par les agents du FBI en combinaison qui se trouvaient dans une des pièces mises à leur disposition. Il fit mine de s'arrêter et tendit l'oreille, à l'affût de bribes d'informations sur ce qu'on avait déjà découvert.

— Il semblerait que les décès remontent à deux heures, trois maximum... Aucune cause visible, ni voie de fait ni agression sexuelle...

— Ça ne peut pas être un virus... Tout le monde aurait été touché... On constate une coagulation ultrarapide du sang... Embolie, arrêt cardiaque... Vieillissement instantané...

— Des gouttes de la même substance visqueuse à proximité des corps... Des échantillons ont été prélevés... En cours d'analyse...

À ces mots, Abakoum repensa aux narines noircies de Tugdual et de Zoé, et son cœur se serra.

Le goudron... Ils ont laissé cette immonde matière der-rière eux...

Jusqu'à quel point ces quelques gouttes pouvaient-elles permettre de remonter jusqu'aux Cobb ? Étaient-elles susceptibles d'entraîner un rapprochement avec les premières victimes de Tugdual et de Zoé ? Les deux adolescents avaient-ils fait tomber du goudron de leurs narines à l'aéroport de Chicago et dans l'immeuble désert de Washington, lieux du premier... meurtre ? Du côté du bar, investi par les agents en combinaison, il saisit au vol quelque chose qui ajouta à son trouble déjà vif.

— Des empreintes digitales *angulaires* ? disait l'un des scientifiques. Tu es sûr ?

— Regarde toi-même...

Abakoum glissa un œil vers l'ordinateur autour duquel les hommes s'étaient massés. Mais il ne pouvait rien voir, ils étaient trop nombreux.

— Il faut refaire les prélèvements.

— C'est la troisième fois, expliqua une femme. Il n'y a aucune erreur à ce niveau-là.

— Et pourtant, ce n'est pas possible...

— Le tueur a certainement mis des filtres pour masquer ses empreintes, ou bien il a une prothèse.

Encore davantage que les gouttes de goudron, cette nouvelle tracassait vraiment Abakoum. À moins de se brûler la pulpe des doigts, Tugdual et Zoé ne pourraient pas esquiver la prise d'empreintes si la police l'exigeait. Et alors... Il retourna sur ses pas, il en avait assez entendu pour comprendre qu'il allait falloir jouer serré. Très serré.

En apprenant ce qu'Abakoum avait découvert, Tugdual et Zoé se précipitèrent sous la lumière vive des liseuses pour inspecter leur index.

— C'est pas vrai ! s'écria Zoé.

Elle regarda Tugdual, penché sur son doigt d'un air incrédule. Il frotta la peau, la tendit, la gratta... Rien à faire : comme sur l'index de Zoé, les minuscules sillons se mouvaient à la surface, formant des courbes aléatoires qui se déliaient, ondulaient... et se tendaient pour former des lignes droites et des angles absolument irréels avant de reprendre une forme plus ordinaire.

— Il ne manquait plus que ça... murmura le jeune homme. Là, je ne vois vraiment pas comment on va faire...

Les cinq Cobb savaient que le téléphone ne tarderait pas à sonner. Pourtant, ils sursautèrent quand la sonnerie retentit, telle une alarme, une sirène. Barbara regarda ses trois enfants en inclinant la tête, l'air de leur dire « tout se passe exactement comme prévu ». Elle laissa sa main en suspens au-dessus du combiné et attendit encore deux sonneries avant de décrocher.

— Barbara Cobb à l'appareil... Oh, Seigneur, c'est terrible !... Non, non, nous ne comptions pas quitter l'hôtel aujourd'hui... Oui, bien sûr...

Elle raccrocha et son regard dériva lentement vers Tugdual. Il se passa les mains sur le visage et, lèvres pincées, il se leva en réprimant ses tremblements.

— Abakoum, la police demande que tu ailles avec lui... précisa Barbara d'une voix blanche.

— Allons-y, mon garçon ! fit le patriarche en se dirigeant vers la porte d'un pas lourd.

7.

La menace semblait omniprésente, comme si chaque personne pouvait deviner ce que Tugdual cachait, ses secrets, ses atrocités, sa réalité. Sa longue mèche brune en travers du visage, le jeune homme déboucha dans le hall de l'hôtel en évitant de croiser le moindre regard. Les enfants croient parfois qu'on ne peut pas les voir s'ils ne regardent personne... À cet instant, Tugdual aurait échangé tous ses pouvoirs surnaturels contre celui-là. Abakoum à ses côtés, il fendit la foule massée devant la réception et s'engagea dans le couloir bordé de salons momentanément reconvertis en salles d'interrogatoire.

— On doit faire quoi ? chuchota-t-il en se mordillant nerveusement un ongle.

— On attend.

Il s'appuya contre le mur et prit la pose nonchalante d'un ado qui s'ennuie. Puis il se ravisa en se redressant légèrement.

N'en fais pas trop non plus... se dit-il. *Pas la peine de te faire remarquer par une attitude antipathique...*

Son regard glissa vers Abakoum : le vieil homme faisait lui aussi son possible pour se montrer naturel. Un sanglot déchirant interrompit le cours de leurs réflexions. Instinctivement, ils se retournèrent et virent une femme, escortée de deux policiers, qui s'engageait dans leur direction. Son visage était luisant de larmes, son corps secoué de spasmes.

Pourvu que ce ne soit pas elle… pensa très fort Tugdual, les poings serrés, la mâchoire crispée.

Mais il savait qu'il ne se trompait pas. C'était bien la seule personne qu'il redoutait de voir, la mère d'Harmony.

— Pourquoi est-ce arrivé ? gémit la femme. Elle ne méritait pas de mourir aussi jeune… Toute la vie devant elle… des projets… des enfants…

Chaque seconde qui s'écoulait, Tugdual s'attendait à ce qu'elle l'aperçoive et comprenne, qu'elle se jette sur lui, le frappe, le griffe, l'étrangle, lui arrache la tête pour ce qu'il avait fait à sa fille. Sa culpabilité lui semblait si voyante et l'instinct maternel pouvait être si puissant… Pourtant, elle passa devant lui sans le voir.

— Tiens bon, mon garçon… murmura Abakoum.

Les deux policiers la conduisirent dans une pièce et refermèrent la porte. Plus loin, à l'extrémité du large couloir, on pouvait voir un couple enlacé, ou plutôt se soutenant mutuellement pour ne pas s'effondrer. Certainement les parents de River Fox, dont le corps gisait sans vie dans le hammam. Quelques-unes de leurs paroles flottèrent jusqu'à Abakoum et Tugdual, aussi pleines de révolte et d'incompréhension que celles de la mère d'Harmony.

Tout ce malheur à cause de nous… se dit le jeune homme en fermant les yeux.

— Abakoum et Tugdual Cobb ?

— Oui, répondirent-ils en même temps à l'homme en costume qui venait de surgir devant eux.

— Veuillez me suivre, s'il vous plaît.

D'un geste du bras, il leur montra une pièce. Une femme en tailleur sombre en sortit.

— Monsieur… Cobb ? demanda-t-elle en compulsant la liste qu'elle tenait.

— Oui, Abakoum Cobb, et voici mon petit-fils, Tugdual.

— Très bien. Merci d'accepter de répondre à nos questions.

46

Abakoum fit un petit signe de la tête, tandis que Tugdual se demandait ce qu'il devait faire.

Pourvu que ce ne soit pas cette femme qui m'interroge... implora intérieurement Tugdual. *Il ne manquerait plus que ces foutues phéromones se mettent à agir et que je la tue, elle aussi...*

— Mon collègue va s'entretenir avec vous dans la pièce d'à côté, jeune homme, fit-elle.

Tugdual s'efforça de ne regarder ni Abakoum ni les agents afin que personne ne puisse remarquer ce mélange d'agitation et de peur paralysante qui gonflait en lui.

Fais comme si de rien n'était. Sois juste un peu impressionné à cause de ce branle-bas de combat, mais rappelle-toi que tu ne sais rien. Sinon, tu es bon pour la chaise électrique... ou les labos d'expérimentation !

D'une démarche mécanique, il suivit l'homme en espérant qu'il ne le trouve ni plus ni moins nerveux que n'importe quel innocent en de telles circonstances – être interrogé par des fédéraux dans le cadre d'un double meurtre n'était pas une expérience vraiment anodine.

— Installez-vous, je vous prie.

Les yeux braqués sur les motifs du tapis, Tugdual s'assit au bord d'un fauteuil pendant que l'agent ouvrait son ordinateur portable. Tout lui parvenait de façon déformée – les sons, les voix, l'apparence des gens, leurs mouvements, la lumière provenant de la fenêtre sur sa gauche. Même ses propres gestes lui paraissaient brouillés, d'une lenteur pesante, comme s'il était sous l'eau.

— Vous vous appelez Tugdual Cobb, c'est bien cela ? commença l'agent. Vous avez dix-sept ans, vous êtes né à Seattle et vous habitez actuellement à Portland.

C'était ce que disait son vrai-faux passeport, ainsi que la fiche de renseignements remplie à l'arrivée dans l'hôtel.

— Oui.

— Quelles sont les raisons de votre séjour à Chicago ?

— Ma famille et moi, on a décidé de visiter le pays, Chicago fait partie des étapes incontournables.

— Et quelle est votre prochaine destination ?

Tugdual s'enfonça dans le fauteuil, dos bien en appui contre le dossier et avant-bras sur les accoudoirs. Une position qui lui permit instantanément de trouver une certaine stabilité.

— On n'a pas encore décidé, répondit-il avec une décontraction convaincante. Ma sœur voudrait que ce soit New York, et ma mère préférerait Boston.

Impassible, l'homme entra ces informations dans son ordinateur. Tugdual se passa la main dans les cheveux pour dégager son visage. C'était peut-être vain, mais il ne voulait pas donner l'impression de se cacher derrière quoi que ce soit.

— Savez-vous ce qui s'est passé dans cet hôtel ? poursuivit l'agent.

— Je sais seulement ce que le réceptionniste a dit à ma mère, deux personnes ont été trouvées sans vie.

L'agent fédéral plaqua des photos sur la table qui les séparait.

— Vous les connaissiez ? demanda-t-il.

Tugdual fit mine d'examiner les clichés d'un air concentré, mais suffisamment dénué d'émotion, malgré les flots de peine qui le submergeaient. Harmony apparaissait souriante et lumineuse. Elle avait l'air si... vivante... et elle était si morte... Il détourna son attention sur les photos du garçon, à l'évidence rieur, sportif, gentil. Mort, lui aussi.

Calme-toi, ne pense pas à ça, calme-toi.

Qu'avait dit Abakoum ? Glisser un peu de vérité dans le mensonge ?

— Elle ! fit-il en pointant le doigt sur la photo d'Harmony. Je la reconnais, c'est une des femmes de chambre.

— Quand l'avez-vous vue pour la dernière fois ?

— Ce matin ! dit-il avec l'air troublé de quelqu'un qui se rend compte que la mort peut toucher à chaque instant, n'importe qui.

— Vous vous souvenez à quelle heure ?

— C'était après le petit déjeuner, il devait être à peu près neuf heures, neuf heures trente.

L'homme pianota sur son ordinateur, puis le regarda à nouveau. Tugdual aurait juré déceler de la suspicion au fond de ses yeux. Non, pire que de la suspicion : de la certitude !

Il sait ! Il sait tout ! Il va tourner autour de moi pour voir comment m'attraper. Une fois qu'il aura trouvé, il ne me lâchera plus...

— Vous avez remarqué quelque chose d'anormal ?

— D'anormal ? répéta Tugdual.

— Oui, dans son comportement, par exemple.

— Qu'est-ce qui aurait pu paraître anormal ? Je ne vois pas trop ce que vous voulez dire... fit Tugdual, volontairement troublé.

— Des mots qu'elle aurait pu dire, un comportement inhabituel... précisa l'agent.

Tugdual plissa les yeux.

— Je ne la connais... je ne la connaissais pas. Alors c'est difficile de savoir si elle n'était pas comme d'habitude.

Cette réponse lui semblait la plus sensée. Le regard de l'agent alterna entre son écran et le jeune homme. Pendant quelques secondes, tout resta figé, péniblement suspendu.

— Vous vous souvenez de ce que vous faisiez entre dix heures et douze heures ?

— J'étais à la salle de sport avec mon frère, Mortimer.

L'agent prit note.

— Bien, conclut-il. J'ai besoin d'une dernière chose avant de vous laisser rejoindre votre famille.

Tugdual se sentit vidé de tout son sang.

— Je dois prendre vos empreintes digitales.

Instinctivement, Tugdual frotta le bout de ses doigts contre la couture rugueuse de son jean pendant que l'agent sortait un boîtier électronique. Ses sillons digitaux étaient-ils toujours aussi mouvants ? Il brûlait d'envie de jeter un œil, mais comment faire ? L'agent était là, face à lui, en train de mettre en marche le boîtier. D'ailleurs, il le lui tendait déjà.

— Ce n'est qu'une formalité, fit-il.

Pourquoi le préciser ? D'ailleurs, Tugdual se demandait si tout cela était vraiment légal. La prise de ses empreintes digitales était sûrement le seul but de cet interrogatoire : le mettre en confiance en lui posant des questions de routine pour mieux le prendre par surprise. Pourtant, il n'avait pas le choix. Il se conforma aux consignes que lui donnait l'agent, avec l'impression de faire des aveux complets et de signer lui-même son arrêt de mort.

— Je vous remercie de m'avoir accordé un peu de votre temps, lança sobrement l'homme en reprenant le boîtier.

Tugdual opina et se leva.

Quoi ? C'est tout ? Vous ne m'arrêtez pas ?

— Bon... Au revoir... dit-il poliment.

Il quittait tout juste la pièce quand l'agent le rappela. Les battements de son cœur redoublèrent de violence. Il s'attendit au pire, à l'inéluctable.

— Pouvez-vous dire à votre frère de venir, s'il vous plaît ?

La pression ne redescendit pas pour autant.

— Bien sûr... souffla Tugdual.

Il quitta vite le couloir, à court d'air. Il rejoignit l'escalier, puis gravit les marches quatre à quatre. Arrivé à l'étage où se trouvait sa chambre, il se laissa tomber sur la dernière marche et regarda ses mains, les tourna avec précaution, tressaillant sous l'assaut de vertiges d'angoisse. Après beaucoup d'hésitation, il rapprocha son index et les autres doigts pour les inspecter sous la lumière du spot placé juste au-dessus de lui. Il les examina sous plusieurs angles, les frotta, les observa encore. Les sillons sur sa peau ne pouvaient être plus ordinaires : des courbes parfaites et surtout immobiles. Il faillit en crier, autant de soulagement que de surprise. Qu'est-ce que tout cela signifiait ?

*

La nuit commençait à tomber lorsque le calme revint enfin au sein de l'hôtel. Ainsi que tous les clients, les cinq Cobb avaient été interrogés par les agents fédéraux. Ils avaient tous donné des réponses cohérentes, en se montrant naturellement tendus et remués par le contexte particulier. Comme n'importe qui, ni plus ni moins.

Après l'épreuve de l'interrogatoire, ils se retrouvèrent dans la chambre d'Abakoum, incapables de se quitter, unis dans l'horreur de ce qui s'était passé et par cette impression de sursis, si pesante. Les trois ados ne lâchaient pas des yeux la longue baie vitrée, rivés sur les gyrophares, les allées et venues dans la rue. Quand les deux civières apparurent, poussées par des policiers jusqu'à des ambulances, Zoé laissa échapper un gémissement et vacilla. Tugdual passa un bras autour de ses épaules, lui-même en proie à un étourdissement. Quant à Mortimer, il ne supportait pas la vue des housses de plastique et l'idée de ces corps à l'intérieur. Il se jeta sur le lit, à plat ventre, et se mit un oreiller sur la tête. Tugdual et Zoé, eux, voulaient voir, entendre, enfoncer ces images et ces sons dans leur tête comme une dérisoire et cependant pénible punition.

Puis les ambulances démarrèrent, suivies des voitures de police, en un lent cortège auréolé de lumières bleutées qui déchiraient l'air.

La chambre faisait figure de bulle, silencieuse, protégée. Tout autour, le monde semblait continuer de tourner, ses échos étouffés leur parvenaient, les frôlaient, mais restaient à la lisière. Leur lisière. Tugdual, Zoé, et même Mortimer... Tous trois savaient qu'ils étaient devenus des monstres, et pourtant ils se sentaient remplis de tant d'humanité ! Deux parts d'eux-mêmes, à la fois inséparables et incompatibles.

— Qu'est-ce qu'on va faire maintenant ? murmura Zoé.

Aucun d'eux ne pouvait formuler : il fallait qu'ils se retirent, qu'ils s'isolent, loin, très loin. Pour ne pas oublier ce qu'ils avaient été. Pour ne pas céder à ce qu'ils ne voulaient pas être.

Pour avoir un présent. Un avenir.

8.

Quelques heures après avoir quitté leur hôtel à Chicago, les Cobb s'étaient installés dans un chalet perdu dans les montagnes du Vermont, au bout d'un chemin forestier.

— Je suis sûr que même les satellites les plus sophistiqués n'arriveraient pas à nous localiser ! avait commenté Mortimer à leur arrivée. Et vous savez pourquoi ? Parce que cet endroit n'existe pas !

— Eh bien, tant mieux s'il n'existe pas… avait rétorqué Tugdual.

Vivre coupés du monde, à l'isolement, fut vite ressenti comme un emprisonnement par les jeunes Cobb. Hormis la garantie d'une évidente sécurité – pour les autres comme pour eux-mêmes –, cet exil montagnard n'avait qu'un avantage : permettre aux membres de cette nouvelle famille d'apprendre à mieux se connaître.

Mortimer et Tugdual, demi-frères, s'étaient rencontrés un an auparavant. Leur père, Orthon McGraw, avait attendu toutes ces années pour révéler leur filiation dans un fracas qui avait profondément ébranlé les garçons. Aujourd'hui, ils se montraient moins méfiants l'un envers l'autre, ils se respectaient, commençaient à s'apprécier, tout en observant cependant une certaine prudence. Ce n'est pas parce qu'ils avaient ce terrible père en commun qu'ils se sentaient frères pour autant.

Zoé, leur cousine – officiellement, leur sœur –, était entrée dans leur vie un peu plus tôt, mais jusqu'alors personne n'avait l'impression de savoir qui était vraiment l'autre. Sous le regard bienveillant d'Abakoum et de Barbara, ils s'apprivoisaient en douceur, acceptant progressivement de lâcher du lest, de partager leurs douleurs, immenses, leurs inquiétudes et leur révolte face à leur sort.

Les rapports entre Tugdual et Zoé, par exemple, avaient considérablement évolué. En premier lieu à cause du « fléau hormonal » qu'ils partageaient. Souffrir du même mal, ça créait des liens, forcément. Puis, au fil des jours et d'un quotidien commun, ils avaient appris à décrypter ce que les masques cachaient, ce que les regards, les silences, les attitudes voulaient exprimer. Longtemps, Tugdual avait pensé que sa *vraie-fausse sœur* était une gamine distante et donneuse de leçons, avant de découvrir qu'elle recélait un esprit d'une maturité singulière, capable de la plus extrême délicatesse comme de la plus grande violence. De la même manière, lui-même avait commencé à laisser entrevoir sa sensibilité à fleur de peau et une forme de mélancolie noire, à l'opposé du jeune homme glacial et dénué de scrupules que Zoé avait vu au premier abord. Ils s'étaient longtemps cru à l'opposé, au point de devenir de véritables ennemis. Puis, au fil du temps, ils avaient fini par trouver dans l'autre un allié, un confident, un alter ego.

Quant à Mortimer, les relations avec son frère étaient plus frontales, certainement à cause de leurs différences, tant physiques que psychologiques. D'après leurs faux passeports, onze mois les séparaient. Alors que Tugdual était mince et fin, Mortimer avait une solide carrure de sportif. L'un portait une longue mèche noire derrière laquelle il aimait se cacher, l'autre avait les cheveux très courts, hérissés en petites pointes sur la tête. Ni l'un ni l'autre n'avait hérité des yeux de leur père : ceux de

Tugdual, d'un bleu limpide, contrastaient avec ceux de Mortimer, d'un brun automnal. L'un se passionnait pour la musique et la littérature, l'autre pour les sports de combat. Tugdual était froid et patient, Mortimer, impulsif et sanguin. Le serpent et le taureau... Pourtant, les épreuves scellaient quelque chose en eux, une solidarité qu'ils découvraient tous deux et qu'ils appréciaient peu à peu. Le poison de leur secret s'avérait finalement plus unificateur que le sang de leur père.

*

Le chalet était vraiment très isolé, les occupations étaient restreintes et les préoccupations nombreuses. Au bout de seulement une semaine à tourner en rond et à broyer du noir, le cocktail promettait déjà de devenir explosif. Les journées semblaient s'étirer, rendant l'ambiance parfois insupportable. L'humidité et la fraîcheur qui s'insinuaient sous la peau, la forêt à perte de vue mais inaccessible, le désœuvrement mêlé à l'inquiétude... La déprime était garantie. Quant aux nuits, elles étaient souvent assombries par des cauchemars qui réveillaient Tugdual et Zoé en sursaut, hantés par les images de leurs victimes.

Les trois adolescents avaient renoncé à regarder les rares chaînes que la télévision pouvait capter à cette altitude – le télé-achat rendait Zoé folle et les clips passant en boucle mettaient Tugdual sur les nerfs. Tous les deux jours, Abakoum descendait dans la petite ville qu'on pouvait apercevoir en contrebas, à une vingtaine de kilomètres, et rapportait des provisions, ainsi que les commandes personnelles de chacun : livres, journaux, jeux vidéo, matériel de sport... Mortimer étant celui qui avait le plus besoin de se défouler physiquement. Face à l'interdiction absolue de sortir des limites du chalet et de son jardin – qui pouvait savoir ce qui se passerait s'ils croisaient des promeneurs dans la forêt ? –, il se vengeait sur ses engins, sac de frappe et tapis de course, ahanant pendant des heures, torse nu, des rêves de liberté plein la tête.

Plus les semaines passaient, plus cet enfermement devenait infernal.

— C'est pire que si on était prisonniers ! se plaignait souvent le jeune sportif.

Pourtant, à part rester à l'abri, que faire ? Depuis que le fléau avait bouleversé leur vie, les trois adolescents étaient en proie à la culpabilité d'avoir tué – ou de risquer de tuer – de parfaits innocents et à l'angoisse d'être retrouvés, démasqués, condamnés pour une monstruosité qui les dépassait.

La découverte des corps sans vie à l'hôtel avait fait les gros titres dans les médias pendant quelques jours. La cause de la mort annoncée par les experts était la même pour les deux cas : inconnue. Aucune mention n'était faite du goudron retrouvé auprès des victimes, ni des empreintes digitales, dont aucun des Cobb ne s'expliquait l'étrangeté. Personne n'évoquait non plus les morts similaires de Washington et de l'aéroport de Chicago. Soit personne n'avait trouvé de lien, soit l'information restait strictement confidentielle. Ce qui s'avérait peut-être pire... Si on était sur leurs traces, nul doute qu'on finirait par mettre la main sur eux. Plus ils y pensaient, plus ils s'en convainquaient et cette perspective les taraudait autant que leur conscience. Ils se souvenaient encore de la peur panique qui les avait saisis lorsque Zoé avait aperçu quelqu'un, embusqué plus haut dans la montagne, prenant des photos dans leur direction. Ce jour-là, ils avaient tous cru être repérés. Abakoum était allé voir : ce n'était pas un agent du FBI, mais un simple photographe animalier... Les semaines suivantes, ils n'avaient cessé de scruter la forêt depuis les lucarnes du grenier, mettant à profit leur vue surdéveloppée pour inspecter les arbres, les buissons, les anfractuosités dans la roche... Des chasseurs à l'affût, alors que les proies, c'étaient eux. Dans leur esprit tourmenté, les petits avions de tourisme devenaient des engins de reconnaissance, les rares et lointains randonneurs se transformaient en commandos du FBI, prêts à lancer l'assaut pour les capturer...

— À ce rythme-là, on va devenir complètement paranos et on finira notre vie enfermés dans un abri souterrain... marmonna Tugdual, le jour où lui et Zoé avaient pris un chamois pour un observateur de la police.

Et pourtant, ils le savaient, ils n'avaient pas d'autre choix que de tourner en rond comme des bêtes en cage en attendant de trouver une solution pour gérer la « situation ».

9.

Il arrivait qu'Abakoum disparaisse pendant des journées ou des nuits entières au cœur de la forêt ou dans l'appentis du chalet où il avait constitué un véritable laboratoire scientifique. L'herboriste génial qu'il avait été pendant des années, doublé d'un magicien hors pair, était le seul à pouvoir mettre au point un remède. Il œuvrait en silence, partait, revenait, ne montrait rien, ne lâchait pas le moindre indice. Personne ne lui posait de questions, mais l'espoir de sortir de ce bourbier se fondait exclusivement sur lui.

Trois mois après leur arrivée, il s'absenta pendant quatre jours. Jamais il n'était parti aussi longtemps.

— Il est à Washington, avait répondu Barbara quand les ados avaient cherché à savoir où s'était rendu leur grand-père. Inutile d'insister, je ne sais rien de plus.

Les uns et les autres avaient pourtant leur idée sur la question : Abakoum disposait d'un coffre-fort rempli de diamants dans la plus grande banque de Washington. Sans doute était-il allé là-bas pour renflouer les caisses. Même si la vie dans le Vermont n'était pas fastueuse, la clandestinité nécessitait un minimum de ressources...

Son absence creusa un grand vide dans le quotidien des Cobb restés au chalet. Malgré sa discrétion, Abakoum représentait le pilier de la petite famille, celui sur qui tous pouvaient se reposer, à tous points de vue. Pendant ces quatre jours, la pensée qu'il puisse ne jamais revenir avait tourmenté chacun d'eux. Aussi son retour fut-il vécu comme un véritable soulagement. Pourtant, il affichait une mine étrange qu'aucun ne parvenait à définir. Sombre ? Soucieuse ? Ou bien simplement lasse ? Sitôt son sac de voyage déposé dans sa chambre, il réunit Barbara et les trois adolescents dans le salon.

— Il y a un problème ? lança Mortimer, suspicieux.

Pour toute réponse, le vieil homme plongea la main dans la poche de sa veste de velours gris. Il en sortit trois bracelets en cuir enserrant une bille de cristal dont la surface laiteuse et irrégulière rappelait celle de la Lune. Chacun des jeunes reçut le sien et l'observa sous toutes les coutures tout en jetant des coups d'œil interrogateurs à Abakoum.

— Mettez ce bracelet et venez... fit ce dernier.

Il les entraîna hors du chalet, jusqu'à la voiture garée devant le portail. Là, il ouvrit une portière d'un air impassible.

— Montez.

Les trois jeunes se regardèrent, incrédules. Derrière eux, Barbara ne paraissait pas moins étonnée.

— Tu peux nous expliquer ?

— Vous allez vite comprendre, répondit Abakoum.

Tout le monde prit place à bord dans un silence agité. Abakoum s'installa au volant et s'engagea sur le chemin qui descendait vers la vallée. Au fur et à mesure, le paysage s'éclaircissait, la route s'élargissait et devenait plus lisse, des maisons se dressaient ici et là. Puis la ville finit par apparaître. Elle n'était pas très grande, à peine plus qu'une bourgade, mais elle faisait figure de métropole aux yeux des ados, qui n'avaient pas croisé un seul être humain depuis plus de trois mois. Cependant, à cette excitation s'ajoutait un profond sentiment d'anxiété. Se mêler aux badauds sur la place qu'ils venaient de dépasser, entrer dans un magasin, flâner dans les rues... Non, ils ne pouvaient pas. Ils ne devaient pas. Pourtant, Abakoum gara la voiture près du lac où des promeneurs prenaient du bon temps, dégustaient des glaces ou déambulaient le long du rivage éclatant de lumière sous le soleil d'été. Tugdual sentit son cœur battre plus fort à la perspective de ce qu'Abakoum allait leur proposer – il en était certain. À ses côtés, Zoé était comme pétrifiée, les paumes à plat sur les cuisses, la tête haute, le buste raide. Quant à Mortimer, mâchoire serrée, œil noir, il fixait le profil de son grand-père. Les mains sur le volant, Abakoum ne bougeait pas, mais d'infimes tremblements et une respiration un peu plus rapide que la normale trahissaient son état d'esprit.

Ce fut Barbara qui rompit le silence.

— Bon, je suppose que tu ne nous as pas emmenés ici pour contempler le lac depuis la voiture...

— Effectivement...

Il la regarda, puis se tourna vers les trois jeunes.

— Il y a longtemps que nous n'avons pas pris un verre à une terrasse, dit-il.

Mortimer en resta bouche bée.

— T'es sérieux ?

— Si c'était une blague, elle serait de très mauvais goût, non ? rétorqua gentiment Abakoum.

— Oui, plutôt... admit Tugdual dans un murmure précipité.

Ils s'observèrent tous, constatant les uns chez les autres la même stupéfaction, à la fois pleine d'espoir et d'inquiétude. Seul Abakoum semblait réussir à se maîtriser.

— Qu'est-ce qu'il y a dans ces bracelets ? demanda soudain Tugdual.

— Le premier maillon d'une solution, répondit Abakoum.

Instinctivement, le regard des trois ados se porta sur les petites boules blanches à leur poignet.

— Tu peux nous en dire plus ?

— Des cristaux-éponges, fit Abakoum.

— Comment ça ? s'étonna Mortimer.

— Les bactéries contenues dans la matière même de ces cristaux absorbent votre excès de phéromones.

— Oh...

Zoé examina le bracelet à la lumière du jour sans percevoir quoi que ce soit d'autre qu'une simple bille de verre. Pour la première fois depuis son retour de Washington, un mince sourire étira les lèvres d'Abakoum. Les yeux plissés, il passa la main sur sa barbe blanche et précisa :

— Je connais quelqu'un qui aurait adoré ça, murmura la jeune fille.

Personne n'avait encore fait aussi ouvertement allusion à Oksa, celle qui les avait unis, ainsi qu'à leur passé commun, si proche et déjà si lointain. À cette évocation, tous s'assombrirent. Penser à la communauté à laquelle ils appartenaient, repartie sans eux dans le monde de leurs origines, leur déchirait l'âme. Rester ici, partir là-bas... Entre les deux, ils avaient fait le choix de la raison qui, finalement, n'était pas si éloigné de celui du cœur. Protéger ceux auxquels ils tenaient le plus impliquait le sacrifice de ne plus jamais vivre à leurs côtés.

— Ma chère petite Oksa... fit Abakoum d'une voix quasiment imperceptible.

Tugdual inspira fortement, comme s'il avait retenu son souffle sans s'en rendre compte. Le passé n'avait pas fini de les meurtrir. Mais, en ce qui le concernait, s'il pensait trop à *là-bas,* à *avant,* jamais il n'avancerait, jamais il n'irait bien. Était-ce ce qu'il voulait ? Il secoua la tête, de retour auprès de ceux qui constituaient désormais sa famille, dans un monde qui était aussi le sien.

L'instant était des plus étranges. Ils se trouvaient là, tous les cinq, êtres singuliers, dangereux malgré eux, à l'abri de cette grosse voiture noire près de laquelle les gens passaient, riaient, se chamaillaient, vivaient. Tugdual aurait donné n'importe quoi pour être comme eux.

— Dis-nous comment ça fonctionne, fit-il à l'adresse d'Abakoum.

— C'est très simple, mes chers enfants.

Il entrouvrit sa portière et passa une jambe à l'extérieur.

— Venez et faites-moi confiance.

10.

Installés sur une terrasse face au lac et aux dizaines de promeneurs qui passaient nonchalamment devant eux, les cinq Cobb sirotaient sodas ou cafés frappés. Ils se trouvaient là depuis plus d'une heure sans que rien de suspect ou d'inquiétant soit survenu. Quand elle vit leurs verres vides, la serveuse revint vers eux. Tugdual et Mortimer se figèrent, sous le regard attentif d'Abakoum, de Zoé et de Barbara. La jeune femme était souriante, aimable, assez drôle aussi. Avec eux, comme avec leurs voisins de table, comme avec tout le monde. Ni plus ni moins. Et les Cobb en étaient stupéfaits.

— Ça va ? demanda Abakoum.

Derrière ses lunettes noires, il ne quittait pas les ados des yeux.

— Rien à signaler, répondit Mortimer.

Pourtant, les jointures de ses doigts étaient blanches tant il serrait fort son verre. Malgré son air détaché, il semblait vraiment sur la défensive. Et pour cause : trois filles étaient installées à la table d'à côté depuis un bon moment.

— Et toi, Tugdual ? Tu te sens comment ?

— Bien, répondit le jeune homme avec un bref hochement de tête.

À l'instar de Mortimer, sa raideur contredisait sa réponse laconique. Il avait davantage l'impression de passer un examen qu'un bon moment au bord de ce lac. Le regard obstinément fixé sur l'horizon, le cœur en accéléré, il sentait que les filles les observaient, son frère et lui. Pire : elles les détaillaient de la tête aux pieds, sans complexe ni pudeur. Il les imaginait prêtes à les disséquer. Quand il croisa le regard de l'une d'elles, elle lui sourit, puis s'esclaffa. Toutes les trois se mirent à parler fort, à rire, à envoyer mille signaux qu'il interpréta à sa façon. Le malaise commença alors à enfler, la panique n'était pas loin. Il se souleva de sa chaise, prêt à fuir, et son corps lui fit l'effet d'un bloc de béton.

— Non, reste ! murmura Zoé en posant la main sur son avant-bras.

— C'est normal qu'elles vous regardent, chuchota Barbara. Vous êtes mignons...

— Détends-toi, lui conseilla Mortimer.

Il semblait autant chercher à se convaincre lui-même qu'à convaincre son frère. À ses côtés, Zoé était également aux prises avec une frayeur grandissante : un garçon, assis à quelques mètres, l'observait du coin de l'œil.

— J'aimerais bien que ce type arrête de me regarder... Ça me... rassurerait vraiment.

— Il te trouve simplement très jolie, ma chérie ! lui glissa tendrement Barbara à l'oreille. Tu ne pourras jamais empêcher ce genre de choses.

— Je n'en reviens pas, poursuivit Mortimer en caressant la bille de cristal. Ça marche vraiment, alors ?

Tout comme Tugdual et Zoé, ses yeux brillaient d'émotion face à ce nouvel espoir, enfin concevable. Chacun d'eux exprima à Abakoum sa gratitude, un « merci » chuchoté, un regard étincelant, un sourire lumineux... Les éclats de rire des filles d'à côté les firent frémir tous les deux. Mais cette joie bruyante ne leur était pas destinée : des garçons venaient de rejoindre la tablée, accaparant aussitôt l'attention des filles. Mortimer et Tugdual eurent instantanément l'impression de ne plus exister. N'importe qui en aurait été vexé. Eux étaient fous de joie.

Sur le chemin du retour, Abakoum s'autorisa enfin à donner quelques explications :

— Ces bactéries absorbent votre excès de phéromones, mais seulement pendant la journée. Leur action s'arrête sitôt le soleil couché. D'ailleurs, la couleur du cristal vous l'indiquera : il fonce du blanc vers le noir au fur et à mesure que le jour s'efface. Quand il devient totalement noir, personne ne doit plus être en contact avec vous...

— C'est... aussi simple que ça ? réagit Mortimer, éberlué.

Devant le silence du patriarche, Barbara ne cacha pas son inquiétude.

— Abakoum ? Est-ce qu'il y a autre chose à savoir ?

— Respectez cette contrainte, mes enfants, et tout devrait bien se passer.

Tous se répétèrent intérieurement les consignes d'Abakoum, conscients de leur chance inouïe. Cette journée avait été la plus merveilleuse de ces derniers mois si terribles. Une journée à marquer d'une pierre blanche, celle qui leur permettrait peut-être d'avoir une vie digne de ce nom.

*

L'agence immobilière qui gérait la location du chalet avait contacté Abakoum à plusieurs reprises ces derniers jours. La famille Cobb souhaitait-elle encore rester malgré l'approche de la rentrée scolaire ? Quand le patriarche annonça qu'il était temps de partir, Zoé, Tugdual et Mortimer eurent besoin d'à peine dix minutes pour boucler leurs bagages. Le Vermont et ses montagnes, ils en avaient plus qu'assez ! Cependant, de nouvelles mises en garde s'imposaient : vivre en ville, côtoyer des jeunes de leur âge, avoir un minimum de vie sociale, tout cela supposait une vigilance particulière de la part des trois ados. Ils en avaient pleinement conscience et étaient prêts à faire tous les efforts que leur situation imposait. Ils avaient été contraints à bien pire...

— M'man ! On t'attend ! cria Mortimer à tue-tête depuis l'entrée.

Barbara apparut, sac de voyage à la main, radieuse. Son impatience était peut-être moins démonstrative que celle de ses trois enfants, mais elle s'avérait pourtant aussi vive.

— On va où ? demanda Mortimer.

— Je viens d'acheter une grande maison dans le sud du pays, là où les heures d'ensoleillement sont maximales, répondit Abakoum.

— Super ! Mais tu sais, moi, je serais prêt à vivre dans un taudis, du moment que ce n'est pas aussi paumé qu'ici !

C'est avec soulagement qu'ils quittèrent leur refuge perché et avec espérance qu'ils retrouvèrent pour de bon... la civilisation ! Ils avaient l'impression d'avoir purgé des années de prison, tout leur paraissait nouveau, plus intéressant, plus beau, meilleur. Les villes qu'ils traversaient, les chambres des motels où ils s'arrêtaient pour dormir, les petits restaurants au bord des routes, les paysages, tout ! Au fur et à mesure qu'ils s'éloignaient du Vermont, ils sentaient la température augmenter, la luminosité se parer d'un nouvel éclat, le bleu du ciel devenir plus intense, le soleil plus étincelant. Les centaines de kilomètres qu'il leur fallait parcourir pour arriver à destination leur faisaient l'effet d'une libération. Mieux encore : d'une véritable renaissance.

La grosse voiture noire ralentit à l'approche d'une pancarte, à l'entrée d'une énième ville. Mais à la grande différence des autres, celle-ci était la dernière.

— Bienvenue à Serendipity... déchiffra Zoé tout en prenant le panneau en photo avec son Polaroid.

Le jour de leur arrivée dans le chalet du Vermont, elle avait trouvé ce vieil appareil, oublié par de précédents locataires. Depuis, son Pola ne la quittait plus.

— Drôle de nom, commenta Mortimer.

— La ville où on trouvera autre chose que ce qu'on cherchait... interpréta Tugdual.

Mortimer le regarda d'un air intrigué.

— C'est ce que « sérendipité » veut dire, expliqua son frère.

Il croisa le regard gris d'Abakoum dans le rétroviseur. Il lui semblait ravi. La voiture quitta les larges avenues du centre et s'engagea dans des quartiers plus résidentiels. En cette fin d'après-midi, même l'air se nimbait d'une clarté dorée qui donnait à la ville un aspect presque trop parfait pour être vrai. Pourtant, tout était authentique, les maisons d'époque, les boutiques aux couleurs vives, les gens marchant sur les trottoirs... Quand la mer apparut au détour d'une rue, Tugdual se sentit incroyablement heureux. D'ailleurs, il n'était pas le seul : Zoé et Mortimer étaient eux aussi en admiration devant le paysage maritime, leurs yeux brillaient de ce bonheur pur qu'on ne peut ressentir que face aux choses les plus simples.

— J'y crois pas ! s'exclama Zoé. On va vivre ici !

Les deux adultes sourirent de les voir excités comme des enfants. Abakoum ralentit en débouchant sur le front de mer qui séparait la plage des bâtisses de style planteur, toutes plus belles les unes que les autres. Les mains sur le volant, il observa les plaques indiquant les numéros, vraisemblablement à la recherche du bon.

— Ne nous dis pas qu'en plus de la mer on va habiter dans une de ces sublimissimes maisons... murmura Zoé, au fur et à mesure que la voiture passait lentement devant les propriétés.

Abakoum lui répondit par un clin d'œil qu'elle entrevit dans le rétroviseur. Puis il pencha la tête vers le panneau indicateur.

— Destiny Drive, c'est bien ici, fit-il.

Au bout de trois ou quatre cents mètres, il stoppa la voiture à la hauteur d'un homme qui était en train d'enlever un écriteau « Vendu ». Tout le monde sortit du véhicule et resta planté sur le trottoir, devant la boîte aux lettres affichant le numéro 302.

— Monsieur Cobb et sa jolie petite famille ! Enchanté de vous rencontrer ! s'exclama l'homme en serrant la main de chacun. Je suis Pete Wilson, de l'agence immobilière Wilson...

Abakoum et l'agent immobilier se mirent à discuter des derniers détails pratiques, pendant que Barbara et ses trois enfants restaient à l'écart, les yeux rivés sur la maison. Mortimer siffla d'admiration.

— Pas mal pour commencer une nouvelle vie ! commenta-t-il.

— Tu plaisantes ? s'écria Zoé. Cette maison est à couper le souffle !

Face à eux, la bâtisse apparaissait dans toute sa splendeur. Typique des habitations du Sud avec ses murs recouverts de bardeaux en bois blanc et sa galerie ombragée, elle se dressait sur trois niveaux. Tout autour s'épanouissait une véritable jungle, un foisonnement de végétation au sein de laquelle les oiseaux semblaient au paradis.

— Et toi, Tugdual ? fit Barbara en jetant un coup d'œil au jeune homme, resté silencieux. Qu'est-ce que tu en penses ? Ça te plaît ?

Le jeune homme plissa les yeux. Son visage, comme souvent, restait impénétrable. Seule une petite veine saillait sur sa tempe, animée de pulsations qui dévoilaient bien plus qu'il ne voulait laisser paraître.

— C'est carrément magnifique, lâcha-t-il à mi-voix.

— Ho ! ho ! mon frère vient de donner un verdict favorable ! fit Zoé, pince-sans-rire. On va pouvoir poser nos valises !

Tugdual frémit en entendant Zoé le désigner comme son frère. Ce n'était pas plus naturel pour elle que pour lui, mais cette spontanéité était sincère, il le savait. Et elle le touchait, vraiment.

— Bonjour ! s'exclama derrière eux une voix enjouée.

Les Cobb se tournèrent et aperçurent une vieille dame au maquillage épais et à la stupéfiante chevelure bleutée.

— Oh ! Voici donc mes nouveaux voisins ! exulta-t-elle.

Barbara fit les présentations.

— Je suppose que votre mari vous rejoindra plus tard… renchérit la femme.

— Il est mort, répliqua Barbara, abruptement mais poliment.

— Oh ! ma chère, quelle tristesse…

Des larmes lui montèrent instantanément aux yeux. Son menton tremblota alors qu'elle se frottait les mains. À l'évidence, elle se demandait comment faire oublier sa maladresse.

— Je suis tellement contente que cette maison soit à nouveau habitée ! s'exclama-t-elle.

— Il y a longtemps qu'elle ne l'est plus ? demanda Barbara, davantage pour entretenir la conversation que par curiosité.

— Elle appartenait au maire de Serendipity, fit la femme sur le ton de la confidence. Le malheureux a perdu sa femme en couches, une épouvantable tragédie qui a également emporté le bébé… Il ne pouvait pas rester là, dans cette maison où il avait été si heureux, vous comprenez ! Mais ne craignez rien, la pauvre femme n'est pas morte ici…

L'agent immobilier s'approcha en faisant les gros yeux à la femme. Elle s'agita, confuse, et fit volte-face en s'écriant :

— Ne bougez pas ! Je reviens tout de suite !

Elle se précipita à l'intérieur de sa maison.

— Je suis désolé... fit M. Wilson. J'aurais dû vous en parler... Je n'ai pas pensé...

— Ne vous inquiétez pas ! l'interrompit Barbara d'un ton rassurant. Chaque maison a son histoire...

L'agent immobilier n'eut pas le temps de se répandre davantage en excuses : la voisine revenait déjà, d'une démarche peu assurée, un plateau à la main.

— M. Wilson m'avait prévenue qu'une charmante famille allait venir s'installer, alors j'ai préparé quelques gourmandises pour les enfants !

Elle leur tendit le plateau, de la même façon qu'elle aurait brandi un trophée.

— Merci ! C'est adorable ! lança Barbara. N'est-ce pas, les enfants ?

Elle jeta aux trois jeunes un regard appuyé : les gourmandises devaient sans doute être des cupcakes aux couleurs vives, représentant des visages de clowns et des faces d'animaux. Il fallait juste un peu d'imagination pour s'en convaincre...

— Vous êtes sûrs que ça se mange ? chuchota Mortimer en prenant un gâteau glacé de sucre rose, plat comme un biscuit et dur comme du béton.

— Chuuuut ! le rabroua Zoé.

— Merci, madame ! lâcha Tugdual en réprimant une puissante envie de rire.

— Oh, les gentils petits ! poursuivit la femme. Soyez les bienvenus à Serendipity !

Elle poussa un profond soupir de contentement et prit congé sous les sourires de connivence des Cobb.

— Alors, on la visite, cette super baraque ? enchaîna Mortimer. Je vous signale quand même qu'il va bientôt faire nuit...

11.

Aussi loin que Tugdual se souvienne, la mer avait toujours fait partie de son environnement. Il adorait le bruit de son mouvement permanent, vagues déchaînées ou lenteur du flux des marées, son parfum iodé, et sa beauté, bien sûr, simple et immuable depuis que le monde était monde. Il était heureux de retrouver ces sensations, il ne s'était pas aperçu combien tout cela lui manquait. Les derniers mois avaient été si terribles.

Assis sur le rebord de la fenêtre grande ouverte de sa chambre, il profitait de la fraîcheur de cette nuit de fin d'été. Tout était tellement sombre au-delà du jardin qu'on aurait dit que plus rien n'existait. Il se prit à imaginer que la maison était une île, la dernière terre immergée après que les eaux avaient tout recouvert. À cette idée, il eut un petit mouvement de tête agacé.

— Arghh…

Pourquoi fallait-il qu'il voie constamment les choses sous leur angle le plus obscur ? Parviendrait-il à s'accorder un peu de répit, maintenant que le fléau était devenu à peu près gérable ? Serait-il capable de… vivre ?

Un rai de lumière forma soudain un triangle argenté au milieu du jardin. Il provenait de l'intérieur de la petite serre, cachée tout au fond, sous les arbres dont la frondaison touchait presque le sol. Transformée en studio photo

spécialement pour Zoé, elle ressemblait à un antre mystérieux avec ses vitres teintées de peinture noire opaque et
sa fine structure métallique, ouvragée avec une précision
d'orfèvre. Une silhouette en émergea et Tugdual eut le
temps de reconnaître sa sœur avant qu'elle n'éteigne la
lumière. Des flashes crépitèrent bientôt dans l'obscurité,
découpant pendant une fraction de seconde les portions
de jardin que la jeune fille photographiait. Puis la nuit
retrouva sa douce quiétude et Tugdual, le fil de ses pensées.

*

— Tu ne dors pas ?

En entendant la voix de Zoé, il tourna la tête. Sa sœur le
regardait avec attention dans l'entrebâillement de la porte.

— Non, répondit-il. J'avoue que j'ai un peu de mal.
Et toi ?

— Pareil. C'est bizarre d'avoir un nouveau chez-soi, ça
rappelle plein de choses... les souvenirs d'une vie presque
normale.

Elle fit tourner entre ses doigts la bille de cristal de son
bracelet, devenue noire dès la nuit tombée.

— Et puis je crois que j'ai assez dormi dans le Vermont, dit-elle. J'ai même l'impression de n'avoir fait que
ça, comme si j'étais en veille !

Par mimétisme, Tugdual fit le même geste qu'elle avec
son propre bracelet.

— Une vraie Belle au bois dormant...

— Tu parles... soupira Zoé. Je serais plutôt la sorcière
qui bouffe les petits enfants !

Tugdual la dévisagea. Avec ses longs cheveux blond
vénitien et son air triste et doux, elle ne lui faisait penser
ni à une princesse ni à une sorcière, mais à sa propre
mère. Ses narines se pincèrent, il secoua la tête.

Ne pense pas à elle, pas maintenant.

Repousser ce souvenir lui coûtait un effort monstrueux. Repousser *tous* les souvenirs était douloureux. Un jour, peut-être, s'accompagneraient-ils d'une paisible nostalgie. Toutefois, aucun ne lui était d'une quelconque utilité pour le moment, au contraire. Ils le tiraient plutôt en arrière, lui enfonçaient la tête sous l'eau, cherchaient à l'engloutir.

I can feel the draw
I can feel it pulling me back
It's pulling me back[1]...

Il se raccrocha au regard de Zoé, posé sur lui, bien présent. Elle leva les yeux vers lui. Leur couleur, mélange de noisette et de miel pailleté de vert, le saisissait chaque fois.

Une madone. Voilà à quoi elle ressemblait. À une étrange et redoutable madone, quand on savait de quoi elle était capable. Mais pas à une sorcière. Absolument pas.

— C'est une vraie bénédiction, ces bracelets, non ?

— Oui, mais n'oublions pas combien tout ça reste précaire, répliqua-t-il plus durement qu'il ne le voulait.

Le tendre visage de la jeune fille, ovale parfait constellé de taches de rousseur, se crispa. Ses épaules s'affaissèrent, comme si le poids de cette réalité était soudain trop lourd à porter.

— Je sais... murmura-t-elle.

Elle s'avança dans la chambre et s'assit sur le lit, les jambes ramenées contre elle, résignée. Tugdual s'installa face à elle, si près que leurs pieds se frôlèrent. Elle le regarda, longuement, doucement. Touché, il tendit la main et s'autorisa à glisser derrière l'oreille de la jeune fille une mèche de cheveux. Depuis que son père était mort, il

---

1. « Je sens l'attraction / Je la sens me tirer en arrière / Elle me tire en arrière... » (*The Draw,* Bastille).

devenait un autre. Mieux : il avait la nette impression de devenir lui-même, se découvrant désormais capable d'exprimer envers ceux qui l'entouraient ce qu'il ressentait vraiment – empathie, compassion, attachement... autant de sentiments qui jusqu'alors restaient bloqués au fond de lui. Loin des grands élans démonstratifs, il se permettait de petites ouvertures qu'auparavant il aurait considérées comme des faiblesses. Cette façon d'être le troublait, elle faisait de lui quelqu'un de nouveau, différent et semblable à la fois, comme si une immense part de ce qu'il était lui avait été enfin révélée.

— Tiens ! fit Zoé. C'est pour toi.

Elle sortit de sa poche une photo, prise un peu plus tôt avec son Polaroid.

— Je trouve que t'es plutôt pas mal là-dessus.

Tugdual observa un instant le cliché. Zoé l'avait surpris alors qu'il lisait dans un fauteuil, une jambe reposant négligemment sur l'accoudoir. Sa propre image l'étonnait toujours, il n'avait pas tellement l'habitude de se regarder, ni l'occasion de le faire. À moins que ce ne soit tout simplement une absence d'envie.

— Qu'est-ce que tu as ? lui demanda-t-elle en voyant son air sombre.

— Si tu me reprends en photo dans dix ans ou dans cinquante ans, il y a de fortes chances pour que je sois pareil qu'aujourd'hui. Pas une ride, pas un cheveu gris...

Le bleu glacé de ses yeux eut l'air de fondre.

— Nous trois, on restera jeunes jusqu'à la mort.

Cette autre facette du fléau pesait sur eux. Abakoum avait été clair : pour le moment, leur corps se régénérait à la moindre blessure, ce qui laissait supposer que les trois ados ne vieilliraient pas. Zoé se tassa sur elle-même. Penser à cela était difficile, en parler s'avérait insupportable. Pourtant, Tugdual semblait ne pas vouloir s'arrêter.

— Et en plus, tu parles d'une mort ! Ça n'arrivera que si on nous coupe la tête, nous arrache le cœur ou nous réduit en mille morceaux ! Super façon de terminer sa vie...

— En même temps, c'est tellement extrême que ça réduit un peu les probabilités, non ? objecta Zoé. Et puis, ça prouve au moins qu'on n'est pas des démons...

La jeune fille ne manquait jamais d'étonner son frère par son bon sens et sa vision des choses.

— Pouvoirs surnaturels, régénération spontanée, jeunesse à vie... Tu sais que certains seraient prêts à tout pour avoir ce genre... d'avantages ! fit-elle remarquer.

— Oui, mais nous, on n'a rien demandé, et en plus on le paie très cher.

Il poursuivit dans sa tête : *Ça élimine pas mal de perspectives, aimer, être aimé, avoir des enfants, les voir grandir, vieillir main dans la main avec la personne qu'on a choisie...* Mal à l'aise, il rangea la photo dans la poche arrière de son jean.

— N'oublie pas qu'on reste aussi des tueurs en sommeil, ajouta-t-il.

— OK, on n'est pas comme tout le monde et on ne le sera jamais. Mais tu veux quoi ? Qu'on se morfonde et qu'on se lamente sur notre pauvre sort à longueur de journée et de nuit ?

Elle parlait à mi-voix, mais d'un ton vibrant de révolte, presque dur. Ses lèvres en tremblaient.

— On ne doit pas renoncer, il faut garder l'espoir de guérir un jour ! En attendant, on continue de faire semblant de vivre aussi normalement qu'on le peut.

— Je ne renonce pas ! s'exclama Tugdual. Ce serait donner raison à celui qui nous a fait ça et c'est tout ce que je veux éviter !

Zoé se rembrunit au souvenir d'Orthon et de son héritage. Puis elle saisit un oreiller et le serra contre elle, retrouvant peu à peu cette distance déroutante, visage marmoréen, yeux dorés, douceur angélique.

— Là, on s'infligerait à nous-mêmes une nouvelle punition et la sienne suffit largement, murmura-t-elle.

— Tout à fait d'accord, P'tite Madone.

Il avait pris l'habitude de l'appeler ainsi et elle avait décidé de le laisser faire.

— Alors, on relève la tête et on avance ? suggéra-t-elle en se penchant vers lui pour croiser son regard.

Son sourire était ténu et un peu voilé, mais il avait le mérite d'exister.

— On relève la tête et on avance... répéta-t-il.

12.

Il régnait une ambiance résolument estivale à Serendipity. La mer, la plage, le soleil y étaient pour beaucoup. Pourtant, on sentait que la rentrée scolaire approchait à grands pas. Les magasins du centre-ville ne désemplissaient pas et le centre commercial, à quelques pâtés de maisons de Destiny Drive, voyait des hordes de lycéens et d'étudiants affluer en prévision du jour J.

Chez les Cobb, on pensait aussi à la rentrée, avec des points de vue très différents cependant. Alors que de nombreux jeunes de leur âge l'auraient volontiers évité, aller au lycée faisait partie de cette vie ordinaire à laquelle Tugdual, Zoé et Mortimer aspiraient tant. Dans le chalet du Vermont, ils en avaient rêvé, tout en sachant que c'était une illusion irréalisable. Puis les bracelets avaient transformé le rêve inaccessible en un projet nettement plus envisageable.

Toutefois, chacun gardait cette envie bien cachée au fond de soi, sans savoir vraiment si elle était ou non partagée. Était-ce la peur d'être raillé, incompris ou empêché qui rendait difficile le fait d'en parler franchement ? Quoi qu'il en soit, plus une atmosphère de rentrée se faisait sentir, plus les trois jeunes Cobb devenaient fébriles.

Ce jour-là, le temps était à l'orage. Moiteur excessive, rubans nébuleux aux reflets métalliques ou marbrés, animaux excités... Au beau milieu de l'après-midi, le ciel se couvrit de nuages gonflés qui semblaient vouloir étouffer la ville tant ils descendaient bas. La luminosité faiblit soudain, jusqu'à envelopper Serendipity d'un voile crépusculaire. Tout le monde attendait le coup de tonnerre qui déclencherait un déluge libérateur. Et tout le monde sursauta quand il retentit enfin...

— Venez voir ! C'est trop beau ! cria Zoé en relevant les stores du salon.

Ses frères approchèrent pendant que Barbara, plus pragmatique, se précipitait pour fermer toutes les fenêtres. Abakoum, lui, rassemblait à la hâte ses outils de jardinage. La pluie ne tarderait pas.

Quand les premières gouttes s'abattirent, lourdes comme des billes de verre, Tugdual huma à pleins poumons le parfum organique de l'herbe et de la terre chaudes qui émergeait tout autour de la maison. Il adorait ce mélange de violence et de douceur, de destruction et de vie. Sous l'effet conjugué de la chaleur des derniers jours et de la fraîcheur de l'ondée, des volutes de condensation rampaient au ras du sol qui ne parvenait pas à absorber le déluge. Plus loin sur la promenade, parmi tous les gens qui couraient en essayant vainement de se protéger. deux silhouettes traversèrent la route et foncèrent vers la maison des Cobb. Quelques secondes plus tard, la sonnette résonna.

— J'y vais ! fit Tugdual.

Deux garçons, étonnamment semblables, se tenaient sur le seuil, abrités par la galerie supérieure. Avec leur short large et leurs cheveux blonds bouclés, on aurait dit des jumeaux surfeurs.

— Salut ! fit l'un d'eux. Je suis Ethan Banks et voici mon frère, Gabriel. On habite à cinq maisons d'ici.

— Salut...

La pluie formait maintenant un rideau argenté derrière eux.

— Euh... Est-ce qu'on peut entrer un instant ?

— Oui, oui, pardon... se reprit Tugdual.

Les deux frères pénétrèrent dans l'entrée. Les semelles de leurs baskets trempées laissèrent des traces sur les dalles brunes.

— En fait, au départ on ne venait pas te demander un abri...

Tugdual leva un sourcil interrogateur.

— Tu viens d'emménager ? enchaîna Ethan Banks en regardant tout autour de lui.

Sa question tenait davantage de l'affirmation – et de l'évidence... –, mais Tugdual décida d'acquiescer poliment.

— Tu as un frère et une sœur, n'est-ce pas ? poursuivit le visiteur.

Tugdual ne fit rien pour dissimuler son incompréhension. Sans compter qu'il n'avait jamais aimé les interrogatoires.

— On vous a aperçus sur la promenade, l'autre jour... crut bon d'expliquer Ethan Banks. Vous allez à St. Mary's ?

— St. Mary's ?

— Le lycée...

— Ah oui, bien sûr !

— Génial ! s'exclama Ethan. Quelle année ?

Pris de court, Tugdual fit un rapide calcul.

— Dernière... Et mon frère aussi.

Les deux Banks se regardèrent, l'air réjoui.

— Doublement génial ! Bon, comme tu le sais, les épreuves sportives et intellectuelles interlycées vont avoir lieu pour gagner des points dans le classement...

Tugdual tentait de garder une attitude naturelle, mais les frères Banks captèrent néanmoins son flottement.

— On était à l'étranger pendant quelque temps... dit-il simplement afin de se justifier.

— Oh ! Alors vous devez être super bons en langues ! C'est top !

— Je t'explique en deux mots, intervint Gabriel Banks. Lors de ces épreuves, le but est de gagner un maximum de points pour son lycée, ce qui facilite ensuite l'accès à Bright University.

— En gros, plus ton lycée obtient une bonne place dans le classement, plus grandes sont tes chances d'intégrer une bonne université, Bright étant la meilleure de la région.

— Je comprends... fit Tugdual. C'est quand ?

— La deuxième semaine après la rentrée. Donc, on compte sur toi et sur ton frère !

— Ça marche.

— Bon, je crois que l'averse est presque finie, on va y aller.

Une fois la porte refermée, Tugdual s'y adossa, perplexe, avec l'impression que la situation échappait à son contrôle et qu'en même temps il s'en était plutôt bien sorti. Il aperçut Mortimer et Zoé non loin de l'entrée.

— Aller au lycée... Ce serait vraiment bien, non ? murmura-t-il, plein d'espoir.

— J'adorerais... répondit Zoé sur le même ton.

Ils interrogèrent tous les deux Mortimer du regard.

— Ne m'en parlez pas... Je n'ose même pas en rêver ! fit ce dernier.

Les pensées tourbillonnaient dans leur esprit. Sans en avoir jamais parlé, ils se rendaient compte qu'ils partageaient le même désir et la même crainte : ne joueraient-ils pas avec le feu en voulant à tout prix accéder à une vie sociale à peu près normale ?

— On peut peut-être en discuter tous ensemble... résonna la voix de Barbara depuis le salon.

*

Dès que la conversation commença et que les trois ados formulèrent ouvertement leur envie d'intégrer le lycée, Abakoum exprima sa solidarité. À l'inverse, si Barbara comprenait, c'est à contrecœur qu'elle acceptait. La

perspective des trois jeunes au lycée évoquait immanqua-
blement pour elle les jeux du cirque, sans qu'elle puisse
vraiment déterminer si elle craignait que *ses enfants* n'en-
dossent le rôle des gladiateurs ou celui des lions affamés.
De toute façon, dans les deux cas, le sang coulait...

Mortimer ne tarda pas à s'échauffer face au manque
d'enthousiasme de sa mère.

— Trois jeunes de seize, dix-sept ans passant leurs
journées enfermés chez eux... C'est sûr, personne ne va
trouver ça bizarre !

Il poursuivit en ronchonnant :

— Venir s'installer en ville pour ça ? Merci bien... on
aurait dû rester dans ce foutu Vermont !

— Et que se passera-t-il si quelqu'un tombe vraiment
amoureux de l'un de vous ? enchaîna Barbara, sur la
défensive. Les cristaux-éponges vous protègent de beaucoup de choses, mais pas de ça, permettez que je vous
le rappelle. Comment ferez-vous si vous ne pouvez pas
résister à ce que vous allez provoquer ?

Mortimer, Tugdual et Zoé détournèrent la tête, alors
que Barbara persistait à les fixer. Ses paupières battaient
à toute vitesse et le bas de son visage semblait rétré-
cir tant il était crispé. Tous connaissaient la réponse à
sa terrible question. Elle pencha la tête, à la recherche
d'un soutien dans le regard d'Abakoum. Mais elle ne
sut comment interpréter ce qu'elle lisait au fond de ses
yeux gris. Il se leva pour se poster devant la fenêtre,
l'air songeur. Elle y vit une esquive. Déconcertée de se
retrouver isolée face à ce front commun, elle poursuivit
sur un ton moins vif :

— Je n'ai jamais dit que je n'étais pas d'accord. Mais
je vous signale tout de même que vous, les garçons, vous
êtes plutôt mignons et toi, Zoé, tu es absolument ravis-
sante... Alors, excusez-moi d'être juste *un peu* inquiète !

— Là, tu parles avec toute l'objectivité d'une mère, y
a pas de doute ! ironisa Mortimer.

Il fit basculer sa chaise en arrière, au risque de se renverser et, les mains calées derrière la tête, poussa un soupir très bruyant. Comme d'habitude, son attitude avait quelque chose de désinvolte, de presque provocant, que démentait radicalement l'expression de son visage.

— On n'est pas si canon, tu sais ! ajouta-t-il.

— Oh, je t'en prie ! gémit sa mère.

Elle paraissait si désemparée, si inquiète. Le trio savait combien ses craintes étaient fondées : tout ce qu'elle disait était sans doute la version pessimiste de leur situation, mais rien n'était faux. Rien. Contre toute attente, Mortimer se leva et vint se coller derrière elle pour la serrer dans ses bras.

— Arrête de t'inquiéter... murmura-t-il.

Les yeux de sa mère s'embuèrent et ses paupières se mirent à cligner encore plus vite. Tugdual et Zoé se regardèrent et d'un mouvement commun ils firent ce dont ils ne se seraient pas cru capables : ils prirent Barbara dans leurs bras et l'ensevelirent sous des flots de tendresse. Elle ferma les yeux.

— Là, vous essayez de me corrompre... bredouilla-t-elle.

— N'importe quoi, répliqua Mortimer.

Tugdual et Zoé se dégagèrent doucement et son corps parut se relâcher, comme une plante aux tiges un peu molles à laquelle on retirerait son tuteur. Elle avait besoin d'eux autant qu'ils avaient besoin d'elle et s'en rendre compte les touchait tous, bien plus qu'ils ne le diraient jamais.

13.

Avec l'église, le tribunal et l'hôtel de ville, St. Mary's High School était une des plus vieilles institutions de Serendipity. Au premier coup d'œil, on sentait que l'établissement, comme le parc arboré qui l'entourait, possédait plus qu'une histoire : il avait une âme. Ce qui n'était pas pour déplaire à Tugdual et Zoé, sensibles à ce genre d'environnement. L'intérêt de Mortimer, plus terre à terre, se portait davantage sur les équipements de leur nouveau lycée et le club de plongeon, qu'il rêvait d'intégrer.

Les voitures affluaient vers le parking jouxtant le bâtiment de style colonial, tout de brique blanche. La plupart étaient de luxueux cabriolets, certains très tapageurs. Quelques lycéens arrivaient également à moto et se faisaient un plaisir – un devoir ? – de produire un maximum d'effets.

— Bienvenue au royaume de la frime... murmura Tugdual.

— Tu veux parler de Bling-Bling Land ? renchérit Zoé en levant les yeux au ciel.

Tugdual ne sourit pas, mais hocha lentement la tête. Zoé était sur la même longueur d'onde que lui, et il en était ravi. Oui, ravi. Non loin d'eux, des groupes de jeunes se formaient ici et là, bruyants, excités. Les filles félicitaient leurs amies pour leur coiffure ou leur tenue et jaugeaient les autres d'un œil critique, moqueur ou envieux.

Des garçons les enlaçaient, d'autres se donnaient mutuellement l'accolade. Tout le monde irradiait de beauté, de santé, d'aisance.

— La jeunesse dorée de Serendipity... commenta Tugdual.

— Mmmh... admit Zoé en regardant discrètement tout autour d'elle. On se croirait au concours de celui qui a la plus belle bagnole.

— Ou la plus belle nana, ajouta Tugdual.

Il émit un bref soupir. Eux avaient choisi la sobriété, rien qui puisse attirer l'attention ou mettre en avant leurs attraits.

— C'est ma première rentrée depuis trois ans, fit Zoé d'une voix sans écho.

— Moi aussi, répéta Mortimer.

— Et toi, Tug ?

Tugdual inspira à fond, puis expira avec un manque de discrétion inhabituel.

— Ça fait un peu plus longtemps, dit-il en détournant les yeux.

La dernière fois qu'il avait mis les pieds dans une école, c'était quatre ans auparavant. Il habitait en Suède, il avait encore sa famille. La vraie. Quelques jours plus tard, il avait été renvoyé pour « influence néfaste et malsaine » sur certains de ses camarades. Une accusation parfaitement justifiée, quand on y réfléchissait. Depuis, il s'était passé tant de choses, il avait tant changé. Et tout était si différent...

En l'apercevant, les jumeaux Banks lui adressèrent un signe de la main, ce qui lui donna l'agréable impression de ne pas être tout à fait un inconnu. Puis deux filles à l'allure ultra-branchée les croisèrent en les détaillant tous les trois de la tête aux pieds. Leur attention fut captée par le sac de Zoé, la seule concession qu'elle avait accepté de faire pour ne pas paraître trop à part. Les filles lui adressèrent un éclatant sourire. Si elle avait eu le très bon goût – et les moyens ! – de choisir ce sac, elle pouvait tout à fait se permettre ce pantalon en toile kaki et ce petit haut blanc si simple ! Qu'on le déplore ou non, le fait est qu'il suffisait parfois d'un détail pour changer le regard que les autres pouvaient porter sur vous.

— Il n'y a pas que des gens qui aiment l'ostentation, je vous signale, marmonna Mortimer.

Il regardait des groupes de lycéens moins exubérants, installés plus loin.

— Tu veux dire, au-delà de ce qui brille si fort, là, juste sous nos yeux ébahis ? fit Zoé avec ironie.

Mortimer lui lança un regard consterné. Zoé étouffa un petit rire.

— Oh, on dirait presque qu'ils sont aussi *ordinaires* que nous ! renchérit Tugdual. Enfin... Je parle pour Mortimer et moi, parce que toi, sœurette, tu fais déjà partie du monde de ceux-sur-qui-il-faut-compter grâce à ton super sac !

— Très drôle ! s'esclaffa Zoé. Surtout de la part d'un mec qui est loin d'être le moins branché de l'univers...

Tugdual lui fit un clin d'œil et la jeune fille fronça aussitôt les sourcils.

— Je ne suis pas sûre que je pourrai m'habituer à ces lentilles noires, lui dit-elle à mi-voix. Tes yeux sont si beaux au naturel...

— Justement, lâcha Tugdual. C'est mieux comme ça.

Mortimer grogna. Sa nervosité affleurait, prête à déborder. Ou à exploser.

— Bon, vous avez fini, les commères ? lança-t-il. On peut y aller ?

Il s'avança vers le lycée d'un air décidé, mais le cœur battant si fort que ses oreilles se mirent à bourdonner. Tugdual et Zoé lui emboîtèrent le pas, aussi peu détendus.

*

Des regards, des conversations interrompues, des commentaires plus ou moins discrets, bien sûr qu'il fallait s'y attendre ! Tugdual, Zoé et Mortimer Cobb étaient nouveaux, et dans une petite ville où tout le monde se connaissait, rien n'était plus difficile que de passer inaperçus.

— Ça craint, ça craint, ça craint... ne cessait de marmonner Mortimer.

— Non, ça ne craint pas, répliqua Zoé. C'est juste inévitable.

— J'ai l'impression d'être jaugé comme une bête de concours.

— Tu n'as pas tout à fait tort, approuva Tugdual. On est en train d'estimer ta catégorie, histoire de voir si tu es digne ou non d'entrer dans tel clan ou telle tribu.

— Super... marmonna son frère.

— C'est comme ça. Où que tu ailles, tu ne peux pas y échapper.

— Et toi, tu me classerais dans quoi ?

Tugdual lui jeta un bref coup d'œil.

— Toi ? Catégorie « sportifs bien foutus ».

Mortimer haussa les sourcils en retenant le petit sourire que cette conclusion lui inspirait. Ils s'engagèrent tous les trois dans l'allée, sans sourire mais sans faire la tête non plus, dans une attitude ni hostile ni avenante. Ils avançaient, tout simplement, sans fixer leur regard sur quelqu'un en particulier. Tout dépendait maintenant de cette primordiale première impression qu'ils allaient donner. Ils étaient prêts à tout accepter, même les jugements les plus péremptoires et artificiels, pourvu qu'ils ne suscitent ni désir ni tentation – leur seule hantise.

Aux aguets, ils avancèrent sous les regards observateurs de ceux qu'ils dépassaient. Leur ouïe ultra-fine leur permettait de capter les moindres murmures. Les avis fusaient.

— Tiens, des nouveaux !

— J'adore le sac de la fille !

— D'où ils sortent ? Quelqu'un les connaît ?

— Celui avec les cheveux en brosse a l'air super bien foutu...

— Et celui en noir est plutôt canon...

— De la chair fraîche pour la reine du lycée !

— C'est vrai qu'elle doit être en manque, tous les mecs lui sont déjà passés dessus.

— Même les plus moches...

Zoé hâta l'allure, alors que Tugdual sentait une sorte d'irritation envahir son corps, son visage et ses veines. Cela faisait très longtemps qu'il n'avait pas été aussi agacé. Il avait oublié combien ça piquait.

— Eh ben, ça promet... chuchota Zoé.

— Avance... grommela Mortimer.

Ils gagnèrent l'escalier, à l'entrée du bâtiment, aussi épuisés que s'ils venaient de faire une heure de jogging intensif, mais soulagés. Le constat ? Une curiosité à laquelle il fallait s'attendre, un peu de bêtise et de méchanceté, mais rien de plus. D'ailleurs, tout le monde avait déjà repris ses bavardages, il n'y avait strictement rien à signaler.

— Première étape franchie ! fit Zoé.

— Ne t'emballe pas, s'il te plaît ! riposta Mortimer. Tu vas finir par nous porter malheur.

Il remonta son sac sur son épaule avec une telle vigueur que ses articulations craquèrent. Pourtant, il ne parut même pas s'en rendre compte. Tugdual bénit en silence Abakoum et Barbara d'avoir insisté auprès de la directrice de St. Mary's pour qu'ils soient tous les deux dans la même classe. Mortimer n'avait certes pas besoin d'un ange gardien et Tugdual se sentait bien incapable d'en devenir un digne de ce nom. Mais le fait de partager la plupart des cours permettrait peut-être à son frère de se sentir un peu plus rassuré. Et, apparemment, cette précaution n'avait rien de superflu.

14.

La salle dans laquelle se déroulerait leur premier cours était déjà presque pleine lorsque Tugdual et Mortimer y pénétrèrent. Le plus jeune des Cobb avisa une place au deuxième rang, contre le mur. D'un regard nerveux et un peu gêné, il chercha l'approbation de son frère. Tugdual acquiesça d'un petit signe de tête.

Bien sûr qu'on peut se séparer ! C'est sans doute mieux, d'ailleurs.

Puis il se mit à son tour en quête d'un siège où s'asseoir.

— Hé ! Toi !

Instinctivement, il se tourna vers celle qui venait de lancer cet appel, en espérant qu'elle ne s'adressait pas à lui.

— Oui, toi !

Pas de chance, c'était bien lui que la fille interpellait.

Ne panique pas. Il n'y a rien d'anormal... Rien de grave... Pour le moment... tout va bien...

Les mots se diffusaient dans sa tête et semblaient insister pour le rassurer, presque indépendamment de lui. Il entendit quelques ricanements quand, avec un grand sourire, la fille lui indiqua une place libre à côté d'elle. Il s'y installa, avant tout pour ne plus rester debout en plein milieu de la salle, exposé aux regards. Tout ce qu'il détestait... Son cœur battait si fort qu'il lui faisait un mal de chien. D'où il était, il apercevait Mortimer, très convaincant dans son rôle de garçon détaché de tout, mâchoire dure, profil buté. Le rapide coup d'œil qu'il lui jeta semblait vouloir dire : « T'es pas seul, tiens bon ! »

L'air très satisfait, la fille dévisagea Tugdual qui ne lui accordait pas la moindre attention, du moins en apparence. Comment aurait-elle pu deviner que l'intérêt qu'elle lui portait pouvait agir sur lui comme un fruit bien mûr sur une guêpe ?

Il émanait de ses cheveux un parfum épicé, assez entêtant. Le peu que Tugdual avait aperçu d'elle était à l'opposé de ce qu'il aimait : sans aucun doute, c'était une très jolie fille, pulpeuse et sportive à la fois, aux proportions et au sourire parfaits, mais beaucoup trop séductrice au goût du jeune homme. Pour fixer son attention sur autre chose, il prit son portable et entreprit d'écrire un SMS à Zoé. Sa sœur devait se sentir bien seule... À peine eut-il pressé sur la touche « envoi » que sa voisine se saisit de l'appareil, sans que Tugdual ait le temps de réagir. Elle se prit en photo, pianota sur les touches et le lui rendit avec un sourire conquérant.

— Moi, c'est Samantha... Samantha White.

Médusé, Tugdual regarda l'écran de son portable : la fille s'était enregistrée dans la liste de ses contacts ! Au même moment, son propre portable, incrusté de brillants, vibra sur la tablette amovible fixée sur le côté de la chaise. Instinctivement, le regard de Tugdual glissa vers le SMS qui s'affichait.

« La chasse est ouverte, Sam ? »

Un autre message éclaira l'écran.

« Miam miam, le petit nouveau... »

Avec un demi-sourire au coin des lèvres, Samantha White prit son téléphone et pianota à toute vitesse des réponses que Tugdual ne put voir, mais dont il devinait sans mal la teneur.

— Et toi, tu ne m'as pas dit comment tu t'appelles ? fit-elle en enfournant l'appareil dans la poche de sa robe verte ultra-courte.

Tugdual plongea la main dans son sac et fit mine d'y chercher quelque chose, n'importe quoi pour ne pas engager la conversation.

— T'es super timide ou bien tu n'as pas le droit de parler aux gens que tu ne connais pas ? insista-t-elle avec un petit rire. Je ne vais pas…

— Tugdual Cobb, la coupa le jeune homme.

— Oh, enchantée, Tugdual Cobb ! se rengorgea-t-elle.

Elle minaudait, mettant en avant ce qu'elle avait de plus joli, c'est-à-dire à peu près tout, de ses orteils aux ongles bleus dépassant de ses sandales coûteuses à ses cheveux aux boucles dorées, sans oublier des jambes bronzées, des seins époustouflants, des dents d'une blancheur presque irréelle…

T'es peut-être sublime, Samantha White, mais si tu savais comme je m'en fous… se dit Tugdual.

Il sentait le regard de cette fille sur lui, impudique, réduit à ce qu'elle voyait – et voulait – de lui. Un vertige le saisit, alors que les craintes de Barbara prenaient tout leur sens : le bracelet les empêchait, lui, Zoé et Mortimer, d'apparaître comme des objets systématiques de désir aux yeux des autres. Mais il ne les préservait pas des jeux comme celui qu'entamait cette fille. Si elle s'engageait sur le terrain de la séduction, elle risquait gros. Et lui aussi.

Tugdual empoigna son sac et se leva brutalement.

— Hé ! s'indigna Samantha. Qu'est-ce que tu fais ? Reste là !

Il répondit à son ordre par une expression glaçante. Samantha se raidit, puis contre-attaqua. Manifestement, elle n'était pas décidée à lâcher prise.

— Je ne vais pas te manger, susurra-t-elle, la tête légèrement penchée sur le côté.

Ses lèvres roses brillaient, autant que ses prunelles d'un bleu mis en valeur par son maquillage pailleté.

Ferme-la, Samantha. Ferme-la, et surtout arrête de me mater comme si tu étais affamée et que j'étais une énorme confiserie !

Elle tapota sur l'assise de la chaise qu'il venait de quitter.

— Tu sais que certains seraient prêts à se battre pour être à ta place ?

Tugdual resta impassible, en dépit de son angoisse grandissante. Blond, brun, petit, grand, intelligent ou complètement abruti… Peu importait comment il était, peu importait qui il était vraiment : cette fille avait décrété qu'elle le voulait, comme un enfant gâté trépignant devant un nouveau jouet. Le sentiment d'inquiétude qu'elle avait fait naître en Tugdual gonfla pour se métamorphoser bientôt en une véritable panique. Si cette fille commençait à faire une fixation sur lui, ne serait-ce que pour ajouter un nom à son tableau de chasse, qui savait comment ce caprice pouvait évoluer ?

— Allez, rassieds-toi maintenant, fit Samantha.

Son air satisfait, teinté d'une assurance triomphante, déchira l'esprit de Tugdual. D'un revers de la main, il l'envoya à l'autre bout de la pièce. Stupéfaits, tous les élèves la virent s'écraser contre le mur. Elle glissa et s'effondra, ses longues jambes repliées sous elle dans un angle n'ayant plus rien de naturel. En un éclair, Tugdual bondit à ses côtés. Il s'agenouilla et souleva sans ménagement son menton pour la forcer à le regarder. Son visage tout près du sien, il caressa sa joue veloutée et murmura :

— C'est ce que tu veux, Samantha ?

La fille acquiesça. Son désir apparaissait désormais sous la forme de volutes sombres et gourmandes, irrésistibles, à travers ses jolies lèvres roses entrouvertes.

— Alors, si c'est ton souhait… fit Tugdual en s'approchant.

Il l'embrassa, d'abord doucement, juste une caresse. Puis Samantha plaqua la main sur sa nuque et l'encouragea à intensifier son baiser. Ce qu'il fit. Comme empoisonnée, elle s'amollit, fondit dans ses bras et rendit son dernier souffle.

Alors, grondants, avides de vengeance, les élèves formèrent un cercle qui se resserra autour d'eux, de plus en plus, jusqu'à ce que Tugdual ne puisse plus respirer...

*

Une voix tira Tugdual de sa torpeur.

— Tu vas rester planté là longtemps ?

Samantha était en train de le dévisager avec un certain dédain. Tugdual battit des paupières, encore sous le choc des images que son imagination – ou la terreur de ce qui pouvait arriver – avait déversées dans son esprit. Samantha était bien vivante. Il ne s'était rien passé, mais rien n'avait changé, surtout pas l'effroi de Tugdual face à l'évidente obstination de cette fille à le séduire.

Réfléchis... Il y a sûrement un moyen de contourner, de renverser les choses. Ce n'est quand même pas cette gourde qui va tout gâcher dès le premier jour !

— Désolée, Samantha White, t'es un peu trop blonde pour moi... lança-t-il d'un ton calme qui le surprit lui-même.

Cette riposte s'avérait si facile qu'elle en était presque déloyale et, pendant un bref instant, à peine une fraction de seconde, le remords effleura le jeune homme. Mais, si cette petite bassesse n'avait rien de très honorable, elle avait le mérite d'être efficace : Samantha White resta clouée sur place, bouche bée, yeux écarquillés. Lui avait-on déjà fait un tel affront ? Tugdual avait pris soin de parler juste assez fort pour que son humiliation soit publique sans donner l'impression de l'avoir voulu ainsi. Une manœuvre parfaitement réussie puisque des ricanements résonnèrent tout autour, quelques murmures indignés également, d'autres plus jubilatoires – apparemment,

Samantha White ne faisait pas l'unanimité. Afin d'en finir, Tugdual prit son portable et parcourut le menu.

— Contacts... White Samantha... Supprimer... Confirmer la suppression... énonça-t-il à mi-voix.

Il lui jeta un regard qu'il savait indifférent, alors que la fille le fusillait des yeux.

— Tu ne t'en sortiras pas comme ça, menaça-t-elle.

Il choisit de ne rien répondre. Quand on a réussi à éviter de peu une catastrophe, mieux vaut ne pas en rajouter. Il se mit en quête d'une nouvelle place et en trouva une, à l'avant-dernier rang, entre le mur et un garçon à l'air lugubre. Tout en réprimant des tremblements nerveux, il s'installa, au moment même où le prof entrait dans la salle.

15.

L'intercours fut l'occasion pour Tugdual et Mortimer de croiser Zoé au détour d'un couloir. Les garçons étaient en dernière année, leur « petite sœur » au niveau juste au-dessous.

— Ça va ?

— Mmm… Et vous ? demanda-t-elle.

— T'inquiète, on assure comme des bêtes ! lança Mortimer. Tugdual a même réussi à se faire une super copine ! Hein, Tug ?

Le visage de son frère se ferma. Ses lentilles noires rendaient son regard opaque, sans pour autant masquer sa gêne.

— C'est bon, n'en rajoute pas…

Une sonnerie retentit, sorte d'alarme détonante.

« Zoé Cobb est demandée au bureau de Mme le proviseur, troisième étage gauche. Zoé Cobb… »

Zoé dévisagea Tugdual et Mortimer, les sourcils froncés. Aucun des deux ne le vit, mais sa respiration s'était sensiblement accélérée.

— On vient avec toi ! fit Tugdual.

— Hors de question… rétorqua-t-elle.

Elle releva la tête et regarda ses frères droit dans les yeux.

— Vous, vous allez en cours, dit-elle sur un ton se voulant autoritaire. On se retrouve à midi à la cafèt'.

Sans leur laisser le temps de répliquer, elle leur tourna le dos.

— Zoé ? l'interpella Tugdual.

Elle s'arrêta et fit à nouveau face à ses frères.

— Tu nous envoies un SMS quand tu as fini ?

Elle acquiesça brièvement. Les garçons la regardèrent s'éloigner, si délicate en apparence et pourtant si forte, sûrement encore plus qu'eux. Puis ils se rendirent à leur deuxième cours. En chemin, Mortimer jeta sans cesse des coups d'œil inquiets à son frère.

— Qu'est-ce que la proviseur lui veut, à ton avis ?

— Je n'en ai aucune idée.

L'esprit ailleurs, ils se faufilèrent parmi les élèves.

— T'es sûr que ça va aller ? poursuivit Mortimer.

— Il n'y a sûrement rien de grave, une formalité administrative, ou un truc de ce genre.

— J'espère ! Mais... je ne parlais pas de Zoé...

Tugdual lui jeta un coup d'œil contrarié.

— Je parlais de toi. De cette fille... précisa Mortimer.

Son frère haussa les épaules.

— En tout cas, tu l'as envoyée promener d'une force !

Tugdual voyait les efforts de son frère pour le réconforter et il appréciait, bien au-delà de ce qu'il était capable de montrer.

— Te faire détester par la fille la plus populaire du lycée dès le premier jour, c'est futé !

— Je m'en serais bien passé, fit Tugdual. En plus, rien ne garantit qu'elle me lâche pour autant.

— C'est sûr... admit Mortimer d'un air subitement grave.

Les assauts de Samantha White avaient pollué leur enthousiasme de départ et attiré l'attention sur Tugdual, ainsi qu'en témoignaient quelques bousculades et certains regards fielleux dont les membres du clan de la reine du lycée gratifièrent le jeune homme. Tugdual savait qu'il avait la capacité de réduire ces attaques à néant et finalement c'était ça le plus important : savoir qu'il pouvait le faire, mais ne pas le faire. Pour le moment, l'indifférence se révélait la meilleure défense. Être rejetée, puis ignorée rendait Samantha White folle de rage. Et ça, Tugdual était tout à fait apte à y faire face. Restait à souhaiter que cela n'attise pas davantage son désir de lui mettre le grappin dessus.

Comme pour le précédent cours, Mortimer trouva une place dans les rangs de devant.

Au moins, il ne voit pas à qui il a affaire... remarqua Tugdual.

Il ne restait pas beaucoup de sièges libres et les derniers furent investis par les partisanes de Samantha White qui y déposèrent leur sac d'un air provocateur. Tugdual s'avança vers le fond de la salle en faisant mine de ne s'apercevoir de rien. Il aperçut une fille qui, dans une attitude totalement inverse à celle des pestes, retirait son sac pour dégager une place.

— Tu peux t'asseoir là, si tu veux, fit-elle.

Elle regardait droit devant elle et ses lunettes aux verres fumés masquaient toute expression.

— Merci.

Tugdual s'assit et lui jeta un regard en coin. Raide sur sa chaise, l'avant-bras sagement posé sur la tablette amovible, elle exerçait de petites pressions rapides sur son téléphone portable. L'espace d'un instant, il craignit qu'elle ne soit en train d'envoyer des SMS du genre de ceux que Samantha White avait reçus et écrits.

Si tu commences à voir le mal partout, t'es pas sorti d'affaire, mon pauvre vieux... se reprocha-t-il mentalement. *Tout le monde n'a pas forcément envie de faire des plans sur toi !*

Soudain, elle leva les deux mains et rassembla son abondante chevelure bouclée qu'elle enroula sur sa nuque en un chignon improvisé. Tugdual s'étonna de trouver ce geste incroyablement beau. Troublé d'être... troublé, il s'interrogea. Devait-il se présenter ? Attendre qu'elle le fasse ? Ne rien entreprendre du tout ? Qu'était-il censé faire ? Aucune réponse ne lui venait. Alors, il ne fit rien, d'autant plus que son silence ne semblait déranger sa voisine d'aucune façon.

*

La mise à l'isolement dans le chalet du Vermont avait permis à Tugdual au moins une bonne chose : renouer avec la lecture. Les dernières années avaient été si peu propices à ce genre d'activité qu'il avait presque fini par oublier combien il aimait les livres. Faulkner, Steinbeck, Cheever, Selby... Il avait englouti les intégrales de ses auteurs préférés avec frénésie, en avait découvert d'autres, captivants. Aussi ce cours de littérature fut-il un régal pour lui, un bonheur à l'état pur. D'autant plus que le SMS de Zoé, rassurant, avait effacé le souci qu'il se faisait depuis la convocation de sa sœur chez la proviseur. Toute l'heure durant, il but les paroles du prof sans décrocher une seule seconde. Pour la première fois depuis longtemps, il se sentait un lycéen comme les autres. Potentiellement, en tout cas. La nuance avait son importance. Mais à cet instant, il n'y pensait pas et se laissait envahir par le plaisir simple d'être là – de *réussir* à être là, sans se laisser parasiter par un quelconque sentiment de performance ou de victoire.

Quand la sonnerie retentit, annonçant la fin du cours, il se rendit compte qu'il avait pris tant de notes qu'il en avait des crampes aux mains. Alors que tous les élèves, Mortimer inclus, se précipitaient vers le couloir, Tugdual s'attardait, une façon pour lui de prolonger l'exaltation de cette ambiance studieuse qu'il était si heureux de retrouver.

— C'est un super prof...

La voisine de Tugdual ne se hâtait pas de sortir, elle non plus.

— Je l'ai déjà eu l'année dernière et je peux te dire qu'il ferait aimer la littérature aux brutes les plus épaisses !

Tugdual fronça les sourcils. Voulait-elle parler de lui ? L'avait-elle perçu ainsi ?

— J'ai l'impression que tu as drôlement apprécié, poursuivit-elle.

— Disons que ça faisait longtemps que je n'avais pas assisté à un cours aussi intéressant, finit-il par lâcher.

Toujours mettre un peu de vérité dans ce qu'on disait et manier le double sens...

— Est-ce que tu suis aussi le cours d'histoire de M. Freeman ? demanda-t-elle.

Tugdual consulta son emploi du temps.

— Oui.

— Moi aussi, dit la fille.

Il risqua un coup d'œil vers elle. Il pouvait apercevoir son profil harmonieux, son cou fin, ses bras à peine hâlés. Ses vêtements étaient simples, petite robe noire et grosses bottines à lacets qui lui donnaient une allure un peu grunge mais classe. Son regard échappait à Tugdual, il ne parvenait pas à le saisir, peut-être à cause des lunettes ou des cheveux qui tombaient maintenant en cascade de chaque côté de son visage, ombrant ses joues.

Qu'est-ce qui te prend ? se morigéna-t-il. *T'as rien de mieux à faire que de mater les filles ? T'as déjà oublié ? Laisse tomber...*

— On y va ? lança la jeune fille. Ce serait bête d'arriver les derniers !

Elle tâtonna sous sa chaise et attrapa ses affaires.

— Surtout que j'ai cru comprendre que tu t'étais fait un peu remarquer, tout à l'heure... ajouta-t-elle d'un air amusé.

Tugdual hésita à entrer davantage dans la conversation. Difficile de résister... Que leur avait conseillé Barbara, à leur arrivée dans cette ville ? De faire des efforts de sociabilité ?

— Je plaide coupable, fit-il. C'était vraiment pas malin.

— Au contraire ! Tu as très bien fait ! Mais méfie-toi d'elle quand même, et des autres beautés de pacotille dans son genre. Elles sont très capricieuses et détestent qu'on ne leur donne pas ce qu'elles veulent.

— D'accord. Merci du conseil.

La fille fit un pas en avant.

— Bon, assez parlé de Samantha White ! On a bien mieux à faire.

— Tout à fait d'accord ! approuva Tugdual.

Il consulta à nouveau son emploi du temps.

— La salle B 33, tu sais où c'est ? demanda-t-il.

— Oui, c'est deux salles plus loin, suis-moi !

Elle effleura du bout des doigts la table donnant sur l'allée centrale de la pièce et s'engagea vers la sortie d'une démarche calme, un peu lente. Tugdual lui emboîta le pas. Une fois dans le large couloir, il se plaça à son niveau et, côte à côte, ils cheminèrent jusqu'à la salle B 33, sans un mot. Tugdual se surprit à ne pas être gêné par ce silence entre eux. Il goûtait au plaisir de côtoyer quelqu'un qui se comportait normalement avec lui, sans l'avoir détaillé de la tête aux pieds. D'ailleurs, l'avait-elle regardé une seule fois ? Il lui semblait que non. Il lui jeta de petits coups d'œil à la dérobée ; elle avait l'air très concentrée, ce qui la rendait un peu distante. Certains lycéens se détournaient quand ils se trouvaient sur leur passage et il ne sut qu'en penser. Était-ce à cause de lui et de son altercation avec Samantha White ? Ou bien à cause de sa voisine de classe un peu étrange ? On n'était qu'au début de cette première journée et il commençait déjà à se torturer l'esprit...

— On se met là ? fit-il en avisant deux places libres au premier rang.

— OK.

Elle s'assit avec la même lenteur que lorsqu'elle marchait. Téléphone portable à la main, elle se mit à pianoter sur les minuscules touches.

— Tu ne prends pas de notes ? lui demanda le jeune homme en constatant qu'elle ne sortait rien de son sac.

— Si, répondit-elle.

Il n'insista pas. Mais il était intrigué. Très intrigué.

— Au fait, je m'appelle Tugdual. Tugdual Cobb.

— Salut, Tugdual Cobb.

Elle se pencha vers lui et chuchota :

— Moi, c'est Victoria. Victoria Danes.

Pour la première fois depuis qu'ils avaient fait connaissance, son visage était complètement tourné vers Tugdual.

C'est alors qu'il comprit.

16.

Zoé avait l'impression d'avancer avec une démarche de robot tant son corps était contracté par l'angoisse. Elle gravit l'escalier menant au troisième étage de St. Mary's et déboucha sur un palier qui se séparait en deux. Elle s'engagea sur la gauche, dans un couloir plutôt sombre, lambrissé de bois précieux, de l'acajou sans doute. À cet instant, elle se sentit seule comme jamais au cours de ces quatre derniers mois et s'en voulut d'avoir décliné l'offre de ses frères de l'accompagner. Le point d'honneur qu'elle mettait à se montrer solide avait parfois quelque chose de totalement absurde et de définitivement contradictoire avec les principes qu'elle prônait. Acceptation de ses faiblesses, solidarité, soutien... Elle était la première à donner ce genre de conseils et la dernière à les suivre.

— Je peux vous aider ? retentit une voix.

Zoé tressaillit. Elle avisa une pièce qu'elle venait de dépasser et dont la porte était à moitié ouverte. Revenant sur ses pas, elle aperçut une femme assise derrière un comptoir. Seule sa tête dépassait, comme posée sur le meuble.

— Bonjour, je cherche le bureau de la proviseur, fit Zoé d'une voix atone.

— C'est à quel sujet ? lui demanda la tête, joufflue et chevelue.

Ça, j'aimerais bien le savoir... pensa la jeune fille.

101

— Je ne sais pas, dit-elle. On m'a demandé de venir...
J'ai été appelée.

— Ah, oui ! Zoé Cobb, c'est cela ?

Zoé opina. Le visage de la femme était souriant, franchement sympathique, mais il aurait fallu bien plus pour la rassurer.

— Madame le proviseur va vous recevoir dans un instant. Son bureau est au fond.

Zoé longea le couloir d'un pas qui, cette fois, lui évoqua celui d'un cosmonaute. Un pas d'une pesante légèreté... Elle s'adossa contre le mur face à la dernière porte et fixa l'élégante plaque de cuivre qui y était apposée.

Erica Patton
Proviseur de St. Mary's High School

Des téléphones sonnaient dans les bureaux jalonnant le couloir, des personnes conversaient, des imprimantes crissaient. Tous ces sons se mélangeaient dans l'esprit de Zoé pour former un arrière-fond irritant. Qu'avait-elle donc fait pour se retrouver chez la proviseur ? On n'était qu'à la deuxième heure du jour de la rentrée et elle ne connaissait même pas cette femme. Elle avait beau chercher, elle ne trouvait aucune raison pouvant justifier cette convocation. Alors elle se mit à imaginer toutes sortes de causes, un problème avec la classe dans laquelle on l'avait affectée, les vides dans son parcours scolaire, son identité... À cette pensée, son esprit s'agita. Ses papiers avaient été fabriqués par un excellent faussaire, Abakoum y avait veillé. Mais ils n'en demeuraient pas moins faux...

Elle fut saisie en pleine réflexion lorsque la porte du bureau s'ouvrit. Une femme apparut, très chic dans son tailleur crème et avec son brushing impeccable. En voyant Zoé, elle marqua un petit temps d'arrêt avant de s'exclamer :

— Zoé Cobb ! Vous êtes là, très bien, entrez et installez-vous, je suis à vous tout de suite !

Elle s'éloigna dans le couloir. Ses escarpins claquaient sur le parquet ancien avec la régularité d'un métronome. Obéissante et tendue, Zoé pénétra dans le bureau, luxueusement meublé. Un grand bureau occupait le milieu de la pièce, très encombrée par mille et un objets, partout, sur les étagères intégrées dans les cloisons et sur le canapé en cuir capitonné. Les murs étaient tout aussi chargés de photos, portraits, diplômes, tableaux... D'ailleurs, c'est l'un d'eux qui attira le regard de Zoé. Au milieu de ce fatras plutôt classique, il faisait figure d'ovni avec ses couleurs vives et son style mexicain, un peu naïf. Zoé s'en approcha, aussi intriguée par la multitude de détails qui y figuraient que désireuse de détourner son attention du malaise qu'elle éprouvait à se trouver là.

— Il vous plaît ? résonna la voix de la proviseur derrière elle.

La jeune fille se retourna, aussi confuse que si on la prenait en flagrant délit de vol. Erica Patton la regardait depuis le seuil de son bureau.

— Pardon ? bredouilla Zoé.

— Ce tableau... reprit la proviseur. Il vous plaît ?

Elle traversa la pièce avec une assurance marquée et s'assit dans son large fauteuil, derrière son bureau. Son regard était vif, presque perçant. Zoé se sentit terriblement mal à l'aise.

Je n'ai tout de même pas été convoquée pour parler peinture ! Alors, pitié, qu'on en vienne aux faits !

— C'est spécial, répondit-elle avec son habituel sens du compromis et de la prudence.

Son interlocutrice émit un petit rire flûté.

— Très bonne analyse !

Elle observa Zoé pendant quelques secondes, sans un mot, avec une expression satisfaite que la jeune fille avait bien du mal à décrypter.

— Je peux entrer ? fit une femme sur le pas de la porte.

— Bien sûr, Lana !

La nouvelle venue s'approcha.

— Laissez-moi vous présenter Zoé Cobb, poursuivit la proviseur. Zoé, je vous présente Lana Summer.

Zoé serra la main que la femme lui tendait. Âgée d'une trentaine d'années, elle avait la prestance d'une reine africaine, en dépit de sa tenue décontractée – jean, tunique en cotonnade, sandales plates. Zoé resta en arrêt devant son port de tête altier, la finesse de ses traits d'ébène et sa démarche aérienne. Sur l'invitation de la proviseur, toutes deux prirent place.

— Lana est journaliste au *South East Observer* et nous avons le grand bonheur de la compter parmi nous cette année pour s'occuper du club de journalisme de St. Mary's.

Erica Patton adressa à Lana Summer un sourire révélant davantage encore l'excellente éducation dont chacune de ses manières et de ses inflexions était empreinte. Au premier abord, tout en elle semblait la définir comme une personne psychorigide, peu réceptive à la critique ou à l'opposition. Sa posture, le choix de ses vêtements, l'étirement de ses lèvres lorsqu'elle parlait, sa façon d'être... On ne pouvait qu'être circonspect face à une telle femme. Pourtant, un détail étonna Zoé lorsque Erica Patton entreprit de replacer une mèche qui n'en avait nul besoin – sa coiffure était parfaite, comme le reste. Alors qu'elle levait le bras, les fins bracelets entrelacés autour de son poignet glissèrent, laissant apparaître un minuscule tatouage bleuté.

Une erreur de jeunesse ? Peut-être qu'elle a été hippie, ou punk...

Cette pensée divertit Zoé l'espace d'un dixième de seconde.

— Lorsque votre grand-père est venu vous inscrire, vos frères et vous, nous avons évoqué votre goût et votre talent pour la photographie, poursuivit-elle, ses longues mains jointes devant elle. Or nous manquons cruellement de jeunes gens suffisamment expérimentés pour que le club de journalisme puisse être mis en route sans délai.

Elle scruta tour à tour Zoé et Lana Summer, de son regard pénétrant assez difficile à soutenir.

— J'ai immédiatement pensé à vous, mademoiselle Cobb.

Zoé frémit intérieurement en se demandant si c'était une bonne ou une mauvaise chose qu'une femme comme Erica Patton pense à elle.

— Je ne suis pas si expérimentée… répliqua-t-elle avec sa douceur coutumière.

Erica Patton fit claquer sa langue contre son palais.

— Mais vous l'êtes plus que vous ne le supposez ! J'ai vu quelques-uns de vos travaux : ils sont splendides.

Abakoum ! Tu as vraiment montré à cette femme ce que je faisais ?!

— Lana et moi sommes d'accord : vous êtes l'élément in-dis-pen-sa-ble qu'il nous faut ! N'est-ce pas, Lana ?

— Tu es très douée, Zoé, approuva la journaliste avec un mouvement gracieux de la tête.

— Par ailleurs, j'ai cru comprendre que vous vous destiniez à une carrière dans la presse ou les médias…

Elle a lu mon dossier dans ses moindres détails, y compris la rubrique « Orientation souhaitée » ! C'est complètement dingue !

— Ça m'intéresserait beaucoup, oui.

Buste bombé, Erica Patton inspira à fond avec une expression triomphante.

— Alors, tout est réuni pour que nous fassions ensemble un travail for-mi-da-ble !

Elle se leva et contourna son bureau pour rejoindre ses deux invitées.

— Lana, je vous laisse voir les détails pratiques avec Zoé ?

Cette ultime question n'en était pas une. Elle restait sur le même ton que tout ce qu'elle avait pu dire auparavant : catégorique. Et indiscutable.

— Mademoiselle Cobb, je compte sur vous.

Une dernière poignée de main, un dernier regard sagace et Zoé se retrouva dans le couloir avec Lana Summer en ayant juste eu le temps de saluer Erica Patton avant qu'elle ne s'enferme à nouveau dans son bureau.

17.

Il était évident que Barbara et Abakoum faisaient semblant de ne pas les attendre quand les trois lycéens revinrent à la maison en milieu d'après-midi. Barbara s'affairait à la cuisine avec si peu d'application que c'en était presque comique. Quant au patriarche, il y avait fort à parier qu'il était concentré sur tout autre chose que sur le livre qu'il tenait entre les mains.

Mortimer s'affala dans un fauteuil en poussant un soupir monumental. Moins démonstratifs, Tugdual et Zoé se hissèrent sur les tabourets hauts devant le comptoir séparant la cuisine du vaste salon.

— T'as fait des crêpes !? s'exclama Mortimer à l'intention de sa mère. C'est une super bonne idée, ça fait une éternité que je n'en ai pas mangé !

Abakoum posa son livre, l'air plus attentif que jamais, pendant que Barbara dévisageait un à un ses trois enfants.

— Ah, parce que vous croyez peut-être que vous allez pouvoir vous goinfrer avant de m'avoir dit le moindre mot sur votre journée ?

Elle avait l'air beaucoup plus inquiète que sévère : le mutisme des ados semblait la mettre sur des charbons ardents.

— Alors ? finit-elle par lâcher. Comment ça s'est passé ?

Les trois jeunes répondirent chacun à sa façon, mais en même temps.

— Je n'ai rien compris... se plaignit Barbara.

Tugdual regarda son frère et sa sœur avant de donner une réponse laconique :

— Ça s'est bien passé.

Voyant qu'il ne poursuivait pas, Barbara insista :

— Et ?

— Et tout va bien, m'man... dit Mortimer.

Sa mère poussa un petit cri.

— Vous croyez *vraiment* que je vais me satisfaire de *ça* ? fit-elle. Si c'est le cas, vous pouvez toujours vous brosser pour déguster ces succulentes crêpes, mes chéris...

— Abakoum sait comment ça s'est passé, la coupa Zoé.

Barbara jeta un coup d'œil résigné au vieil homme et se servit un verre de vin.

— Tu étais là, n'est-ce pas ? continua la jeune fille.

Un tendre sourire s'afficha sur le visage d'Abakoum. Il inclina la tête, doucement.

— Je vous ai seulement accompagnés, admit-il. Les premiers instants...

— Tu doutais de nous ? s'emporta aussitôt Mortimer.

Le soupir de Barbara, plutôt exaspéré, fit écho à la remarque du jeune homme.

— Et toi, tu étais au courant ! poursuivit-il en se tournant vers sa mère.

— Évidemment ! C'est même moi qui ai insisté.

À ces mots, Abakoum se leva et décida de servir les crêpes que Barbara avait préparées avec tant d'empressement. Puis il la rejoignit devant le comptoir et s'installa à ses côtés.

— D'ailleurs, si moi aussi j'avais la possibilité de me transformer en ombre, j'y serais allée moi-même, avoua-t-elle.

— Super... marmonna Mortimer en claquant la langue contre son palais.

— Ni Abakoum ni moi n'avons douté un seul instant de votre capacité à affronter cette journée. Mais se soucier

de la sécurité et du bien-être de ceux qu'on aime est ins-
tinctif et naturel, vois-tu... martela Barbara en le fixant.

Elle termina son verre d'une traite.

— C'est pourquoi je ne serais pas opposée à ce que
vous me donniez quelques détails pour apaiser mon
cœur de mère, conclut-elle avec un regard volontairement appuyé.

Le ton sur lequel elle venait de s'exprimer signait la
trêve. Les yeux de Tugdual et Zoé s'illuminèrent. Avec
le temps, ils avaient appris à apprécier l'humour pince-
sans-rire de Barbara, autant que l'appréciait son propre
fils. Parallèlement, ils éprouvaient un sentiment très particulier lorsqu'elle les traitait d'égal à égal avec lui. L'affection qu'ils pouvaient détecter dans son regard, ses gestes,
ses attentions les convainquait qu'elle ne se forçait pas.
Les deux différences qui subsistaient et qu'aucun ne cherchait à gommer, c'était son intransigeance plus marquée
à l'égard de Mortimer et l'incapacité pour Tugdual et Zoé,
ses deux enfants artificiels, de l'appeler maman.

— J'ai eu l'impression de marcher sur un fil suspendu
à mille mètres du sol pendant toute la journée, se lança
Zoé sur le ton de la confidence. Surtout quand j'ai été
convoquée chez la proviseur...

— Quoi ?! manqua de s'étrangler Barbara. Mais... pourquoi ?

Elle avait l'air sincèrement catastrophée. Zoé s'empressa de la rassurer. Inutile de prolonger son supplice.

— Elle voulait juste me proposer d'intégrer le club de
journalisme.

— Oh, c'est extra ! J'espère que tu as accepté !

Disons que je n'ai pas vraiment eu le choix... pensa Zoé.

— Oui, bien sûr, comment refuser un truc pareil ?
répondit-elle.

Au fond d'elle, elle était sincèrement ravie. Si Erica
Patton n'avait pas insisté – ou plutôt si elle ne lui avait

pas forcé la main –, aurait-elle eu le courage de poser sa candidature ?

— Merci, Abakoum, murmura-t-elle.

Barbara se mit soudain à ressembler à une chouette quand son corps se figea et que seuls ses yeux restèrent en mouvement.

— Et pouvons-nous savoir ce que signifie ce « merci » ? demanda-t-elle à Abakoum.

Le vieil homme parut sur le point de sourire. La situation et la surprise de Barbara s'y prêtaient. Pourtant, il conserva la même expression, un peu grise et songeuse.

— Il a parlé à la proviseur de mon intérêt pour la photo et tout ce qui touche à la presse, s'empressa de répondre Zoé. La journaliste qui anime le club cherchait quelqu'un, elle a tout de suite pensé à moi. Et voilà !

— C'est bien, acquiesça Barbara en relevant la tête. C'est très, très bien. Et vos profs ? Ils sont comment ?

— Nickel !

— Sympas !

— Super...

Barbara se retint de rire. Même si elle commençait à s'habituer à obtenir trois réponses quasiment identiques dès qu'elle posait une question, elle n'en demeurait pas moins amusée.

— Vous vous êtes fait des amis ?

En guise de réponse, elle obtint un triple marmonnement. Devant son air désappointé, Mortimer crut bon de préciser avec sa rudesse coutumière :

— Tu ne t'attendais tout de même pas à ce qu'on revienne avec une horde de potes dès le premier jour ?

— Non, tout de même pas...

— Mais ne t'inquiète pas, intervint Zoé. Ça ne s'est pas mal passé. Je dirais même que c'était plutôt génial de se sentir comme tout le monde... pour une fois...

Elle consulta ses frères du regard. Tugdual détourna la tête. En ce qui le concernait, il ne se voyait ni comme un sociopathe ni comme tout le monde. Juste comme un jeune homme qui doit cacher ce qu'il est et faire semblant d'être un autre pour étouffer ses pulsions meurtrières. Quoi de plus... banal ? Sourcils froncés, il fit rouler la bille de cristal-éponge de son bracelet.

— Ça va, mon garçon ? lui demanda Abakoum.

Tugdual s'étira avec une apparente nonchalance, une façon de brouiller les messages que ses gestes pouvaient envoyer malgré lui.

— Ça va, répondit-il.

Il mordit à pleines dents dans une crêpe qu'il venait d'arroser de jus de citron sucré, incitant implicitement tout le monde à faire de même.

— Je monte, fit-il quelques minutes plus tard. À tout à l'heure.

C'est en traversant le hall que son regard glissa malgré lui vers la bibliothèque. Située à l'extrémité de la maison, elle en occupait toute la largeur et donnait à la fois sur le front de mer et le jardin. Le jour de l'arrivée à Destiny Drive, le jeune homme avait compris ce qui s'y trouvait et il s'était interdit d'y pénétrer, en dépit de ses tentatives pour se convaincre qu'il en était capable.

Ce n'est qu'un piano comme il en existe des millions... Un objet inoffensif et ordinaire... s'était-il répété chaque fois qu'il y pensait.

Jusqu'à présent, il n'avait pas réussi à faire mieux qu'un bref coup d'œil avant de passer son chemin. Alors, qu'est-ce qui faisait la différence aujourd'hui ? La porte entrouverte, comme un appel à s'approcher ? Se sentait-il plus courageux ? Moins fragile ? Plus prêt ? Il cessa de s'interroger et, au lieu de monter à l'étage, il se dirigea vers la bibliothèque.

*

La porte grinça légèrement lorsqu'il la poussa. Il la referma derrière lui et s'y adossa. La pièce était presque vide, à l'instar des rayonnages de bois sombre, plaqués sur toute la longueur du mur qui allait d'une fenêtre à l'autre. Quelques fauteuils de cuir occupaient la partie donnant vers la mer et tournaient le dos au piano à queue, plus massif que Tugdual ne l'avait cru quand il l'avait aperçu la première fois. Dans la pénombre, le vernis noir de l'instrument le faisait ressembler à un énorme félin au pelage luisant, campé sur ses quatre pattes.

Incapable de bouger, Tugdual ne le quittait pas des yeux. Tout se mélangeait dans sa tête. Les sensations, les souvenirs, l'envie se précipitaient, se fracassaient en lui. Au prix d'un effort manifeste, il parvint à s'approcher.

La lumière de fin d'après-midi se reflétait sur l'eau de la piscine, qui elle-même projetait des marbrures scintillantes et mouvantes sur les murs de la pièce et sur le piano. Tugdual finit par s'asseoir par terre, adossé aux étagères vides, les coudes sur les genoux, et s'efforça de dompter les émotions qui l'ébranlaient. Le grondement sourd de la marée montante et les échos de la vie s'écoulant tout autour formaient un trait d'union avec l'extérieur, ténu et pourtant indéfectible. Étrangement, c'est en calant sa respiration sur le rythme des vagues au loin que Tugdual réussit à retrouver un certain calme. Tous ses compteurs internes se remettaient peu à peu à zéro, le ramenant ici et maintenant.

Du bout de sa chaussure, il toucha un des pieds du piano.

— Tu crois que je ne suis pas capable de t'approcher ? grinça-t-il.

Il se releva d'un bond et assena un coup de poing sur le couvercle, si violemment que des vibrations s'élevèrent de l'intérieur de l'instrument. Un peu décontenancé par l'absurdité de son geste, il caressa le bois brillant, jusqu'à atteindre le clavier qui le tentait au-delà de ce qu'il aurait pu croire. L'envie de s'asseoir sur le petit banc de velours gris et de poser les doigts sur les touches rivalisait avec la douleur des souvenirs, impérissable. Le traumatisme de son passé était encore si vif. Désir et souffrance… Les forces s'avéraient parfaitement équilibrées, il était le seul à pouvoir les départager. Pour cela, il fallait qu'il accepte d'exhumer ce qui l'empoisonnait, se prouve à lui-même qu'il avait la force de surmonter ce qu'il pensait insurmontable. Il venait de faire un grand pas en avant. Mais pourrait-il aller au-delà ?

18.

Le crayon pendait à un fil fixé au mur par une punaise. La liste comportait déjà une dizaine de noms, ce qui aurait pu encourager Mortimer. Cependant, les yeux rivés sur l'intitulé – *Club de plongeon de St. Mary's* –, il hésitait encore. Était-ce une si bonne idée que cela ? Pourtant, il en avait très envie et cela faisait si longtemps qu'il n'avait pas éprouvé un tel sentiment. Et puis, quand on souhaitait des choses aussi simples qu'intégrer une équipe sportive, c'est qu'on était plutôt normal, non ?

— Allez, décide-toi... marmonna-t-il. Tu ne risques quand même pas ta vie !

Il agrémenta ses ronchonnements d'une flopée de jurons. Autour de lui, des lycéens le dévisagèrent d'un air méfiant et s'écartèrent.

Je dois vraiment avoir l'air barge, planté comme ça dans le couloir, les yeux rivés sur cette foutue liste. Alors, si, en plus, je me mets à jurer tout haut, je peux dire adieu à cette chère so-cia-li-sa-tion...

Son père ne lui avait jamais vraiment laissé cette possibilité qu'il avait aujourd'hui d'être comme les autres. Au contraire, il l'avait entretenu dans sa différence – *leur* différence, leurs pouvoirs, leurs origines – qu'il estimait être une supériorité sur le commun des mortels. Voir en son fils et en lui des êtres suprêmes au milieu des gens ordinaires, voilà ce qui l'exaltait !

Exigeant et intransigeant, il avait gardé le contrôle absolu sur Mortimer, décidant à sa place de ce qui était bien ou non. Jusqu'à ce que tout lui échappe et qu'il en meure. Jamais il n'avait cru pouvoir trouver plus fort que lui, et pourtant... Qui plus est, Mortimer faisait partie de ceux qui avaient fini par le pulvériser. Liens du sang, liens du cœur, liens maudits... À l'évocation de cet homme qui l'avait tant fait souffrir, le jeune homme fronça les sourcils et serra les poings. Étonnamment, l'erreur de son père et sa méprise quant à la puissance d'autrui ne lui apportaient qu'un faible sentiment de satisfaction. Sa soif de revanche ne connaîtrait pas de fin puisqu'il ne serait jamais tout à fait libéré de son père : son ascendant était indélébile, même au-delà de la mort. Il savait que ça ne servait à rien, mais il continuait à le haïr farouchement, en vain.

Les haut-parleurs se mirent à déverser des informations sur les horaires de la bibliothèque et des prochains matchs de basket. Mortimer secoua la tête et revint à ce qu'il était en train de faire : penser au présent et laisser le passé à sa place, la poussière à la poussière, autant que possible. Il inspira à fond et se saisit du crayon pour écrire son nom à toute vitesse sur la feuille. Puis il le lâcha et le regarda se balancer au bout de son cordon. L'image d'un pendu s'imposa dans son esprit, de façon si incongrue qu'il en fut irrité... D'un geste sec, il tira sur le fil. La punaise tomba sur le sol, il la ramassa et la replanta dans le mur. Crayon en main, il se trouva encore plus embarrassé et entreprit de le coincer derrière la feuille. C'est alors qu'il vit ce qu'il venait d'écrire. Éberlué, il poussa un nouveau juron et biffa son nom avec rage.

Mortimer Cobb... Tu t'appelles Mortimer Cobb, espèce d'abruti ! Cobb, Cobb, Cobb. C'est vraiment pas le moment de l'oublier ! pesta-t-il intérieurement.

Il se pencha et observa ses ratures sous tous les angles pour vérifier que ce qu'il avait écrit auparavant était illisible, puis il réinscrivit son nom.

— T'as changé d'avis ? fit une voix derrière lui.

Il se retourna, l'œil ombrageux. Un garçon se tenait juste derrière lui.

— Quoi ?

— T'as rayé ton nom, et puis tu l'as remis sur la liste, expliqua le garçon. Alors j'en déduis que t'as changé d'avis. Je me trompe ?

Mortimer le dévisagea d'un air désagréable. Il ne manquait plus qu'un petit malin fourre son nez là où il ne fallait pas...

Ne commence pas à t'attirer des ennuis ! Ce type veut juste engager la conversation, c'est tout ! Eh oui... Ce sont des choses qui arrivent quand on est normal !

— Moi aussi, je me suis inscrit, poursuivit le garçon. Si tu veux, on peut aller aux tests ensemble.

Mortimer hésita, tout en se rendant compte que, pour l'instant, il n'avait communiqué que par une espèce d'aboiement hostile. Ce n'était pas pour rien qu'à une certaine époque on l'avait appelé « l'Ostrogoth »...

Dégage de là, le passé ! s'exclama-t-il en pensée.

— Ça te dit ? insista le garçon.

— OK. On se retrouve ici, à quatre heures ? C'est bon pour toi ?

Le garçon plissa un peu les yeux, surpris de ce changement d'attitude, mais content.

— Ça marche ! Salut.

— Salut, fit écho Mortimer.

À la fin du dernier cours, Mortimer se précipita hors de la salle de classe.

— Hé ! Tu vas où ? Tu ne rentres pas avec nous ? l'interpella Tugdual en le rattrapant dans le couloir.

— J'ai un truc à faire.

— Un truc ? À faire ?

Son grand frère darda sur lui un terrible regard et Mortimer eut aussitôt l'impression d'être un enfant, devant rendre compte de tous ses faits et gestes à ceux qui avaient autorité sur lui. Lèvres pincées, il souffla. Tugdual n'était pas son père, et d'ailleurs loin de lui l'envie d'agir comme tel, Mortimer le savait bien. Non, son frère était juste inquiet.

— Rien de grave, j'espère ? insista-t-il.

— Non, t'inquiète ! le rassura Mortimer. Je vous en parlerai ce soir.

Ils s'attardèrent encore quelques secondes, yeux dans les yeux, dans une sorte de défi affectueux.

— J'y vais, à tout à l'heure.

— Tu reviens avant la nuit !

Tugdual n'avait pas pu s'empêcher de lancer cette fichue recommandation. Mortimer leva les yeux au ciel et se noya dans la foule des lycéens qui arpentaient les couloirs.

*

Quatre heures moins cinq. Le garçon était là, devant la liste accrochée au mur.

— Pile à l'heure ! fit-il en apercevant Mortimer.

Ils s'engagèrent tous les deux vers la sortie.

— La piscine se trouve à deux rues d'ici, c'est pratique, ça permet de s'entraîner quand on veut.

— Tu plonges déjà ? demanda Mortimer.

— Oui, depuis un an. Je vais tenter ma chance pour entrer dans l'équipe. Et toi ?

Mortimer lui jeta un coup d'œil de côté.

— Je plonge depuis que je suis petit, mais juste en amateur.

Comment lui dire qu'il n'avait jamais plongé de sa vie, mais qu'il possédait certaines aptitudes qui lui permettraient de se mettre rapidement au niveau des meilleurs ? Le problème serait d'ailleurs là : ne pas trop montrer, ne pas devenir le meilleur tout de suite... Ce n'était pas le but.

Ils marchèrent en silence pendant un moment avant que Mortimer ne prenne l'initiative de se présenter.

— Moi, c'est Joshua Bell, renchérit le garçon. Tu peux m'appeler Josh.

Mortimer s'interrogeait. Josh semblait trop à l'aise à St. Mary's pour être un nouveau. Alors pourquoi était-il si seul ? Mortimer l'avait aperçu à la cafétéria, à midi, sans personne avec lui. Il n'avait donc pas d'amis ? Pourtant, il n'était ni ringard ni complètement abruti. Il était même plutôt mignon, pour autant que Mortimer puisse en juger, sportif, habillé et coiffé de façon très cool.

— Voilà, on est arrivés !

La guichetière avisa leur carte de lycéen d'un œil distrait. Dans les vestiaires régnaient à la fois un vacarme assourdissant et un mélange d'odeurs contrastées, sueur, chlore, shampoing. Mortimer et Josh se mirent en maillot de bain et, serviette sur l'épaule, rejoignirent une vingtaine d'adolescents sur les gradins qui dominaient l'immense piscine.

— Chhht ! ordonna une femme en maillot noir.

Des filles s'entraînaient à la natation synchronisée.

— Elles ont bientôt fini, expliqua Josh. Après, ce sera à nous.

L'attention des garçons était tout entière réservée aux jeunes filles qui s'ébattaient gracieusement dans le bassin ou qui patientaient au bord. Mais celle de Mortimer se portait davantage sur les plongeoirs. Il sourit, malgré lui. Il avait hâte de plonger, de se confronter aux autres.

— Messieurs, lâchez ces ravissantes créatures des yeux et tournez-vous donc par là, s'il vous plaît !

Un homme en short et tee-shirt se tenait devant le groupe. Baraqué, crâne lisse, la quarantaine, il les jaugeait du regard, mains derrière le dos.

— Je m'appelle Brad Coleman et je serai l'entraîneur des dix meilleurs d'entre vous durant toute cette année scolaire, dit-il.

Il les observa encore un instant et tapa dans ses mains.

— Allez, montrez-moi un peu ce que vous avez dans le ventre !

Les garçons se levèrent, alors même que quelques filles de l'équipe de natation synchronisée s'installaient pour jouer les spectatrices, à leur tour. Les plongeurs amateurs étaient tous de très solides athlètes, sauf deux d'entre eux qui s'étaient un peu surestimés. Les sauts se succédèrent, acrobatiques, élégants, pas toujours exemplaires, mais plutôt prometteurs, ainsi que semblait le penser M. Coleman. Mortimer s'était volontairement placé le dernier de la file et détaillait les plongeons de chacun des garçons afin d'évaluer ce qu'il pouvait faire, et surtout ne pas faire. Exécuter un octuple saut périlleux ou plonger au ralenti « façon Matrix » était dans ses cordes. C'était d'ailleurs assez tentant… Mais rester dans les limites du raisonnable pouvait aussi s'avérer très intéressant, non ?

— À vous, jeune homme ! le héla l'entraîneur. Vous êtes ?

— Mortimer Cobb, monsieur.

— Très bien, Mortimer Cobb. Vous avez droit à trois sauts. Allez-y.

À l'exemple de ses camarades, Mortimer gravit l'échelle menant au plongeoir souple, à trois mètres de hauteur. Il frissonna, mais uniquement parce que le contact de l'acier sous la plante de ses pieds l'avait surpris. Nullement impressionné par le vide, il s'avança sur la planche qui oscilla et se mit en position.

Pas de zèle, surtout. Tu ne fais que des trucs humains. Normaux, quoi !

Son premier saut fut simple, mais parfait, il le savait et le hochement de tête de M. Coleman le lui confirmait.

Un peu moins impeccable, maintenant ! se motiva-t-il intérieurement.

Les plates-formes à cinq et sept mètres lui offrirent la possibilité de se placer tout en haut de la liste des postulants : malgré ses efforts pour rendre ses plongeons moins précis, ils ne pouvaient que séduire le coach, les autres plongeurs et les nageuses, éblouies par sa prestation.

19.

À quel moment Mortimer se rendit-il compte de l'effet qu'il exerçait sur l'une des filles ? Très exactement quand il sortit du bassin, à l'issue de son deuxième saut. Obligé de passer devant celles et ceux qui assistaient aux tests, il essaya de ne pas prêter attention aux sifflets admiratifs, ni aux commentaires. Mais il ne pouvait ignorer les volutes sombres qui s'échappaient des lèvres de cette fille en maillot rouge, sans qu'elle s'en rende compte. Lui seul était capable de les voir, comme un appel secret. Il prit aussitôt la mesure de ce que Tugdual et Zoé avaient voulu dire quand ils avaient parlé d'attrait irrésistible, d'obsession incontrôlable. Son cœur s'affola, il détourna les yeux et fonça vers l'escalier pour son dernier saut, tout en triturant la bille de cristal à son poignet. Avait-elle été endommagée par l'eau chlorée de la piscine ? Les bactéries gobeuses de phéromones s'étaient-elles noyées ? Il savait bien que non. D'autant plus que ce n'était pas la première fois qu'il se baignait avec son bracelet.

En proie à un début de migraine – déjà… –, il faillit réaliser une figure tout à fait impossible pour un être humain normalement constitué. Il réussit à se reprendre *in extremis* et à se restreindre à un double salto arrière presque irréprochable. Il s'attarda aussi longtemps qu'il le put dans l'eau avant de s'apercevoir que c'était pire : tous les regards étaient dirigés sur lui, surtout celui de la fille, chargé de ce qu'il redoutait. Et de tout ce que son organisme réclamait en lui déchirant la tête.

Il rejoignit les autres garçons et écouta M. Coleman annoncer les noms de ceux qu'il avait retenus. Il faisait partie de la nouvelle équipe de plongeon de St. Mary's, bien sûr, rien d'étonnant. Comme ses camarades, il reçut les félicitations du coach, ainsi qu'un tee-shirt estampillé de l'emblème de Serendipity – un cheval cabré. Mais il n'y avait plus de place dans son esprit pour la satisfaction, la fierté, ou tout autre sentiment de plaisir. La fille au maillot rouge l'accaparait tout entier. Serviette autour du cou, il lui tourna le dos et s'éloigna.

— On dirait que t'as fait une touche !

Mortimer avait presque oublié son nouvel ami.

— Elle est canon... ajouta Josh à son oreille.

— Hein ?

Josh le fixa d'un air étonné.

— Ne me dis pas que t'as pas remarqué ! La fille en rouge, elle te bouffe des yeux depuis le début !

Devant le silence de Mortimer, le garçon n'insista pas et changea de sujet.

— Bon, en tout cas, on peut dire que t'es un foutu cachottier, toi ! fit-il.

— Qu'est-ce que tu veux dire ? enchaîna Mortimer, sur la défensive.

— Ça doit faire un paquet d'années que tu plonges pour avoir ce niveau.

Non, c'est la première fois que je mets les pieds sur un plongeoir ! pensa-t-il. *Mais tu n'imagines même pas ce que je suis capable de faire dans les airs...*

— Je suis motivé, se contenta-t-il de répondre.

Il jeta un coup d'œil à Josh en faisant son possible pour se départir de cette rudesse dont il déplorait la spontanéité. Il appréciait vraiment la compagnie de ce garçon et ça ne devait pas être si difficile de le lui montrer, tout de même !

— T'es loin d'être mauvais, toi aussi... lança-t-il, sincère.

— Merci, sympa ! fit Josh.

— Pas de quoi.

Ils prirent leur douche parmi les autres lycéens et se rhabillèrent, silencieux dans le vacarme ambiant. Face à son casier, Mortimer était inquiet. Les élancements à l'intérieur de son crâne s'étaient un peu émoussés, il souffrait moins, mais mille pensées l'assaillaient. Il referma la porte métallique avec une brutalité qui le surprit lui-même. Les autres le regardèrent en coin ; il choisit de les ignorer. S'il voulait claquer la porte de son casier à en faire trembler les murs, eh bien, il le faisait !

Quand il sortit du bâtiment, la fille était là, assise sur un muret, les yeux rivés sur lui, si jolie dans sa robe rouge – sa couleur favorite, apparemment. Il aurait pu se douter qu'elle l'attendrait, mais il avait préféré esquiver cette éventualité. Pourtant, il allait falloir réagir. Maintenant. Car la douleur dans son crâne recommençait à le torturer.

— Bon, je te laisse ! murmura Josh avec un clin d'œil de connivence. À plus.

— Non, attends ! s'exclama Mortimer.

Il se tourna pour ne plus voir la fille et ce qui émanait d'elle, et entraîna Josh dans la rue.

— Elle ne te plaît pas ? lui demanda le garçon.

— Si...

Il faillit dire « pas elle, mais son souffle noir », mais réussit à s'arrêter à temps, même s'il avait l'impression d'en avoir déjà trop dit.

— Ben alors ?

— Ben alors quoi ?

— Quand une fille te plaît et que, visiblement, tu lui plais aussi, tu te barres ? Un peu étrange comme technique d'approche...

Mortimer se passa la main sur le visage et souffla fortement. Que pouvait-il répondre à cela ? Rien de vraiment cohérent.

— C'est compliqué... dit-il.

— OK, je n'insiste pas, fit Josh en levant les mains. Je ne voulais pas être indiscret.

— Pas de souci.

Ils se quittèrent amicalement au croisement de deux rues et Mortimer rentra chez lui d'un pas lourd.

*

Dès le lendemain, il s'attendit à tout instant à trouver la fille en rouge sur son chemin. Étrangement, il s'aperçut qu'il recherchait sa présence, scrutait les groupes de lycéens, espérait tomber sur elle au détour d'un couloir. Et pourtant, elle représentait tout ce qu'il devait éviter. Car il avait déjà mal partout, terriblement. La douleur, désormais installée dans son crâne comme une grosse larve, attendait la première occasion pour le torturer plus encore.

Le jour suivant, il chercha encore et revint aussi bredouille. Il commença alors à comprendre que la fille ne faisait pas partie de St. Mary's. Il en fut aussi soulagé que contrarié, et poussa l'ambivalence jusqu'à prospecter sur Internet. L'équipe de natation synchronisée accueillait des filles de son lycée, mais aussi du lycée public situé à l'autre bout de la ville. Il referma sèchement l'ordinateur pour s'empêcher de détailler les horaires des entraînements et de vérifier si certains coïncidaient avec les siens. Il aurait pu en parler avec Tugdual, ou Abakoum. Mais quelque chose le retenait, la conviction de pouvoir gérer seul cette épreuve, ou bien l'influence du mal tapi en lui ? Les deux, sans doute.

Toutes les nageuses se ressemblaient dans l'eau, chignon serré, maillot une pièce, posture identique. Cependant,

Mortimer n'eut aucune difficulté à reconnaître celle qu'il attendait – et redoutait – de retrouver. Elle l'avait vu entrer et le processus s'était aussitôt mis en branle : le souffle qu'elle exhalait et la douleur insupportable dans le crâne de Mortimer. La fille nageait, tournoyait, s'enfonçait sous l'eau, faisait gracieusement battre ses jambes, pendant qu'à l'autre bout du bassin Mortimer plongeait et multipliait les figures sous les ordres du coach, tout en manœuvrant pour cacher le trouble qui s'était emparé de lui. Même Josh n'y vit que du feu. Et pourtant...

Les nageuses quittèrent la piscine plus tôt que les plongeurs. Ce qui ne changea rien pour Mortimer : le coup de foudre de la fille à son égard empoisonnait déjà son cerveau. Sous les assauts du mal, il faillit s'assommer contre le plongeoir. Les jambes flageolantes, il se hissa hors du bassin et attendit la fin de l'entraînement, assis sur les gradins, la tête entre les mains. Puis il lui fallut quitter la piscine. Il n'allait pas rester là toute la nuit.

— Salut !

La fille, adossée contre le mur, était vraiment très jolie. En d'autres circonstances, Mortimer aurait sûrement envisagé de sortir avec elle. Mais à cet instant, il ne voyait rien d'autre que ce qu'il brûlait de lui dérober.

— Qu'est-ce que tu veux ? grommela-t-il d'un air franchement mauvais.

Le sourire de la fille se figea avant de se transformer en une expression blessée. Elle bredouilla quelques paroles incompréhensibles. Mortimer, pourtant au supplice, décida d'enfoncer le clou.

— Arrête de me tourner autour comme ça ! aboya-t-il à dix centimètres de son visage. T'es pas *du tout* mon genre, alors fous-moi la paix !

Puis il fit demi-tour et s'enfuit en courant, le cœur en vrac et la tête en fusion.

20.

À l'abri de sa chambre, il pensait sans cesse à elle. Il se sentait perdu, horrible, sale.

Je ne dois pas tuer cette fille. Ce n'est pas possible. Je ne peux pas la tuer et je ne peux pas supporter d'avoir mal comme ça. Alors, c'est quoi la solution ? Il n'y en a pas ?

Autour d'une heure du matin, il n'y tint plus. Il se défoula un moment sur ses machines de musculation puis, en sueur et grimaçant sous l'effet de la douleur dans sa tête que rien n'apaisait, il sortit de la maison et se dirigea vers le front de mer. Là, il courut sur le sable comme s'il était pourchassé par une horde de loups. Des petites vaguelettes léchaient ses pieds. Il finit par se jeter dans les eaux sombres et nagea frénétiquement. Plus loin, la mer luisait sous le reflet des nuages éclairés par la lune, le paysage tout entier ressemblait à une photo en noir et blanc, à un monde sans couleur.

Plus la douleur le cisaillait de l'intérieur, plus il nageait vite, avec une puissance désespérée qui lui fit pousser un cri de rage. Son écho se répercuta à la surface de l'eau et atteignit la plage, où une dizaine de personnes étaient rassemblées autour d'un feu. Certaines d'entre elles se levèrent et crièrent à leur tour en direction de l'horizon. Les voix semblaient joyeuses, peut-être un peu alcoolisées. Sans doute des jeunes faisaient-ils un barbecue. Après tout, c'était le début du week-end et les nuits étaient encore si belles…

En entendant des rires féminins, Mortimer s'arrêta de nager, une terrible idée en tête. Il existait un moyen d'épargner la fille en rouge et il venait de le trouver !

Projetée par la lune derrière lui, son ombre lui parut immense et menaçante quand il sortit de l'eau. Une jeune fille vint à sa rencontre, une bouteille de bière à la main.

— T'es un fou, toi ! lui lança-t-elle.

Les autres étaient plus éméchés que Mortimer ne l'avait supposé. Avachis devant le feu, la plupart somnolaient les uns contre les autres ou conversaient mollement, sans prêter attention à lui. Autour d'eux, la plage était hérissée de canettes défoncées, de cartons de pizzas vides et de toutes sortes de mégots.

— Un fou drôlement costaud et drôlement mignon ! poursuivit la fille d'une voix pâteuse.

Elle tituba jusqu'à lui et s'agrippa à son bras.

— T'es qui exactement ? L'homme de l'Atlantide ?

Elle se mit à pouffer de rire et, de sa main libre, battit l'air devant elle.

— Ouh ! là, là… Tu veux pas venir te promener un peu avec moi ? Je ne suis pas sûre de tenir debout toute seule !

Elle lui caressa la joue, souriant, riant, clignant des yeux, enjôleuse et dénuée de toute retenue, de toute prudence. Mortimer n'eut même pas besoin de l'entraîner à l'écart, là où la nuit offrait ses plus obscurs refuges : c'est elle qui l'y mena. Elle finit par se laisser tomber sur le sable, à genoux, et attira Mortimer vers elle. Contrairement à elle, il était pétrifié, les yeux braqués sur le souffle argenté de la fille qu'il distinguait si bien maintenant, comme en négatif. Pouvait-il encore éviter le pire ? Non, il ne le pouvait pas. Tout simplement parce que ce n'était plus lui qui décidait. C'était son sang, et non sa conscience.

— Logiquement, c'est le moment où tu devrais m'embrasser ! chuchota la fille.

Son souffle n'en devint que plus irrésistible. Elle rit à nouveau en entrelaçant ses doigts avec ceux de Mortimer.

— Tous les garçons font ça, tu sais !

S'il s'agenouilla à son tour sur le sable, ce n'est pas à cause des mots de la fille, mais de la douleur en train de déchiqueter son cerveau. Il sentit nettement son sang se noircir à l'intérieur de ses veines. Le moment était venu. Il se pencha et embrassa la fille avec toute la fièvre qu'il ressentait.

Le désir de la malheureuse l'emplit instantanément d'une chaleur prodigieuse, désintégrant toute souffrance. Avec une frénésie qu'il ne pouvait contrôler, il prit tout, sans pouvoir s'arrêter. La fille s'affaiblit peu à peu dans ses bras, jusqu'à ce que la vie quitte son corps.

Quand ce fut terminé, quand la mort eut définitivement pris le dessus, Mortimer la lâcha et s'effondra sur le sable, inconscient.

*

Une goutte de goudron noir perlait à une de ses narines lorsqu'il revint à lui. Il l'essuya d'un geste emporté et plissa les paupières de toutes ses forces. Il ne devait pas pleurer. Il ne pleurait jamais. Il resta prostré un moment, repu et malheureux à côté du corps inerte de la fille.

Tuer une innocente pour ne pas tuer une innocente... Et tu crois vraiment t'en sortir comme ça ?

Il fut agité par un rire grinçant et se leva péniblement. Après son frère et sa sœur, son tour avait fini par arriver. Qu'est-ce qu'il croyait ? Que cela allait se passer différemment pour lui ? Maintenant que la douleur était partie, il se dit qu'il aurait dû prendre sur lui. Peut-être aurait-il pu supporter davantage, serrer les dents, endurer.

— Arrête de te faire des films ! grogna-t-il. Tu sais bien que non.

Il porta la fille dans ses bras et marcha jusqu'à la mer. La marée descendait, elle allait emporter le corps au large avant de le recracher, dans quelques jours. D'ici là, la nature aurait eu le temps de marquer son empreinte… et d'effacer les autres. Mortimer entra dans l'eau jusqu'à la taille et nagea quelques dizaines de mètres en tirant la fille derrière lui comme une noyée qu'il serait en train de sauver. La lumière blafarde de la lune éclaira un instant le visage mort, strié de mille rides et plis. Mortimer gémit et lâcha enfin le corps, là où le courant commençait à être vraiment fort. Il le regarda s'éloigner, puis disparaître au creux d'une vague, avec un immense sentiment de désolation.

*

Il était revenu dans sa chambre depuis quelques minutes seulement quand son téléphone lui indiqua qu'il venait de recevoir un message. Encore hébété par le choc de ce qu'il venait de faire, il le saisit machinalement, sans aucune curiosité. Pourtant, son attention allait être brutalement sollicitée au moment de découvrir ce qui s'affichait sur l'écran.

« Je sais ce que tu as fait. Mais n'aie crainte, je sais aussi garder les secrets, même les plus obscurs. OMG. »

21.

La voix aiguë de la voisine aux cheveux bleus attira l'attention de Tugdual. Il se posta sur la galerie extérieure du premier étage et tendit l'oreille.

— Autoriser ce genre de choses, c'est ouvrir la porte à tout et à n'importe quoi !

Tugdual la voyait s'agiter sur le trottoir. Pendant un instant, il crut qu'elle parlait toute seule. Puis il aperçut l'objet de son indignation, ou plutôt sa cible : un vendeur de hot-dogs qui avait installé son chariot sur la promenade du front de mer, juste en face de la maison des Cobb.

— J'habite ici depuis plus de soixante ans et je n'ai jamais vu un fourbi pareil ! Ne restez pas là, déplacez votre carriole !

S'ensuivit une discussion animée : la voisine était scandalisée et l'homme déterminé à ne pas céder. Ce duel avait un côté comique. Pourtant, Tugdual ne tarda pas à y voir autre chose. Dans son esprit, le vendeur de hot-dogs se transformait peu à peu en un détective privé, un policier à leurs trousses, un agent du FBI en pleine traque… Sinon, pourquoi se serait-il placé juste ici ? La promenade était très longue et, à ce niveau de Destiny Drive, l'affluence n'avait rien d'exceptionnel. Instinctivement, il se plaqua contre le mur de bois blanc, comme pour se dissimuler dans l'ombre du toit. Soit il devenait complètement parano, soit il avait raison et la fin des Cobb s'annonçait proche.

130

Le cri de Barbara résonna dans toute la maison.

— Tuuuugdual !

Le jeune homme sursauta. La police était déjà là ? Non, il n'y avait personne dans l'allée. Et le vendeur de hot-dogs était en train de remballer son matériel. Avait-il cédé à la pression de la voisine ou bien obtenu ce qu'il cherchait ? Peut-être n'était-il pas plus un agent du FBI que ne l'avait été le photographe animalier dans le Vermont... Le jeune homme inspira à fond et regagna le palier de l'étage.

— Tugdual ! Viens ! insista sa mère.

Il se pencha sur la rambarde qui surplombait le rez-de-chaussée. En bas, Barbara tenait le combiné et, au cas où Tugdual aurait du mal à comprendre, elle pointa son index dessus.

— Té-lé-pho-ne, articula-t-elle dans un chuchotis exagéré.

— Téléphone ? balbutia Tugdual, sourcils froncés. Pour moi ?

— Si tu t'appelles Tugdual Cobb, alors oui, c'est pour toi ! lui assura Barbara.

Le jeune homme hésita un instant, puis enjamba la rambarde et fit un saut de plusieurs mètres. Il atterrit élégamment juste devant sa mère, qui leva les yeux au ciel.

— Tiens, dit-elle en lui tendant le téléphone.

La paume d'une main sur l'écouteur, elle le regarda d'un air curieux avant de lui confier :

— C'est... une fille.

Tugdual opina, le regard soucieux. Samantha White. Il était sûr que c'était elle. Elle l'avait prévenu : elle ne le lâcherait pas. Il faillit demander à Barbara de raccrocher, mais pour rien au monde il ne voulait la laisser soupçonner le moindre tracas. Alors il lui adressa un sourire convaincant et prit le téléphone.

— Oui ?

— Tugdual ? C'est Victoria.

Le soulagement allégea le jeune homme de plusieurs tonnes. Paradoxalement, il se trouvait incapable de dire quoi que ce soit.

— Euh... Victoria Danes... précisa son interlocutrice face à ce silence inattendu. Tu te souviens de moi ?

— Attends, Victoria Danes, Victoria Danes... Ce n'est pas cette fille qui m'a guidé pendant toute la semaine dans les méandres de St. Mary's ?

— Oh, c'est un peu réducteur comme rôle ?

Tugdual se mordit la lèvre.

Quel nase... Continue comme ça et tu vas la blesser pour de bon. C'est ça que tu veux ?

— Très réducteur, confirma-t-il.

Et là ? Est-ce que je ne donne pas l'impression de la... draguer ? C'est quoi, le juste milieu ?

— Tu dois trouver que je suis un peu gonflée de t'appeler chez toi un samedi matin.

— Non ! se défendit Tugdual, sincère. Je suis juste surpris. Comment tu as eu mon numéro ?

— Oh, tu sais, il existe un truc absolument génial pour t'aider à trouver ce genre de choses, ça s'appelle l'annuaire en ligne !

Le ton de Victoria n'avait rien d'ironique, ni de condescendant. Il était seulement taquin.

— Ah ! oui, l'annuaire, bien sûr... fit Tugdual.

— Tu vas croire que je suis une nympho du genre de Samantha White, non ?

— Non.

— Sûr ?

— Sûr.

Victoria poussa un soupir très bruyant qui fit sourire Tugdual.

— Tu fais quoi ce soir ? enchaîna aussitôt la jeune fille.

Un vacarme retentit au-dessus de la maison, provoqué par des hélicoptères volant à toute allure vers la mer. Un répit inespéré pour le jeune homme dont l'esprit avait tendance à s'éparpiller sous l'effet de la panique naissante.

— Tiens, j'entends les hélicos ! fit Victoria. Ils viennent juste de passer au-dessus de chez moi !

Tugdual se pencha par la fenêtre pour les regarder. Une terrible association d'idées se mit en place dans son esprit : hélicos, police, recherche, arrestation... Instinctivement, il vérifia si le vendeur de hot-dogs se trouvait toujours là. Il était parti.

— Ils patrouillent pour essayer de retrouver cette fille qui a disparu dans la nuit, expliqua Victoria. Elle faisait une fête avec ses amis sur la plage, apparemment elle avait pas mal bu et personne ne sait où elle est passée.

— C'est terrible...

— Oui.

Un silence s'installa, le même survenu à plusieurs reprises au cours de la semaine, ni gênant ni inconfortable. Juste un peu étrange, surtout au téléphone.

— T'es toujours là ?

— Oui.

— Alors, tu fais quoi ce soir ?

Tugdual prit appui contre le mur.

Réagis, abruti, tu ne fais rien avec personne, ni ce soir ni n'importe quel soir. Tu restes cantonné à la maison pour ne pas te retrouver obligé de tuer quelqu'un !

— C'est l'anniversaire de mon grand-père, mentit-il. Ma mère a prévu une soirée-surprise, ça fait des jours qu'elle prépare ça.

— Oh, c'est aussi mon anniversaire !

Tugdual ferma les yeux, dépité.

— Je ne voulais rien faire de particulier, et puis au dernier moment j'ai pensé que ce serait une bonne idée d'organiser un petit barbecue avec deux ou trois personnes sympas.

Et tu estimes que j'en fais partie ? Oh ! Victoria, si tu savais dans quoi tu mets les pieds...

— Je ne suis pas aussi sympa que j'en ai l'air, tu sais... objecta Tugdual.

— Oui, je sais bien, répliqua Victoria, pince-sans-rire. Mais même les cas les plus désespérés ont droit à leur chance, eux aussi !

— Alors pourvu qu'il y ait une autre occasion, un de ces jours.

— Oh ! je pense que oui.

Un de ces étonnants silences plana à nouveau. Juste devant Tugdual, des rais de lumière obliques traversaient les lourds stores vénitiens en bois. Il tendit la main pour tenter d'attraper les minuscules poussières en suspension au cœur de la lumière elle-même. Mais il ne sentit que la chaleur sur sa peau. Le silence entre Victoria et lui était comme ça, invisible et impalpable, et pourtant plein d'une douceur qu'il pouvait réellement sentir.

— Eh bien, festoie joyeusement !

— Oui, toi aussi, bon anniversaire !

Quand il reposa le téléphone sur son support, Tugdual s'aperçut qu'il était épuisé. Seules ses paupières battaient à toute vitesse, sous l'effet des rayons de lumière vive, ou d'une autre chose, plus indistincte. Il sortit le bonnet qu'il avait glissé dans la poche arrière de son jean lorsque Barbara l'avait appelé et l'enfonça sur sa tête. Une sensation de réconfort l'envahit aussitôt, comme si le bonnet parvenait à réduire le bouillonnement de ses idées. Il se rendit dans le salon et s'avachit dans un canapé.

— Victoria... résonna derrière lui la voix de Barbara.

Que pouvait-il répondre ? Barbara apparut dans son champ de vision, un vase rempli de fleurs entre les mains. Elle le déposa sur la table basse et le parfum sucré des fleurs fraîchement coupées dans le jardin se diffusa aussitôt. Sa mère prit son temps pour arranger le bouquet, avec des gestes calmes et précis, sans regarder le jeune homme.

— Est-ce qu'Abakoum et moi, nous avons des raisons de nous inquiéter ? demanda-t-elle soudain, toujours affairée.

— Aucune, répondit Tugdual.

Barbara tourna le vase d'un quart de tour, recula pour l'observer, et le tourna à nouveau dans l'autre sens.

— Si c'était le cas, tu nous le dirais, n'est-ce pas ? fit-elle.

— Oui, Barbara, je vous le dirais.

Elle inspira à fond et expira. Tout son corps sembla s'affaisser, comme s'il se dégonflait.

— Ne t'inquiète pas, ajouta Tugdual. Tout va bien.

Elle le dévisagea encore un instant. Tugdual savait combien elle aurait adoré qu'il lui donne des détails sur Victoria. Mais il en était incapable et elle l'avait bien compris, même si elle continuait d'espérer en silence.

— Vraiment, Barbara, je t'assure… conclut-il.

Elle leva les mains en signe de reddition. Puis son regard se dirigea vers le couloir d'où parvenait l'écho des ahanements très bruyants de Mortimer qui, vraisemblablement, s'acharnait sur ses machines de sport.

— Ton frère n'est pas à prendre avec des pincettes aujourd'hui, fit-elle d'un air las.

— Oui, j'ai cru comprendre…

Inutile de préciser que Mortimer lui avait à moitié démonté l'épaule, le matin même, devant son insistance à vouloir connaître les raisons de sa si mauvaise mine. Barbara soupira et se frotta le visage.

— Tu ne peux pas savoir combien j'ai horreur de le voir comme ça… On dirait qu'il est… enragé…

— Ça va lui passer, la rassura Tugdual.

— Oui, sans doute, une fois qu'il aura mis en pièces toutes ses machines !

— Ses instruments de torture, tu veux dire ?

Barbara laissa filtrer un sourire. C'était exactement ce que Tugdual cherchait. Elle lui jeta un dernier coup d'œil et quitta la pièce, vaguement réconfortée.

La tête renversée en arrière, le jeune homme ferma alors les yeux. Autour de lui, de multiples bruits semblaient rivaliser pour l'empêcher de réfléchir : les cris étouffés quoique hargneux de Mortimer, le vrombissement sourd des hélicos au loin, le pépiement étonnamment entêtant des oiseaux... Mais peut-être était-ce mieux ainsi, ne pas penser, arrêter de se poser des questions sans réponse, de vouloir tout décortiquer. Il se leva si vite que la tête lui tourna. L'espace de quelques secondes, sa vue se brouilla et ses oreilles se bouchèrent, comme si un petit black-out venait d'interrompre toute connexion entre le monde extérieur et son monde intérieur, chahuté. Il sortit du salon, traversa le hall d'entrée, baigné d'une lumière vive qui l'obligea à mettre la main en visière au-dessus de ses yeux. Avant de poursuivre son chemin, il saisit au passage ses lunettes noires, posées dans le vide-poches, et les mit. La luminosité devint aussitôt plus supportable et même réduite au minimum lorsqu'il traversa le bosquet devant la maison, presque obscur tant il était épais. Il eut l'impression soudaine d'être privé de ses yeux et frémit à cette pensée qui le ramenait directement à Victoria et au choc qui l'avait ébranlé lorsqu'il avait compris, ô combien à retardement, qu'elle était aveugle.

Si t'étais moins centré sur toi-même, tu t'en serais aperçu aussitôt ! se reprocha-t-il.

Il descendit l'allée et se retrouva à nouveau en plein soleil, sur la promenade face à la mer. Il enfonça ses écouteurs dans ses oreilles et mit son iPod en marche sur le mix, laissant l'appareil décider pour lui.

— Pas mal... murmura-t-il en reconnaissant Linkin Park[1].

Il marcha un moment, les mains dans les poches, aussi désinvolte et détendu que n'importe quel ado profitant du week-end et du temps magnifique pour se balader. Des skateurs le dépassaient, des piétons le croisaient, des regards se frôlaient ou s'échangeaient, sans curiosité ni

---

1. À ce moment, Tugdual écoute le titre *Burn it Down*.

conséquence. Son apparente décontraction le protégeait sans pour autant l'empêcher d'être lui-même car, à l'intérieur, juste derrière la fragile couche de vernis, chacun de ses nerfs, chaque goutte de son sang, le moindre de ses neurones était soumis à une effervescence qu'il n'avait pas ressentie depuis des mois. Des filles le sifflèrent en riant, son premier réflexe fut de les toiser d'un air froid. Puis il se reprit, se radoucit, sourit en coin. Les choses se passaient comme ça dans la vie des gens normaux : on existait, on se regardait, on se souriait, on passait son chemin ou on s'attardait, parfois, pour continuer main dans la main.

Assis sur le muret, il retira ses chaussures puis descendit sur la plage. Le contact avec le sable, tiède en surface, frais dès que ses orteils s'enfonçaient, était à l'unisson avec ce qu'il ressentait intérieurement, ces contrastes compatibles, le chaud et le froid, le jour et la nuit, le bien et le mal. De toutes petites vaguelettes effleurèrent ses pieds, comme pour attirer son attention sur la mer qui brillait dans une espèce de sublime simplicité. Il ne sut résister : il ôta ses vêtements et ses écouteurs, en fit un petit tas noir sur le sable blond et, vêtu de son seul boxer, se jeta à l'eau, les paroles de la dernière chanson résonnant dans sa tête.

> *You know, I can't tell if I'm a normal person*
> *It's true, I think I'm cool enough,*
> *but am I cruel enough?...*
> *Is anything as strange as a normal person?*
> *Is anyone as cruel as a normal person[1]?...*

---

1. « Tu sais, je ne peux pas dire si je suis quelqu'un de normal / C'est vrai, je pense que je suis assez cool / Mais est-ce que je suis assez cruel ? / Existe-t-il quelque chose de plus étrange qu'une personne normale ? / Existe-t-il quelqu'un de plus cruel qu'une personne normale ? » (*Normal Person,* Arcade Fire.)

22.

Comme chaque matin depuis une semaine, les trois Cobb se rendaient à pied au lycée. Une semaine ! De toute la famille, Tugdual était certainement le plus étonné tout en restant le plus circonspect, malgré les millions de petits signaux lui indiquant qu'il était sur la bonne voie – et combien il en était heureux. Aujourd'hui, il s'était préparé avec encore plus d'impatience que les jours précédents, sans pouvoir distinguer si c'étaient les effets bienfaisants du week-end, le coup de téléphone de Victoria, le fait d'avoir devant lui des perspectives où il n'était pas seulement question de lutte ou de mort... Un peu de tout cela, sûrement.

La voix de Zoé interrompit le cours de sa réflexion.

— Mortimer ? Qu'est-ce que tu fais ?

Leur frère était en train de lire une affichette placardée sur le tronc d'un arbre aux abords du lycée.

— J'arrive.

À l'inverse de son frère et de sa sœur, le jeune homme paraissait angoissé. Malgré les tentatives des siens pour l'aider, il était resté fuyant pendant tout le week-end, passant des heures à s'acharner sur son punching-ball ou à faire des centaines de longueurs dans la piscine.

— Tu es sûr que ça va ? lui demanda Tugdual. T'es... tout gris...

— Je suis juste un peu patraque.

— On peut faire quelque chose pour toi ? s'enquit à son tour Zoé.

— Non, ça va passer, je vous assure.

Il regarda Tugdual, puis Zoé, et tenta d'ébaucher un sourire.

— Bon, on y va ?

Sans attendre, il s'engagea vers le grand porche. Son frère le laissa prendre ses distances. S'il avait besoin d'un peu d'indépendance, il fallait le respecter. Les épaules et la nuque raidies, Mortimer se fondit dans la foule des lycéens qui affluaient et disparut. Zoé adressa à Tugdual une petite mimique résignée.

— On se retrouve à midi à la cafèt' ?

— OK, comme d'hab ! lui répondit Tugdual.

À ces mots, il sourit intérieurement. Désormais, ils avaient des « habitudes ». C'était donc... possible... Zoé disparut à son tour et une pensée, aussi soudaine que lugubre, obscurcit l'esprit de son frère. S'il arrivait quoi que ce soit à ces deux-là, s'il devait ne plus jamais les revoir, il en mourrait de chagrin.

Pourquoi tu penses à ça ? Pourquoi une telle chose arriverait ?

— Salut ! fit une voix non loin de lui.

Le jeune homme frémit intérieurement en la reconnaissant.

— Salut, répondit-il.

Il tourna la tête, Victoria l'attendait, à moitié dissimulée derrière une des colonnades de l'entrée principale. Elle portait une robe sombre, très simple, qui mettait sa taille et son port de tête en valeur. Aux yeux de Tugdual, son charme singulier évoquait une étoile ténébreuse aux reflets d'onyx. Il sentit un trou noir se former au creux de son ventre et s'enrouler, comme pour l'aspirer.

— Tu te demandes comment je fais pour savoir que c'est toi, hein ? fit-elle.

— Oui, et je me demande aussi comment tu sais que je me demande ça…

Elle se toucha le nez et le remua.

— Ça doit être mon côté « sorcière bien-aimée » !

— C'est bien ce que je pensais.

Elle sortit de l'ombre, tendit son visage vers le soleil et inspira avec ostentation.

— À moins que ce soit autre chose, dit-elle.

— Oh ! tu veux peut-être me faire comprendre que je sens le castor, c'est ça ? Ou le hareng ?

Victoria rit, la tête légèrement renversée en arrière. Puis elle redevint sérieuse et ajusta ses lunettes fumées. Les breloques de son bracelet tintèrent dans un petit bruit de métal quand elle remonta son sac sur son épaule nue avant de se diriger vers l'intérieur du lycée.

— Alors, tu n'as pas répondu ? poursuivit Tugdual tout en marchant à ses côtés.

— Tu ne sens ni le castor ni le hareng.

— Ouf. Et… l'autre question ?

— Comment je fais pour savoir que c'est toi ?

— Oui.

Victoria ralentit le pas à l'approche des casiers. Une fois devant, elle parut réfléchir, le front plissé, passa la main sur la rangée qui se trouvait à sa hauteur et finit par ouvrir l'un d'eux. Comme les autres fois, Tugdual faillit lui demander si elle avait besoin d'aide, mais n'en fit rien. Il se contenta de vider son sac dans son propre casier tout en l'observant du coin de l'œil.

— Je ne vais pas te faire croire que je sens ton délicat parfum ou que je reconnais à l'oreille le bruit de ton inimitable pas sur le sol, lâcha-t-elle soudain d'une traite. Je ne sais rien faire de tout ça.

D'une main, elle releva ses cheveux et dénoua son écharpe en coton de l'autre main. Le regard de Tugdual s'arrêta à nouveau sur ce geste dont il ne s'expliquait pas la beauté. Au passage, il aperçut le minuscule tatouage bleu qu'il n'avait pas encore remarqué à la base de son poignet.

— Je ne suis pas aveugle depuis assez longtemps pour avoir développé à ce point mes autres sens, expliqua-t-elle à mi-voix.

Tugdual se sentit aussi désarmé qu'à l'instant où il avait compris ce qui faisait de Victoria une jeune fille à part. Elle referma son casier et s'y adossa.

— D'ailleurs, je ne suis pas vraiment aveugle. *Juste* malvoyante, comme on dit.

C'était la première fois qu'elle en parlait. Tugdual brûlait d'envie de lui demander comment c'était arrivé, si c'était réversible, s'il pouvait faire quelque chose. Mais de telles questions se posaient-elles ? Et si Victoria y voyait une sorte d'apitoiement de sa part ? Est-ce que ça ne serait pas pire ? Inversement, son silence pouvait être interprété comme un désintérêt qu'il était loin de ressentir. Un tueur en puissance doté d'une vraie capacité d'empathie... Il devait être le seul spécimen de cette espèce.

Face à ces doutes, il eut l'impression d'être un sinistre lourdaud. Pourquoi cherchait-il à disséquer les moindres gestes, paroles, attitudes, jusqu'aux plus infimes silences ? Ne pouvait-il pas être un peu naturel ? Spontané ? Normal ? Une fois de plus, ce fut Victoria qui prit les devants.

— Tu ne m'as pas dit si l'anniversaire de ton grand-père s'était bien passé ? Vous avez dansé sur les tables jusqu'à l'aube ?

— Comme des bêtes... Et toi ?

— C'était la fiesta du siècle, tu n'imagines même pas.

Leurs mensonges réciproques les amusèrent. Quand ils entrèrent dans la salle où aurait lieu le premier cours de la journée, il aperçut Mortimer, déjà installé au premier rang, sérieux. Il ralentit en passant à côté de lui, avec l'espoir que son frère comprenne le message : il était là et veillait sur lui. Si Mortimer resta d'une passivité exemplaire, ce ne fut pas le cas de Samantha White.

— Oh ! le gentil petit couple ! ironisa-t-elle d'une voix claironnante.

Quelques ricanements firent écho à sa remarque.

— Trognons, les deux petits corbeaux, même si on se demande lequel est le plus aveugle des deux... poursuivit-elle en mettant en avant un décolleté qu'elle avait très joli et très vertigineux.

Les mots semblèrent glisser sur Victoria, qui s'installa tranquillement à quelques sièges de la reine du lycée. Tugdual s'assit à côté d'elle, résolu à respecter les règles qu'il s'était fixées. Pourtant, il bouillonnait de colère et de frustration, à tel point que Victoria finit par le sentir.

— Ne la calcule pas... lui chuchota-t-elle. Elle n'en vaut pas la peine.

Mais lorsque Samantha se pencha pour les prendre en photo avec son portable, l'indifférence à laquelle Tugdual se contraignait fut sévèrement ébranlée. Éjecter le téléphone des mains de cette idiote et le balancer au plafond était si tentant, si facile. Lui fracasser la tête contre la fenêtre aussi... D'autant plus qu'il pouvait le faire sans lever le petit doigt, ou à peine. Personne ne se rendrait compte de rien. Mais c'était là le point le plus contrariant : ce qu'il voulait faire *devait* être remarqué.

— Le problème avec toi... commença-t-il en fixant subitement Samantha White.

Il s'interrompit, à dessein, et fit mine de s'interroger.

— Euh, tu t'appelles comment déjà ?

Prononcée sur ce ton, à la fois plein de patience et d'ennui, la question ne pouvait que faire mouche. Une première fléchette au beau milieu de la cible. Samantha regarda Tugdual, bouche bée, regard courroucé dans le silence qui plana soudain, empli d'une curiosité diversement bienveillante de la part des autres lycéens.

— Enfin, on s'en fout un peu de ton nom, à vrai dire... poursuivit Tugdual. Je disais donc que le problème avec toi, c'est que tu pourrais vraiment être une fille classe si tu n'agissais pas de façon aussi débile...

Les yeux de Samantha rétrécirent, alors qu'il luttait pour garder son masque d'impassibilité.

— Et encore, si ce n'était que débile... ajouta-t-il. Mais en plus c'est vulgaire et là, ça casse tout. Dommage pour toi.

Il fit abstraction des réactions des autres et se contenta d'apprécier le minuscule sourire au coin des lèvres de Victoria.

— Pas mal, ta riposte... lui murmura-t-elle. Comment réagit notre belle ?

— À ce que je vois, elle est sur le point d'imploser de rage.

— Bien !

Le prof d'histoire arriva à ce moment-là : le cours pouvait commencer. Encore un peu secoué, Tugdual jetait de temps à autre un coup d'œil à Samantha White, mortifiée, qui ne cessait de tapoter sa tablette de son ongle parfaitement laqué.

Continue tes perfidies, Samantha, et tu vas t'en prendre encore plein la tête, crois-moi.

Quand la sonnerie retentit, il ne se pressa pas, d'autant plus que le cours suivant était annulé.

— Il y a un bar juste en face, lui dit Victoria. Tu n'aurais pas envie d'un bon Coca bien frais ?

Tugdual chercha Mortimer du regard. Son frère prenait son temps, lui aussi. L'attendait-il ? Il semblait si préoccupé, si vulnérable.

— Tu veux bien patienter une seconde ? demanda-t-il à Victoria. Je reviens.

— Euh, oui, d'accord.

Le temps qu'il se retourne, son frère quittait déjà la salle.

— Mortimer !

Le jeune homme fit volte-face. Tugdual le rejoignit prestement et l'entraîna dans le couloir.

— Je vais boire un coup en face avec Victoria.

— Ça a l'air de bien coller entre vous, dis donc… murmura Mortimer. Fais quand même gaffe de ne pas trop jouer avec le feu.

— C'est purement amical, t'inquiète pas. Sinon, j'aurais déjà fait ce qu'il faut.

— Comme avec Sam la bombasse ? Tu l'as achevée d'une puissance…

Il ne put s'empêcher de lâcher un petit rire satisfait.

— Achevée, achevée… Attention à ce que tu dis ! répliqua Tugdual en lui souriant en retour.

Ils se regardèrent quelques secondes. Mortimer avait déjà retrouvé son humeur taciturne.

— Tu vas faire quoi ? demanda Tugdual.

— Comment ça, je vais faire quoi ?

Il remonta son sac sur son épaule d'un mouvement brusque qui le fit grimacer.

— Là, maintenant, précisa Tugdual.

— Ah ?! je vais aller plonger un peu. J'avais pris mes affaires pour l'entraînement de ce soir.

— OK. Alors, à tout à l'heure, en sciences.

Tugdual rejoignit Victoria qui l'attendait, appuyée au dossier d'une chaise.

— Excuse-moi, il fallait que je dise deux mots à mon frère.

— Je ne savais pas qu'il y avait un deuxième Cobb dans notre classe…

Il n'y avait pas une once de reproche dans sa façon de dire cela, seulement une légère surprise.

— Et il y en a une troisième, Zoé, ma sœur.

— Ah ?

Ils se dirigèrent vers la sortie du lycée.

— Mortimer et toi, vous êtes jumeaux ou l'un de vous a redoublé ?

— Ni l'un ni l'autre, répondit Tugdual. On est de la même année, moi du début, lui de la fin.

— Oh ! c'est pas commun !

Victoria ralentit sa marche, soudain assombrie.

— Moi aussi, j'ai un frère, souffla-t-elle. Enfin… j'avais un frère. Il est mort.

Tugdual la regarda en coin. Rien ne filtrait sur son visage. L'émotion était seulement contenue dans sa voix, un peu tremblante et sensiblement plus grave. Il se sentit très mal à l'aise et, étrangement, encore plus proche d'elle. Cette confidence lui faisait penser à ses propres morts, sa mère – la vraie –, ses pères – celui qui l'avait élevé et celui qui avait fait de lui un monstre –, les autres, tous les autres, Harmony… Il secoua la tête et fixa le bar de l'autre côté de la rue.

— Je sais ce que c'est de souffrir de la perte de quelqu'un, dit-il.

— Je sais que tu sais.

Tugdual poussa une exclamation étonnée.

— Hé, ne t'inquiète pas ! le rassura Victoria. Je ne veux pas dire par là que je connais tous tes innombrables secrets. Je sens juste que tu fais partie de ces personnes capables de comprendre *vraiment* ce genre de choses.

Ils entrèrent dans le bar, presque vide à cette heure, et s'installèrent à une table, face à face. Tugdual se chargea de la commande, soda glacé pour les deux.

— J'ai été indiscrète, pardon.

— Non ! Pas du tout ! L'état civil, c'est loin d'être un secret d'État !

Tugdual eut un peu honte de mentir encore. En ce qui concernait sa famille, l'état civil était bien plus qu'un secret ! Mais en voyant sourire à nouveau Victoria, il s'en voulut moins.

— Alors, je peux poursuivre mon interrogatoire ? fit-elle.

— Tu peux.

Elle n'en eut cependant pas l'occasion : une jeune fille passa près de leur table et la salua d'une voix timide.

— Oh ! salut, Karen ! répondit Victoria. Ça va ?

— Mmmhhh, merci.

La fille alla s'installer plus loin, dans un angle peu éclairé.

— Comment elle est ? demanda Victoria.

— Comment elle est ? répéta Tugdual, dubitatif.

— Oui, dis-moi ce que tu vois exactement. Tu es dispensé des détails sur la couleur des cheveux et sur le genre de fringues qu'elle porte.

Tugdual dévisagea Victoria. Où voulait-elle en venir ? Plutôt que de lui poser la question, il décida de faire ce qu'elle lui demandait. Les réponses se trouvaient certainement là, toutes proches.

— Dis ce qui te vient à l'esprit, comme ça, sans réfléchir, murmura Victoria.

— OK, j'essaie.

Il observa la fille et se lança :

— Renfrognée, introvertie, triste…

— Continue.

Il plissa les yeux, affûtant sa vue.

— Grise, anorexique, insomniaque…

— Ne t'arrête pas.

Quand il comprit ce que Victoria le poussait à découvrir, il sentit le dégoût se répandre en lui.

— Maltraitée, lâcha-t-il. Cette fille est maltraitée.

— Qu'est-ce qui te fait dire ça ?

Tugdual était perdu. Victoria attendait qu'il donne ce « diagnostic », et maintenant elle lui demandait d'argumenter, comme si elle avait besoin qu'il la convainque. Néanmoins, il chercha les mots les plus justes pour lui répondre.

— Son attitude, sa posture, sa lèvre fendue que son maquillage ne peut pas tout à fait cacher...

— Il a recommencé, l'interrompit Victoria.

Pour la première fois depuis qu'il la connaissait, elle retira ses lunettes fumées. Il vit ses yeux, marron, inexpressifs, morts, et pourtant pleins de larmes.

— Karen Goodwill est la fille de Derek Goodwill. C'est le patron d'une chaîne de blanchisseries, florissante entreprise familiale depuis plusieurs générations, et le responsable très actif de l'Amicale paroissiale...

Elle s'interrompit pour boire une gorgée de soda.

— Continue, lui dit doucement Tugdual.

Elle remit ses lunettes et se pencha vers lui en chuchotant :

— Derek Goodwill est un des notables les plus appréciés de Serendipity, membre du conseil municipal et d'un bon paquet d'associations. Mais ce que les gens savent moins, c'est qu'il est aussi un homme violent qui terrorise sa femme et qui abuse de sa fille...

23.

L e regard de Tugdual passait de Victoria à Karen
Goodwill, toujours installée sur une banquette au
fond du bar, petite silhouette tassée sur elle-même.

— Tu ne me dis pas qu'il faut éviter d'accuser les gens
sans avoir de preuves ? fit Victoria.

— Je suppose que tu sais pourquoi.

— Et tu ne te demandes pas *comment* je le sais ?

— Si.

— Les Goodwill habitent la maison en face de la
mienne. Karen et moi, on était ensemble à l'école primaire, et au collège, on était les meilleures amies du
monde. On passait beaucoup de temps ensemble, elle
venait souvent chez moi, mais ce n'était pas forcément
réciproque...

— Pourquoi ?

— Même si Derek Goodwill est très impliqué dans la
vie de la ville, il n'ouvre pas facilement la porte de sa
maison aux autres. Et de mon côté, je n'ai jamais eu
très envie d'aller chez Karen. C'est arrivé quelquefois,
mais l'ambiance était si pourrie que j'ai fini par ne plus
y remettre les pieds.

— À cause de son père ?

— Oui, il a toujours été terriblement sévère, très à cheval sur l'éducation de sa fille unique, et pas seulement.
C'est un homme de convictions, comme on dit, et il est
respecté pour cela. Du coup, il se sent dans son bon droit

pour traiter sa femme et sa fille comme des moins-que-rien, et pour lever la main sur elles quand ça lui chante. Je peux te dire que c'est très souvent : je l'ai vu à l'œuvre plus que je ne l'aurais voulu.

De ses deux mains, elle rejeta nerveusement ses cheveux en arrière. Tugdual vit dans son hésitation à poursuivre une invitation à la questionner.

— Comment tu l'as vu, Victoria ? fit-il d'une voix très basse. Comment tu sais que ça se passe comme ça ?

Ainsi qu'il l'avait deviné, Victoria ne prit pas cette question comme un doute ou une accusation de sa part, mais comme une perche dont elle avait besoin pour pouvoir continuer.

— Avant mon... accident, j'avais tendance à beaucoup utiliser mes jumelles... confia-t-elle.

— Tu espionnais les Goodwill ?

— C'est mal, je sais.

— Oh ! des tas de gens font ça ! lui opposa Tugdual. Quand une fenêtre est éclairée, qu'est-ce qu'on fait tous ? On regarde, et je crois que ce n'est ni mal ni bien, c'est juste naturel, comme un réflexe, une réaction mécanique.

— Oui, tu as raison. Mais prendre des jumelles pour voir de plus près, c'est un acte nettement moins fortuit, non ?

— Disons que c'est la conséquence de l'automatisme.

— Hum ! on peut voir ça comme ça... soupira Victoria. Est-ce que toi, tu fais ce genre de trucs ?

Tugdual s'abstint de lui dire qu'il n'avait pas besoin de jumelles pour regarder ce qui se passait chez les autres – sa vision *un peu* surnaturelle lui suffisait.

— Qu'est-ce que tu voyais chez les Goodwill ?

— Beaucoup trop de choses... Il y a deux ans, j'ai compris que Karen ne se prenait pas seulement des coups...

Bien entendu, Tugdual savait que ce genre d'horreurs existaient, partout, chez les gens « bien » comme chez les « moins bien ». Mais la vision de Karen Goodwill, si proche et si misérable sur sa banquette, rendait cela plus vrai et plus monstrueux encore.

— Pourquoi personne ne fait rien ? demanda-t-il.

— Un de nos voisins a appelé les flics une fois : Karen avait crié un peu trop fort. Mais il n'y a pas eu de suite. Derek Goodwill semble faire en sorte de ne pas frapper au visage ou sur les parties du corps qui se voient. Et quand c'est le cas, si tu demandes à Karen ce qu'elle a, elle te répond les sempiternelles excuses du genre « je suis tombée » ou « je me suis cognée ».

— Classique...

— Oui, et très pratique pour les monstres comme Goodwill.

Tugdual frémit à l'évocation du mot « monstre ». Il en existait de tant de sortes...

— Qu'est-ce qu'on peut faire ?

Victoria s'agita sur son siège.

— Rien, et tu ne peux pas savoir combien ça me dégoûte. Goodwill est vicieux, il s'abrite derrière sa notoriété et, dans une petite ville comme Serendipity, ancrée dans les traditions, on ne touche pas à un homme comme lui, si utile à sa petite communauté de personnes bien élevées et bien-pensantes. S'il était noir ou s'il habitait dans les quartiers sud, ce serait différent. Mais ici, un notable blanc et croyant ne peut pas être un homme mauvais.

— Qu'est-ce qu'il y a dans les quartiers sud ?

— L'envers de ce joli décor dans lequel on vit.

— Ah, d'accord.

Victoria prit son verre et le fit rouler entre les paumes de ses mains. En voyant la paille virevolter dans tous les sens, Tugdual s'imagina Karen Goodwill malmenée, violentée, fracassée.

— J'en ai parlé à mon père pour qu'il intervienne, poursuivit Victoria.

Ce souvenir l'assombrit encore plus.

— Tu voulais qu'il aille démonter Goodwill ? fit Tugdual pour l'encourager.

— Je ne vais pas te dire que je n'aurais pas aimé... Mais c'est un homme de loi, il est procureur. Il a été catégorique : même si les voisins appelaient les flics tous les jours, il ne peut rien se passer tant que Karen ou sa mère ne portent pas plainte !

Son visage se contracta.

— Et elles ne le feront jamais.

Elle soupira, dépitée et énervée. Elle ne pouvait pas le voir, mais en face d'elle Tugdual esquissait un singulier sourire. Et pour lui, pourtant si discret, d'ordinaire si secret, le plus difficile fut de garder le silence.

*

Zoé faisait déjà la queue à la cafétéria lorsque ses frères la rejoignirent pour déjeuner.

— Comment vont mes frangins préférés ?

— Bien, répondit Tugdual. Et notre sœurette adorée ?

— Elle a fait un carton en géo !

— Classe !

Ils se servirent et trouvèrent une table.

— Alors, ce verre ? demanda Mortimer entre deux nuggets de poulet.

— Quel verre ? s'enquit aussitôt Zoé.

— Notre frère est allé boire un verre avec une fille.

Si Zoé ne pouvait empêcher les émotions de la secouer, elle pouvait en revanche se fermer comme une huître pour ne rien laisser paraître. Une protection dont Tugdual et Mortimer n'étaient désormais plus dupes, notamment à cet instant : quand elle semblait si impassible, il y avait de fortes chances pour qu'elle soit en proie à un grand tumulte intérieur.

— Je ne suis pas allé boire un verre avec *une fille,* je suis allé boire un verre avec Victoria, précisa Tugdual.

— Victoria *est* une fille, rétorqua Zoé.

— Oui, mais Victoria n'est pas un *problème*.

— Les filles *sont* des problèmes pour des garçons comme Mortimer et toi.

Tugdual reposa doucement son couteau et sa fourchette sur la table et plongea son regard dans celui de sa sœur, dont l'éclat vert lui parut à la fois inquiet et réprobateur.

— Victoria n'est pas un problème, répéta-t-il avec fermeté.

Puis il passa à Mortimer et lut autre chose dans ses yeux, une sorte de révolte, vaine et désespérée. Vaine *parce que* désespérée ? Son frère finit par baisser la tête.

— C'est un peu déstabilisant de te regarder avec tes lentilles noires, s'excusa-t-il. On dirait que ce n'est pas toi.

— Je suis toujours moi et tout va bien.

— OK, message reçu.

Ils continuèrent de manger en silence, se jetant de temps à autre des coups d'œil.

— Ça vous dérange si un pote vient à notre table ? demanda soudain Mortimer.

— Pas de souci !

Mortimer fit signe à un garçon qui, apparemment, peinait à trouver une place. Quand ce dernier le vit, un grand sourire éclaira son visage.

— Salut ! Je peux ?

— Salut, Josh ! répondit Mortimer. Oui, assieds-toi.

D'un mouvement du menton, il lui indiqua la chaise libre en face de lui.

— Tugdual et Zoé, mon frère et ma sœur, fit-il en guise de présentation. Josh, mon pote de l'équipe de plongeon.

— Salut, Josh. Mortimer nous a parlé de toi.

— Ah oui ?

Le nouveau venu s'installa et commença à attaquer son plateau, couvert de nourriture. Zoé, assise à côté de Mortimer, n'avait pas vu quelqu'un dévorer avec autant d'appétit depuis longtemps et ce spectacle semblait beaucoup l'amuser.

— Alors, est-ce que mon frère assure ?

Josh prit le temps d'avaler avant de répondre :

— C'est un super plongeur !

Il s'essuya la bouche et ajouta :

— Mais ça n'a rien d'un scoop, non ?

Il enfourna un morceau de pain en regardant tour à tour les trois Cobb. Tugdual sourit en coin, à l'instar de Zoé. Ni l'un ni l'autre n'avait eu l'occasion de voir Mortimer plonger, pourtant nul doute qu'il devait être très doué.

— Oh ! à propos de scoop, j'ai entendu un truc terrible ce matin, poursuivit Josh. Tu sais, la fille de la piscine...

— Quelle fille ? le coupa précipitamment Mortimer.

Il aurait voulu l'arrêter, mais il s'y prenait comme un pied. Tugdual était déjà en alerte et il sentait Zoé se raidir à ses côtés.

— La fille qui te matait comme une dingue pendant les entraînements ?

Josh, tu veux pas la fermer ? pria intérieurement Mortimer.

— Ah, oui, cette fille... ânonna-t-il.

— Figure-toi qu'elle est morte !

24.

— **M**orte ? répéta Mortimer, à court d'air.

— Oui, c'est atroce, sa maison a brûlé dans la nuit de samedi : toute la famille y est passée.

Mortimer s'appuya contre le dossier de sa chaise, sourcils froncés, regard ombrageux.

— Comment ça ?

— Le feu a tout envahi en quelques minutes, ni elle ni ses parents n'ont eu le temps de sortir et les pompiers n'ont rien pu faire pour les sauver. Ces vieilles maisons peuvent être de vrais pièges, avec tout ce bois partout, du sol au plafond...

Josh s'arrêta soudain gêné, et regarda les trois Cobb.

— Désolé, je ne voulais pas plomber l'ambiance.

L'esprit chamboulé, Mortimer leva la main, l'air de dire que le sujet était clos, et laissa la conversation bifurquer vers des commentaires sur les profs – Josh les connaissait tous, il était incollable !

— J'en déduis que tu n'es pas nouveau, lui dit Tugdual.

— Non, je redouble... fit Josh, un peu mal à l'aise.

— Ça arrive.

— J'aurais préféré que ça tombe sur un autre, mais il faut croire que je l'ai bien cherché.

— Pourquoi tu dis ça ? le questionna Mortimer, sur la défensive.

— Il paraît que quand on cherche les ennuis, on finit toujours par les trouver…

Les trois Cobb se regardèrent, certains de leurs souvenirs communs se rappelant à eux presque simultanément. Néanmoins, quelles que soient les raisons de chacun, personne n'avait envie de s'étendre sur le sujet.

— Bon, j'ai un cours de soutien, il faut que j'aille chercher mes affaires, annonça Josh. À plus.

— Attends, je viens avec toi, je dois prendre un bouquin dans mon casier !

Mortimer se leva et suivit son ami. Tugdual voulut le retenir, mais Zoé posa la main sur son avant-bras pour l'empêcher d'emboîter le pas à leur frère.

— Je sais ce que tu penses, mais ce n'est pas le moment, murmura-t-elle.

— Et qu'est-ce que je pense ?

— La même chose que moi.

Ses yeux mordorés s'assombrirent. Le jeune homme plongea son visage entre ses mains en poussant un long soupir.

— On se fait peut-être peur tout seuls…

— J'espère, fit Zoé. J'espère vraiment.

Pendant tout l'après-midi, Tugdual se demanda s'il était à nouveau contaminé par sa fâcheuse tendance à noircir les choses ou si Mortimer faisait son possible pour le fuir. Dès qu'il s'approchait de lui, son jeune frère esquivait, soit en s'attardant près d'un prof, soit en quittant les salles dès que la sonnerie retentissait. À l'issue de l'avant-dernier cours de la journée, Tugdual réussit cependant à l'intercepter, discrètement quoique d'une manière peu classique : par la force magnétique qu'il était capable de déployer pour plaquer n'importe qui au mur.

— On avait dit qu'il ne fallait utiliser nos pouvoirs sous aucun prétexte, maugréa Mortimer.

— Si tu ne cherchais pas sans arrêt à m'éviter, je ne serais pas obligé de faire ça.

— Tu sais que je peux t'envoyer valser à l'autre bout du couloir si je veux ?

— Moi aussi, je te signale.

Tugdual renforça la pression contre son frère.

— Est-ce que tu as quelque chose à voir avec la mort de cette fille ?

Les yeux de Mortimer se troublèrent.

— Tu m'accuses ?

— Je ne t'accuse pas, martela Tugdual à son oreille. Je te demande juste si, de près ou de loin, tu as un lien avec ça.

— Je n'ai pas mis le feu à cette maison.

Sa voix se voulait assurée. Elle ne l'était pas et Tugdual sentit quelque chose s'effondrer en lui. Les deux frères se dévisagèrent. Le bras de fer était terminé, il ne restait que cette souffrance larvée et secrète qu'ils partageaient et qui les faisait réagir, chacun à sa façon.

— Tout le monde nous regarde, chuchota Mortimer. Lâche-moi et va donc rejoindre ta copine.

Tugdual recula sans le quitter des yeux.

— La confiance, n'oublie pas...

*

Côte à côte, Tugdual et Zoé marchaient d'un pas vif, les yeux furetant tout autour d'eux.

— Ce n'est pas lui, là-bas ?

— Si, viens !

Une fois de plus, Mortimer avait réussi à leur échapper. Pas pour longtemps, cependant, car tous deux se mirent à courir à sa suite. Pour la première fois depuis le déjeuner, il se laissa enfin rattraper.

— Alors, tu as des envies soudaines d'indépendance ? fit Zoé.

— J'ai pas le droit d'être un peu seul ? rétorqua Mortimer.

— Si, bien sûr que si ! Mais, excuse-moi, tu...

Zoé laissa sa phrase en suspens.

— Je *quoi* ?

Ainsi que l'avait constaté Tugdual plus tôt, Mortimer s'exprimait sans aucune animosité ou brutalité. Au contraire, il semblait plutôt abattu.

— Tu n'as pas l'air bien, lâcha Zoé.

À ces mots, Mortimer s'arrêta de marcher. Son regard était fixe et béant, comme horrifié. Soudain, ses genoux fléchirent, tout ce qui le maintenait droit et entier parut s'écrouler en lui. Il se tint à un lampadaire et finit par s'asseoir sur le talus couvert de gazon. Recroquevillé, il se cacha le visage entre les genoux. Le regard que Tugdual et Zoé échangèrent alors fut éloquent et terriblement inquiet. Ils s'assirent de part et d'autre de leur frère, agité de spasmes, malheureux.

— Je n'ai pas mis le feu, gémit-il. Je vous jure que je n'ai pas mis le feu.

Zoé suffoquait de tristesse. Il y avait bel et bien un lien entre Mortimer et cette malheureuse fille. Elle inspira et expira, aussi lentement qu'elle le put.

— Jamais je n'aurais pu faire ça, continua Mortimer d'une voix étouffée. La maison était plongée dans l'obscurité quand je suis parti.

— Quand tu es parti... répéta Tugdual. Après avoir tué cette fille... ajouta-t-il comme une évidence.

— J'avais trop mal, ça me rendait dingue. Pourtant, j'ai essayé, j'ai essayé...

Et si vous saviez à quel prix ! poursuivit-il dans sa tête.

La dernière image qu'il avait de la fille le hantait, son visage profondément ridé, ses mains tavelées de taches de vieillesse, ses cheveux gris et secs. Il ne sut déterminer ce qui le rendait le plus malade : ce souvenir morbide ou bien l'idée que le corps rabougri était parti en fumée ?

Il se retourna, bondit vers le talus et tout le haut de son corps se trouva agité de spasmes quand il commença à vomir. Tugdual vint à son secours et l'aida comme il le put, essuyant son front en sueur, pressant son épaule.

— Elle était vraiment mignonne et sympa, tu sais, je ne voulais pas lui faire de mal...

— Aucun de nous n'a jamais voulu faire de mal à quiconque, précisa Tugdual d'une voix blanche.

— Je l'ai envoyée promener de la même façon que toi avec la bombasse blonde, mais elle s'accrochait encore et encore, et la douleur devenait atroce...

— Pourquoi tu ne nous as rien dit ?

— Vous auriez fait quoi ?

Tugdual ne sut que répondre. Les yeux de Mortimer se portèrent sur une des nombreuses affichettes accrochées un peu partout, avec la photo de la fille de la plage, disparue, recherchée, morte pour rien... Il vomit à nouveau. Il avait sincèrement cru qu'elle l'empêcherait de tuer la nageuse au maillot rouge, que son mal serait rassasié, que la diversion réussirait. Il se revit sur la dune, puis dans la mer, traînant le corps pour qu'il disparaisse dans le courant. Et il se souvint de son désespoir quand la souffrance avait explosé à nouveau dans sa tête en lui faisant bien comprendre qu'il ne pouvait pas la leurrer.

Tais-toi, tais-toi, tais-toi... Ne parle pas de la fille de la plage, ne regarde pas les affiches, ne pense plus à elle... C'est un cauchemar que tu dois oublier...

Quasiment au même niveau de gravité, il y avait aussi les messages envoyés sur son portable. Comment les oublier... Pourtant, hors de question d'en parler ! La situation était déjà assez alarmante. Et assez compliquée. Mortimer devait gérer ça lui-même. Lorsqu'il avait reçu le premier message, à son retour de la plage, la panique avait failli lui faire perdre la tête. Il avait passé en revue chaque mot, analysé et décortiqué le message sous toutes ses coutures, l'avait envisagé sous tous les angles. Puis il s'était demandé s'il ne s'agissait pas d'une blague et avait fini par s'en convaincre.

Évidemment que c'est une blague ! Quoi d'autre ?

D'ailleurs, cet *OMG* pour « *Oh! my God!* » le prouvait, non ? Même s'il n'était pas sûr d'apprécier cette forme d'humour, il préférait encore se bercer de cette illusion. Après tout, le message ne disait rien qui vaille la peine de s'inquiéter. Quelqu'un savait ce qu'il avait fait et évoquait ses secrets ? D'accord, mais de quoi parlait-on exactement ? On pouvait lancer ce genre de choses à n'importe qui ! Et qui pouvait se sentir parfaitement à l'aise face à une telle affirmation ? Qui pouvait prétendre avoir une conscience absolument pure ? Tout le monde faisait des choses et tout le monde avait des secrets. Alors, en y réfléchissant, dans le fond, ça ne voulait rien dire.

Mais maintenant qu'il était au courant de l'incendie qui avait détruit la maison de la fille de la piscine, Mortimer comprenait mieux le deuxième SMS et mesurait l'ampleur de sa méprise. En dépit du caractère bienveillant du message, il avait désormais toutes les raisons de s'inquiéter...

« Sois rassuré, aucun lien ne sera fait. OMG. »

Ce n'était pas une blague. Quelqu'un savait *vraiment* ce qu'il avait fait. Et ce quelqu'un était passé derrière lui pour effacer son crime, ces évidences qui reliaient directement la fille de la piscine à Harmony Rice et River Fox. Rien de pire ne pouvait arriver.

25.

Mortimer avait mis la conscience de Tugdual et de Zoé à rude épreuve en leur faisant promettre de ne rien dire à sa mère – *leur* mère – et à Abakoum sur ce qui s'était passé. Ils avaient accepté, à contrecœur ; leur frère était si bouleversé. Au fond d'eux, et sans qu'ils l'admettent ouvertement, ils craignaient également que cette révélation n'ait des conséquences sur cette nouvelle vie à laquelle ils s'efforçaient d'accéder. Pour le moment, les deux chefs de famille n'exerçaient pas un contrôle très sévère sur la fratrie et ils tenaient à ce que cela dure ainsi.

— Il faut qu'on se surveille mutuellement...

Zoé avait rejoint Tugdual dans sa chambre, après un dîner morose. C'était son premier commentaire depuis l'aveu de Mortimer – le choc, puis l'immense tristesse que ce énième drame générait l'avaient jusqu'alors rendue incapable de prononcer un seul mot.

— C'est ce que tu veux ? lui demanda Tugdual. Avoir toujours l'un de nous sur le dos ? Tu serais la première à péter les plombs. Alors, imagine Mortimer...

Zoé inspira à fond, lentement, désemparée.

— Non, il faut qu'on arrive à se faire confiance, poursuivit son frère. Même si on a des habitudes de loups solitaires, on doit fonctionner comme un trio, un groupe, une vraie famille.

— Une meute...

Tugdual écarquilla les yeux.

— Une meute disciplinée et solidaire !

— Mais pas meurtrière, objecta Zoé.

— Mais pas meurtrière, répéta Tugdual en guise d'approbation.

La compréhension qu'ils avaient l'un de l'autre et du monde qui les entourait devenait un véritable ciment qui prenait toute sa valeur dans les moments comme celui-là. Dépouillés de leurs faux-semblants, ils se fixèrent, iris de glace et yeux de miel, deux façons de regarder, deux façons d'être, mais une même volonté, aussi solide que de l'acier trempé.

Zoé sourit enfin. Un sourire infime, fragile comme les ailes d'un papillon.

— On va voir notre frère ?

Tugdual la suivit jusqu'à la chambre de Mortimer. Rien qu'au son de sa voix, ils comprirent tous les deux qu'il se passait quelque chose d'anormal.

— Qu'est-ce que tu fiches ? s'alarma Zoé en le voyant.

Agenouillé sur le sol, Mortimer fourrait des vêtements en vrac dans un sac à dos.

— Je me casse, répondit-il sans lever la tête.

Tugdual referma la porte avec soin et s'y adossa, précaution illusoire. Si Mortimer voulait partir, rien ni personne ne l'en empêcherait.

— Tu peux expliquer ?

— Je croyais qu'avec ce bracelet tout rentrerait dans l'ordre, fit Mortimer. Mais j'avais tort : on reste des monstres incontrôlables !

Sa mâchoire était si contractée, ses dents si serrées que les mots sifflaient. Tout son corps ressemblait à un inextricable nœud de nerfs.

— Pas la peine de se faire des illusions : on n'est pas faits pour vivre avec les autres, on est trop dangereux.

— Personne n'a jamais prétendu que ce serait facile, rétorqua Tugdual. On doit continuer de lutter.

— C'est aussi mon avis, approuva Zoé. Toi, tu te sens battu d'avance et tu décides d'abandonner. Mais si tous les trois on se prête main-forte, on pourra y arriver !

Mortimer se redressa et fixa son frère, puis Zoé, le regard enflammé.

— Je viens de tuer quelqu'un, pour rien et contre mon gré. Alors excusez-moi de trouver ça tout sauf « facile » !

Sa posture et ses gestes dévoilaient sa profonde détresse.

— C'est décidé, je vais me terrer là où je ne serai un danger pour personne, dans un coin isolé, le Dakota ou l'Alaska. Une petite cabane dans les bois, la chasse, la pêche, un potager, et adieu toute cette merde.

— Tu te prends pour Christopher McCandless[1] ? lui lança Zoé, un peu acerbe.

Il ferma brutalement son sac et balaya la pièce des yeux. Avisant son portable sur le bureau, il s'en saisit pour le mettre dans sa poche. Bien que rapide, le contact avec l'objet lui donna l'angoissante impression d'avoir une bombe entre les mains. Ou plutôt une épée de Damoclès qui se rapprochait de sa tête. Comment réagiraient son frère et sa sœur s'il leur parlait des deux messages ? Ils devaient déjà tellement lui en vouloir pour la fille de la piscine... Depuis que la famille avait emménagé à Serendipity, il n'avait fait qu'attirer le danger. À croire qu'il cherchait à provoquer la chute de chacun d'entre eux, au moment même où ils pouvaient tous commencer à entrevoir une certaine sécurité. Alors, s'il arrivait quelque chose, ce serait sa faute. Uniquement sa faute.

— Voilà en quoi ma vie se résume, je ne suis rien d'autre qu'une saleté de monstre !

— Non !

Explosive, la voix de Tugdual fit sursauter Mortimer autant que Zoé.

---

1. Héros du film *Into the Wild*, réalisé en 2007 par Sean Penn, dans lequel un jeune homme quitte la société et sa famille pour vivre en ermite dans la nature.

— Tu arrêtes, maintenant ! rugit-il, l'air furieux.

Il saisit le sac de son frère, l'ouvrit et le vida au-dessus du lit. Ses affaires tombèrent pêle-mêle sur la couette.

— OK, tu es un monstre, on est tous les trois des monstres ! fit-il, plus calme, plus froid. Mais on n'est pas que ça.

Il se planta devant son frère et sa sœur.

— Suivez-moi...

26.

Quand Zoé débarqua dans le salon avec une pochette pleine de photos, Abakoum et Barbara ne cachèrent ni leur surprise ni leur plaisir. En général, la jeune fille rechignait à montrer ce qu'elle faisait, allant jusqu'à interdire à quiconque l'accès à sa serre-labo. Comment auraient-ils pu deviner qu'en leur demandant de s'installer d'une certaine façon sur les canapés, elle couvrait en réalité ses deux frères – ses deux complices ? Elle n'en était pas spécialement fière, loin de là. Berner des personnes aussi aimantes que sa mère et son grand-père n'avait rien d'honorable, elle n'en tirait aucune gloire. Mais le moment n'était pas à l'examen de conscience. Le moment était à l'urgence de tirer Mortimer de l'engrenage qui commençait à le broyer.

Pardon, Barbara. Pardon, Abakoum... implora-t-elle intérieurement en étalant une dizaine de photos sur la table basse. *Je vous jure que c'est pour une bonne cause !*

Pendant qu'ils s'extasiaient sur la beauté des portraits qu'elle leur présentait, elle jetait de temps à autre un coup d'œil par la fenêtre. Lorsqu'elle aperçut le signal qu'elle attendait – un double appel de phares –, son cœur s'accéléra. Pourtant, elle prit le temps de terminer ce qu'elle avait commencé et peu à peu, en douceur, elle se retira.

— Passez une bonne nuit ! fit-elle en s'engageant vers l'escalier, sa boîte de photos sous le bras.

— Toi aussi, ma petite fille.

— Bonne nuit, ma chérie.

Elle se retint de foncer à l'étage. Il fallait être comme d'habitude, bouger calmement, ne pas paraître nerveuse. Ou impatiente. Même si elle brûlait d'envie de savoir ce que Tugdual leur réservait. *« N'oublie pas de prendre ton bonnet et tes lunettes noires... »,* lui avait-il dit. Elle gravit l'escalier et passa devant la chambre de son frère. Sur la porte, un panneau décourageait tout être humain de franchir le seuil sous peine de désintégration immédiate. Du « Tugdual » tout craché... Des éclats de lumière provenant de l'ordinateur passaient sous la porte, des voix résonnaient, ni trop fort ni trop bas, portées par des bruits d'épées et de lutte. Zoé sourit. Il lui tardait de rejoindre ses frères, maintenant.

*

Ils l'attendaient dans la voiture empruntée à Abakoum à son insu. En occupant l'attention de leurs parents, Zoé leur avait permis d'ouvrir le garage, attenant à la maison, et de pousser le véhicule dans la rue, hors de vue.

— C'est bon ? demanda Tugdual quand Zoé s'engouffra par la porte arrière.

— Tu veux parler de ma méprisable manœuvre de diversion ?

Tugdual, assis au volant, se retourna.

— Tu vas bientôt comprendre que ça en valait la peine...

— J'espère !

— Y a intérêt, marmonna Mortimer depuis le siège avant. Sinon, je vous préviens, demain, je prends mon sac et je disparais.

— On a saisi, la cabane en Alaska, la chasse, la pêche... murmura Zoé.

— Faites-moi confiance, fit leur frère.

Il engagea la clé de contact et le moteur émit aussitôt un ronronnement sourd. Alors, il desserra le frein à main, appuya avec précaution sur l'accélérateur et engagea la voiture en direction du centre-ville.

— Tu sais conduire ? demanda Zoé.

— Je sais comment on fait.

Zoé s'enfonça dans la banquette.

— Oh ! malheeeur... murmura-t-elle.

— T'inquiète, la Madone, je gère... lança Tugdual en regardant à droite, à gauche, dans le rétroviseur, partout.

Le crépuscule était bien avancé lorsqu'ils avaient quitté la maison de Destiny Drive et il n'avait fallu que quelques minutes à la nuit pour prendre le relais. L'éclairage public se mit en marche au moment même où la voiture s'engageait dans les rues du centre-ville. Tugdual alluma les phares.

— Il faudra plus qu'un petit tour de Serendipity *by night* pour me convaincre de rester, tu sais ? bougonna Mortimer.

— Allons, allons... Tu ne peux pas être incorruptible à ce point !

— Qu'est-ce que tu mijotes ? Où est-ce que tu nous emmènes ?

— Sur la voie du bien et de la rédemption...

— Ben voyons ! Rien que ça !

Cette joute verbale laissait une fois de plus affleurer l'attachement réciproque des deux frères. Mortimer lâchait du lest, Tugdual montrait avec sa légendaire retenue combien il appréciait. Et Zoé, leur muette complice, décryptait les signaux, les rassemblait, s'en réjouissait.

Un trio, un groupe, une vraie famille. Une meute...

Tugdual gara la voiture le long d'une rue commerçante, coupa le moteur et éteignit les phares. Tous les magasins étaient fermés, sauf un bar, un peu plus loin, et un pressing, de l'autre côté de la rue.

— On fait quoi, là ? demanda Mortimer.

— On est arrivés, annonça Tugdual.

— Super !

L'ironie de son ton n'échappait à personne. Sur les trottoirs, quelques rares passants se hâtaient, impatients de rentrer chez eux. Une femme sortit du pressing et salua l'homme qui se trouvait à l'intérieur.

— Bonne soirée, à demain !

L'homme ferma la porte derrière elle avant de tirer le rideau de fer.

— Vous avez vos lunettes et votre bonnet ? demanda Tugdual.

Mortimer suivit le regard de son frère, rivé sur la vitrine où était dessiné un grand fer à repasser.

— On va braquer la blanchisserie ?

— Mieux que ça !

*

En quelques mots, Tugdual avait réussi à faire comprendre à Zoé et à Mortimer les raisons de leur présence ici.

— Comment un mec normal peut violer sa propre fille ? s'insurgea Mortimer. T'as raison, il faut faire quelque chose pour arrêter ça !

La colère du jeune homme, déviée sur quelqu'un d'autre que lui-même, semblait étonnamment revigorante.

— Goodwill[1]... On peut dire qu'il porte mal son nom, cette ordure !

— Carrément, approuva Tugdual.

— Tu as l'air d'avoir un peu réfléchi à la façon de procéder, alors tu vois les choses comment ?

Grâce à Internet, Tugdual connaissait mille et un détails sur la configuration des lieux. Par ailleurs, il savait que, comme chaque début de semaine, Goodwill passait la soirée ici, attelé à des tâches administratives. Il expliqua

_____

1. *Goodwill* signifie bonne volonté, bienveillance.

son plan, Mortimer acquiesça avec fièvre. Accoudés à leur siège, les deux frères regardèrent Zoé, toujours discrète et concentrée sur la banquette arrière.

— Alors ? Tu en penses quoi ?

Seulement illuminé par l'enseigne du bar qui clignotait un peu plus loin, le visage marmoréen de la jeune fille avait quelque chose de terriblement impressionnant.

— Ça me plaît, murmura-t-elle. Ça me plaît beaucoup.

Elle enfonça son bonnet sur sa tête, y glissa les mèches qui dépassaient et mit ses lunettes de soleil. Le signal était donné. Ses frères l'imitèrent et tous les trois sortirent de la voiture.

— Tugdual ? interpella Zoé en refermant sa portière.

— Mmmh ?

— Il y a juste un petit problème...

Elle lui montra la bille de cristal à son poignet, devenue noire dès la nuit tombée.

— Déjà que Goodwill aime un peu trop les adolescentes...

Elle fit une mimique contrariée.

— Mais le but n'est pas de le tuer, hein ? Alors, je vais devoir rester là, à faire le planton.

— Hors de question ! rétorqua le jeune homme.

— Tu es bien gentil, mais je ne vois pas d'autre option.

Tugdual se dirigea vers le coffre et l'ouvrit.

— Si, il y en a une, fit-il.

Il lui tendit un paquet noir et luisant.

— Je ne suis pas un spécialiste des fringues pour filles, mais je crois que c'est à peu près à ta taille...

Zoé déplia ce qui s'avérait être une combinaison intégrale de plongée. Ses yeux brillèrent d'un éclat nouveau.

Tu as pensé à moi, tu as pensé à tout, merci.

— L'option « Cat Woman » ? murmura-t-elle.

— Exactement !

— Tu crois que ça suffira ?

— Les phéromones sont essentiellement diffusées par les pores de la peau et par la sueur, expliqua Tugdual. Si tu enfermes ton corps dans cette combinaison, elles resteront coincées à l'intérieur et n'agiront pas. Du moins, leur effet sera nettement moins fort.

— Bien vu ! approuva Mortimer.

— Et puis, je ne pense pas qu'on passe des heures là-dedans, ajouta Tugdual en indiquant la blanchisserie du regard. Tiens, j'ai même prévu un masque chirurgical.

Zoé observa ses deux accessoires pendant un court instant. S'imaginer vêtue de Néoprène, avec son masque, son bonnet et ses lunettes noires, avait quelque chose d'assez hallucinant.

— Vous ne serez pas trop jaloux de mon look ? demanda-t-elle à ses frères.

— Un peu, forcément… répondit Tugdual.

— Tu m'étonnes… ajouta Mortimer avec un sourire.

Elle ne put s'empêcher de rire, tout doucement, d'un rire de libellule.

— Bon, maintenant, tournez-vous et couvrez-moi. Je vais me transformer…

27.

Une étroite allée bordait la blanchisserie et se terminait en cul-de-sac derrière la bâtisse, construite en forme de long rectangle. À cette heure, elle n'avait aucune raison d'être éclairée : l'obscurité était presque totale. Les trois Cobb n'en éprouvaient cependant aucune gêne : ils voyaient dans le noir et se mouvaient avec cette agilité animale et silencieuse qui les rendait si singuliers. Ils marchèrent d'un pas déterminé sur la cinquantaine de mètres que mesurait l'impasse, jusqu'à la porte à l'arrière du bâtiment. Là, nul besoin de forcer l'accès : ils se plaquèrent contre le mur et s'y enfoncèrent.

Les mains agrippées sur le cœur, Derek Goodwill fut secoué de violents spasmes avant de s'effondrer comme un ballot de linge – sale, aurait précisé Mortimer. S'il l'avait pu, qu'est-ce que cet honorable patron de blanchisserie aurait été en mesure de dire ? Trois intrus avaient traversé le mur – traversé le mur ! en béton ! – et lui avaient lancé des décharges électriques en tendant simplement leurs paumes dans sa direction. Non, il ne pouvait pas les identifier : ils étaient vêtus de noir, la tête et le visage dissimulés par un bonnet et des lunettes noires. Oh ! l'un d'eux était une fille, sa combinaison en Néoprène ne cachait rien de ses formes. Non, ils n'étaient pas armés de shocker ou de pistolet Taser : ils

170

l'avaient électrocuté... de leurs propres mains ! Oui, de leurs propres mains...

— On ne l'a pas raté ! constata Zoé, penchée sur le corps immobile.

— Venez, on va le mettre là-dessus ! fit Tugdual en désignant une grande table de travail.

Ils l'empoignèrent et l'allongèrent sur le métal froid. Au premier coup d'œil, on pouvait dire de ce quinquagénaire qu'il était un bel homme, inspirant confiance et respect. La prestance qui se dégageait de lui, en dépit de l'état dans lequel il se trouvait à cet instant, était rehaussée par sa stature sèche et sa tenue, coûteuse quoique décontractée.

Tugdual arrêta le circuit qui faisait défiler des centaines de vêtements pendus sur des cintres à un rail circulaire fixé au plafond. Dans l'immense buanderie ne résonna plus que le bourdonnement des tambours de machines à laver géantes tournant mollement. Au premier abord, l'odeur de lessive et d'amidon piquait le nez, mais on s'y habituait.

— Il ne va pas tarder à revenir à lui, fit remarquer Zoé, un œil sur Derek Goodwill. Il faut qu'on l'attache.

Ils regardèrent tous les trois autour d'eux, à l'affût de cordes ou de ruban adhésif.

— Qu'est-ce que vous dites de ça ?

Mortimer et Zoé se retournèrent : Tugdual brandissait un rouleau de film plastique étirable d'un air jubilatoire.

— Ouais ! s'exclama Mortimer. On va faire comme dans *Dexter*[1] !

— J'étais sûr que tu allais dire ça...

— Ex-cel-lent ! commenta Zoé.

---

1. Héros d'une série américaine, policier le jour, tueur en série justicier la nuit. Il utilise du film plastique étirable pour attacher ses proies, des criminels ayant réussi à passer entre les mailles de la justice. Son rituel : entailler la joue de ses « victimes » pour recueillir quelques gouttes de sang qu'il garde comme trophée, avant de les mettre à mort.

On aurait dit des enfants découvrant un nouveau jeu. Des enfants à la fois candides et espiègles, bien qu'un peu... maléfiques.

— En avant pour l'opération « emballage » !

Quand Derek Goodwill se réveilla, il ne vit pas tout de suite ses trois « visiteurs », sa première réaction étant de vouloir se libérer de son angoissante entrave. Or, à part sa tête et le bout de ses doigts, son corps était parfaitement saucissonné dans le plastique. Il se mit à transpirer en abondance, mais l'humidité dégagée par les machines n'y était pour rien. Ses yeux balayèrent l'espace tout autour de lui, à la recherche d'une explication.

— Il y a quelqu'un ? hurla-t-il. Montrez-vous !

Mortimer entra dans son champ de vision. Goodwill déglutit à grand-peine. Des gouttes de sueur glissaient de son front vers ses tempes pour se perdre dans ses cheveux poivre et sel.

— Derek Goodwill, commença Mortimer dans un chuchotement rauque. Deeeee-rek Good-wiiiiiill...

— Qui êtes-vous ?

— Tsss... Le plus important, c'est de savoir qui vous êtes, vous !

L'homme s'agita furieusement. La table en métal émit un bruit infernal qui ne fit qu'augmenter son affolement.

— Je suis un citoyen respectable de cette ville, j'ai des responsabilités, des relations, le conseil municipal...

— Ho ! ho ! ho ! on se calme, l'interrompit Tugdual en apparaissant à son tour.

Comme son frère, il chuchotait d'une voix éraillée qui amplifiait la panique de Goodwill.

— On s'en fout de votre belle image sociale, poursuivit-il. Ce qui nous intéresse, c'est ce qu'il y a au fond de vous et ce que vous êtes vraiment, une fois que les portes de votre maison sont fermées.

— Vous êtes un citoyen modèle, c'est admirable, enchaîna Zoé sur le même ton que ses frères. Mais êtes-vous un bon mari, Derek ? Un bon père ?

Les yeux de l'homme s'écarquillèrent. Il s'agita à nouveau, plus violemment encore lorsqu'il vit Mortimer fouiller des tiroirs et exhiber une énorme paire de ciseaux de près de trente centimètres de longueur. Les lames cliquetèrent quand le jeune homme fit mine de les essayer. Le masque chirurgical de la fille, les lames… l'association d'idées était facile, quasiment inévitable : ces trois dingues allaient lui faire mal. Très, très mal.

— Vous voulez de l'argent ? bredouilla-t-il. Je peux vous en donner, je suis riche !

— On s'en fout, rétorqua Tugdual. Nous aussi, on est riches, et sûrement plus que vous.

Les ciseaux toujours à la main, Mortimer commença à les taper contre la table métallique, régulièrement, comme un métronome menaçant. Goodwill se figea. La bouche entrouverte, il peinait à respirer. Le silence s'étirait et devenait si inquiétant qu'il ne pensait plus qu'à le briser, quitte à aggraver sa situation.

— Je connais des gens bien placés dans la police, vous allez le payer très cher ! éructa-t-il.

— Vous aussi…

— Qu'est-ce que vous voulez ?

Mortimer frappa la table avec plus de force, à tel point que des impacts apparurent, bosselant le métal.

— Avant de nous menacer bêtement et de poser des questions, vous devriez répondre à celle qui vous a été adressée, assena-t-il.

— Êtes-vous un bon mari et un bon père ? répéta Zoé.

Le masque bleu sur le bas du visage de la jeune fille épouvantait Goodwill. Il se débattit de toutes ses forces. En nage, il s'acharnait, grognait, jurait, s'épuisait.

— Vous ne savez rien ! cria-t-il. Vous ne pouvez pas comprendre !

Tugdual se baissa vers son visage trempé. Le souffle âcre de Goodwill l'écœura, il recula.

— Ah oui ? On ne peut pas comprendre ? fit-il. Ce n'est pourtant pas très difficile. Homme exemplaire en apparence, porc immonde à l'intérieur.

— Et dire ça, c'est faire injure aux porcs... intervint Mortimer. Un homme qui bat sa femme et qui viole sa fille n'est ni un être humain ni un animal : c'est un monstre !

Ce mot le fit frémir. Il chercha le regard de son frère et de sa sœur et en entrevit le reflet derrière leurs lunettes noires. Oui, eux aussi étaient des monstres et quelqu'un pourrait tout à fait estimer légitime de leur faire ce qu'ils faisaient à l'instant même à Goodwill. Alors, où était la différence ? Goodwill était-il pire qu'eux ? Étaient-ils meilleurs que lui pour la seule raison qu'ils souffraient d'être ce qu'ils étaient ?

— Elles savent pourquoi je fais ça ! hurla Goodwill.

— Ah oui ? Et pourquoi vous faites ça ?

La voix de Tugdual tremblait d'indignation.

— Ce sont elles qui me poussent à agir comme je le fais, ce sont de mauvaises personnes, elles me provoquent, elles me cherchent sans cesse... Au fond d'elles, elles veulent *ça* !

Ses yeux s'injectèrent de sang alors que ses pupilles s'élargissaient, il avait l'air d'un dément. Mortimer martela la table de plus en plus brutalement. À l'évidence, il luttait pour ne pas sortir de ses gonds.

— Vous êtes en train de nous dire que si vous violez votre fille depuis des années, c'est parce qu'elle le veut ? Et votre femme, elle adore quand vous la fracassez, c'est ça ?

— Ce sont elles, les monstres ! cria Goodwill en postillonnant de rage.

À son tour, Tugdual chercha à capter le regard de Mortimer et de Zoé. La différence entre Goodwill et eux se trouvait là : alors que cet homme rejetait toute responsabilité

174

sur celles qu'il martyrisait, eux assumaient, luttaient, se révoltaient contre leur nature et demeureraient à tout jamais inconsolables du mal qu'ils avaient fait.

— Et vous, vous êtes donc la pauvre victime de votre trop mauvaise femme et de votre très vilaine fille ! réagit Mortimer aux propos de Goodwill.

— Eh bien, victime un jour, victime toujours... conclut Tugdual. C'est bien, vous allez rester dans la même logique.

Il s'approcha de Goodwill, qui se tortillait frénétiquement et, très lentement, il lui montra une grosse aiguille de couture dénichée sur une des tables de la buanderie.

— Qu'est-ce que vous allez me faire ? rugit Goodwill.

— Vous voulez voir ? fit Mortimer.

28.

Le rouleau de film plastique et l'évocation de *Dexter* avaient donné à Mortimer une idée lumineuse que Zoé et Tugdual s'étaient empressés d'encourager – leur frère mettait tellement de cœur à l'ouvrage ! Il plaça son téléphone portable sous le nez de Goodwill et lança une vidéo qu'il avait téléchargée en attendant que l'homme reprenne conscience. Avec une attention horrifiée, Goodwill regarda la scène où Dexter, scalpel à la main, entaillait la joue d'un homme se trouvant en tout point dans la même situation que lui : enveloppé dans un film plastique comme une volaille de supermarché. Mortimer coupa la vidéo au moment où Dexter se saisissait à deux mains d'un couteau dans le but manifeste de le planter dans le cœur de sa victime.

— Voilà ! s'exclama le garçon en imitant le claironnement joyeux d'une trompette.

Il reprit ses grands ciseaux en main. Goodwill eut un haut-le-cœur qui faillit l'étouffer.

— Ah ! c'est vous qui avez voulu voir, lui fit remarquer Zoé.

— Non, non ! Vous ne pouvez pas me faire ça !

— Ben, si...

Tugdual se plaça au bout de la table. Le cou tendu vers l'arrière, Goodwill lui jetait des regards haineux. Quand Tugdual promena sous ses yeux la longue aiguille de couture, il devint fou.

— Le protocole... rappela le jeune homme.

Il passa la pointe de l'aiguille sur la joue de Goodwill, tétanisé.

— Ah! c'est moins facile qu'avec un scalpel, se plaignit-il.

Il accentua la pression, une estafilade apparut sur la peau rougissante et des gouttes de sang commencèrent à perler.

— Je ne les toucherai plus, balbutia Goodwill.

— Quoi?

— Je ne les toucherai plus, je vous le jure, je ne lèverai plus la main sur elles.

Tugdual s'interrompit et consulta ses deux complices.

— Vous le croyez?

Zoé haussa les épaules.

— Pas vraiment.

Et Mortimer siffla entre ses dents :

— Pas du tout.

Tugdual se pencha sur le visage blafard et trempé de sueur de Goodwill.

— Ça fait déjà deux voix contre vous, plus la mienne, et on arrive à trois! Bravo, vous avez l'unanimité!

— Ne me tuez pas, je vous en prie... Arrêtez!

— Votre femme, quand elle vous dit d'arrêter de la cogner, vous arrêtez? Et votre fille, vous arrêtez quand elle vous supplie de la laisser tranquille? Vous croyez que vous ne la tuez pas à petit feu, chaque fois que vous la faites venir dans votre bureau et que vous fermez la porte à clé, chaque fois qu'elle pleure en se déshabillant devant vous et que vous l'écrasez de tout votre poids et de toute votre pourriture?

Le calme glacé de Tugdual ne pouvait entièrement dissimuler son aversion pour cet homme. Goodwill, tout comme Zoé et Mortimer, la sentait, vibrant derrière chacun de ses mots, grondant dans les gestes infimes qu'il semblait néanmoins contrôler. Mais jusqu'à quand?

— Je regrette... fit Goodwill avec la vigueur de l'ultime espoir.

— Nous aussi, on regrette, monsieur Goodwill... rétorqua Tugdual en faisant signe à Mortimer de lui donner les ciseaux. On regrette de ne pas vous croire.

— Non ! Je... je ferai ce que vous voulez !

Tugdual interrompit son geste.

— Répétez.

— Je ferai tout ce que vous voulez !

— Il va falloir être plus précis.

Les secondes passèrent, compte à rebours fatal pour Goodwill, que le désespoir menaçait de bientôt noyer.

— On va vous aider, fit enfin Tugdual. Tu enregistres ? ajouta-t-il à l'intention de Mortimer.

Son frère reprit son téléphone et pressa sur la touche « dictaphone ».

— C'est bon !

— Alors, monsieur Goodwill, vous allez répéter cette phrase très simple : « *Je m'appelle Derek Goodwill, je frappe ma femme et viole ma fille, Karen, depuis des années, je suis un salaud de la pire espèce et je dois payer pour le mal que je leur ai fait.* » Allez-y !

Goodwill obtempéra et énonça la phrase dix fois, vingt fois, les yeux roulant dans ses orbites, à bout de nerfs et de forces. Puis Mortimer signala que c'était bon et prit une photo de son visage égratigné.

— Pour mes archives...

— Vous allez me laisser partir maintenant ? demanda Goodwill d'une voix chevrotante.

— Pas encore.

Le hurlement de rage de Goodwill résonna dans tout le bâtiment.

— Vous aviez dit...

— On n'a rien dit du tout, le coupa Zoé. Par contre, vous, vous avez dit que vous feriez tout ce qu'on vous demanderait.

— Et qu'est-ce que vous voulez encore ?

Pour toute réponse, il reçut une décharge électrique en provenance directe de la main de la jeune fille et sombra dans l'inconscience.

— Trop bien, cette petite mission de justicier ! s'exclama Mortimer.

Tugdual l'arrêta en le voyant retirer ses lunettes.

— Non, murmura-t-il. Il y a peut-être des caméras, on ne sait jamais...

— T'as raison.

— Toi aussi, lui sourit Tugdual. À propos de la mission...

— On se réjouira quand ce sera terminé, les frangins.

— OK, patronne !

Tugdual prit les longs ciseaux et découpa le film étirable qui liait Goodwill à la table. Puis tous les trois posèrent l'homme sur le sol et l'enveloppèrent à nouveau dans du plastique.

— Je rapproche la voiture, dit Tugdual.

Il s'attarda un instant sur son frère et sa sœur.

— Ça va ?

— Ça va super bien, répondit Zoé.

Elle se tourna vers Mortimer. Confirmait-il ?

— Je pense que je vais repousser mon projet Alaska, fit le garçon. Vous avez trop besoin de moi ici !

Ils se sourirent mutuellement.

— Allez, on finit ce qu'on a commencé !

Tugdual disparut dans le mur pendant que Zoé et Mortimer ouvraient la porte de derrière pour sortir Goodwill, transformé en momie. Ils l'enfournèrent sans ménagement dans la voiture que leur frère venait de garer juste devant l'impasse et prirent place à ses côtés.

— Dernière étape et on rentre chez nous... annonça Tugdual en démarrant.

*

Lorsque Goodwill revint à lui, il s'aperçut que rien n'était fini. Ces dingues qui traversaient les murs et qui balançaient de l'électricité à mains nues, cette affreuse vidéo, l'aiguille de couture, les ciseaux, le plastique… un cauchemar éveillé qui se poursuivait, encore et encore. Sa peau le brûlait là où il avait reçu les décharges électriques, il avait terriblement mal à la tête, envie de vomir, de se laver, de dormir, d'être loin.

— Vous voyez ce bâtiment en face de nous ? lui demanda Tugdual.

Goodwill se pencha et grogna.

— Vous le connaissez bien, n'est-ce pas, vous venez souvent y voir vos amis policiers quand vous organisez vos nombreuses fêtes caritatives, en bon citoyen que vous êtes.

— Un vrai bienfaiteur ! commenta Zoé.

— Vous voulez que j'aille me dénoncer aux autorités, c'est ça ? fit Goodwill d'une voix blanche.

— Vous avez tout compris !

Goodwill commença à se débattre.

— Mais vous savez qui je suis, où j'habite, vous avez l'enregistrement, qu'est-ce qu'il vous faut de plus ? geignit-il, chevrotant. Si je ne tenais pas ma parole, vous avez tout ce qu'il faut pour me retrouver…

— Parce que vous croyez qu'on n'a que ça à faire ? Vous surveiller pour voir si vous respectez votre engagement ?

Tugdual fit courir ses doigts sur le volant.

— Vous l'avez dit vous-même, vous êtes un salaud de la pire espèce et vous devez payer pour ce que vous avez fait. Alors, vous allez sortir de cette voiture et vous allez gentiment avouer qui vous êtes vraiment à tous vos amis de la police.

Hagard, Goodwill secoua la tête de gauche à droite.

— Si, si, si… lui opposa Zoé. Et n'imaginez même pas dire autre chose que la vérité, on va suivre votre actualité de très près.

— Vous avez raison, on sait où et comment vous retrouver, ajouta Tugdual. Et puis, vous avez sûrement compris qu'on disposait d'une certaine force de persuasion...

Pour appuyer son propos, il fit crépiter quelques éclairs dans le creux de sa main. Goodwill ruisselait d'une sueur affreusement malodorante.

La peur pue... se dit Tugdual.

Mortimer agita les ciseaux devant le visage de Goodwill et découpa le film plastique. Même lorsqu'il fut libéré de son carcan, l'homme ne bougea pas d'un centimètre, le cœur presque à l'arrêt.

— Allez, il va falloir y aller maintenant, annonça Zoé.

Elle ouvrit la portière et sortit pour lui laisser le passage. Goodwill hésita puis, aussi accablé que terrorisé, il se glissa hors de la voiture. Il resta un instant face à la silhouette frêle, luisante et menaçante comme une vipère noire. Le masque chirurgical se gonflait et se dégonflait au rythme de la respiration de la jeune fille, lui donnant l'impression qu'un crochet venimeux se trouvait là, juste derrière, prêt à s'enfoncer dans sa gorge. Il détourna la tête, au bord de la nausée, et traversa la route d'un pas chancelant en tentant de garder une dignité qu'il n'avait pourtant plus. Une fois devant le poste de police, il s'arrêta et se passa la main sur le visage. Son corps pivota, un petit coup d'œil à droite, un autre à gauche, sans doute pensait-il avoir une infime chance de pouvoir s'en tirer. Mais les flashes bleutés qui illuminèrent les trois silhouettes à l'intérieur de la voiture réduisirent à néant le dernier de ses espoirs.

*

Au moment où il disparut à l'intérieur du poste de police, les trois Cobb sentirent la pression s'envoler instantanément, ainsi qu'une stupéfiante fatigue s'abattre sur eux. Tugdual retira son bonnet et renversa la tête en arrière.

— *Oikeudenmukaisuus...* murmura-t-il.

Calé sur son siège, Mortimer lui jeta un coup d'œil en coin.

— Qu'est-ce que t'as dit ?

— Ça veut dire « justice » en finnois[1], expliqua son frère.

— Kaiiisuus... répéta Mortimer, comme un écho.

— Kaiiisuuus ! fit à son tour Zoé en retirant enfin son masque. Joli cri de guerre, non ?

_____

1. Tugdual est né et a passé les quatorze premières années de sa vie en Finlande (une partie de son histoire est révélée dans la série *Oksa Pollock*).

29.

Tugdual s'était-il déjà senti aussi bien au cours de ces derniers mois ? Pour autant qu'il s'en souvienne, non. Ce qu'il éprouvait ce matin-là avait quelque chose de tout à fait nouveau, une sorte d'exaltation qui se diffusait en lui et faisait fourmiller ses pommettes, le bout de ses doigts, le sang dans ses veines. Il se leva, ouvrit les persiennes et surprit son reflet dans le miroir. Il n'avait pas changé et pourtant les événements de la nuit entraînaient un bouleversement qu'il ne pouvait pas ignorer. Il le sentait si nettement ! Il attrapa son bonnet et ses lunettes, les mit, s'observa à nouveau dans le miroir, les retira, les remit, et sourit.

— Kaiiisuuus… murmura-t-il.

Il aimait ce mot qui représentait celui qu'il était depuis toujours et celui qu'il pouvait être aujourd'hui : un jeune homme loin d'être parfait, mais qui avait des principes, une éthique. Il s'habilla, tout de noir comme d'habitude, et enjamba la rambarde du premier étage pour plonger vers le rez-de-chaussée, quelques mètres plus bas. Une fois dans la cuisine, malgré son impatience, il se retint d'allumer la radio, ce rituel étant réservé à Barbara. De toute façon, il se doutait de ce qu'il y entendrait et l'attente ne faisait qu'attiser ce plaisir.

— Bonjour, toi !

— Salut, Barbara.

— Bien dormi ?

— La meilleure nuit depuis des siècles.

— Oh ! fantastique !

Lorsque Barbara pressa enfin le bouton de la radio, l'information tournait déjà en boucle sur la chaîne locale. Tugdual fit mine d'y prêter une oreille distraite, les yeux rivés sur le café qui coulait, les commissures des lèvres en forme de microscopiques parenthèses joyeuses.

« Stupeur à Serendipity ! Un des plus honorables citoyens de la ville s'est livré cette nuit aux autorités et a fait des aveux complets sur les violences qu'il a commises à l'encontre de sa femme et de sa fille. Connu de tous pour son implication dans la vie de la cité et pour sa grande générosité, Derek Goodwill a reconnu frapper régulièrement sa femme et sa fille, devenues de véritables martyres. Comble de l'horreur : la jeune fille, âgée de dix-sept ans, actuellement lycéenne à St. Mary's High School, subissait des viols incestueux depuis plusieurs années... »

Barbara s'assit pesamment sur une chaise.

— Seigneur, c'est épouvantable !

— Qu'est-ce qui est épouvantable ? demanda Mortimer en débarquant dans la pièce, Zoé à ses côtés.

Barbara montra la radio et les deux ados écoutèrent, affichant une expression à mi-chemin entre stupéfaction et dégoût. Tugdual évita de les regarder, ils firent de même. Surtout lorsqu'ils entendirent les journalistes s'étonner que de telles horreurs puissent arriver dans une ville comme Serendipity. Une petite ville sans histoire, ainsi que le disaient certains. Expression dont l'emploi avait le don d'énerver Tugdual.

— Tout a une histoire, les gens, les lieux, les choses... marmonna-t-il.

Les médias avaient déjà affublé Goodwill d'un surnom qui lui collerait à la peau jusqu'à la fin de ses jours : le pervers de Serendipity.

Des monstres justiciers en liberté, un bon citoyen sadique... Bienvenue à Serendipity, paisible petite cité balnéaire qui a désormais une histoire ! se dit Tugdual.

— En voilà un qui va se faire défoncer la tête en prison ! commenta Mortimer. Ce porc n'aura que ce qu'il mérite !

— Tstt ! le tança sévèrement Barbara.

— Quoi ? C'est un porc, non ?

— Je n'aime pas que tu parles mal.

Mortimer soupira et, les yeux plissés, rectifia en prenant un ton affecté :

— Oh ! voilà un vilain dégénéré qui va rencontrer quelques désagréments lors de son incarcération !

Il mordit dans une épaisse tranche de brioche.

— Ça te va comme ça ? demanda-t-il à sa mère, la bouche pleine.

Elle opina, sourire aux lèvres, et éteignit la radio. De même que chaque matin, la petite famille prit son temps pour déjeuner tranquillement. Les trois ados se comportaient de façon irréprochable, rien ne filtrait de leurs exploits nocturnes, pas un seul coup d'œil complice, pas le moindre sourire triomphant. Tout se passait à l'intérieur, derrière le vernis. À un moment, Tugdual observa Zoé à la dérobée. Devant sa candeur apparente, il décida de la sacrer secrètement *Princesse des Trompe-l'œil,* avant de constater que Mortimer méritait lui aussi un titre. Le *Prince des Faux-semblants* lui parut le plus juste.

Cependant, quand il croisa le regard d'Abakoum, ses certitudes vacillèrent. Le patriarche n'était pas comme d'habitude, sans que le jeune homme puisse exactement dire pourquoi. Le gris de ses yeux n'était-il pas plus clair ? Plus lumineux ? Le voile de tristesse qui le ternissait depuis si longtemps semblait s'être évaporé. Abakoum vit la surprise que Tugdual n'avait pu cacher et lui sourit.

— Vous avez bien agi avec ce Goodwill, dit-il. Je suis fier de vous.

Il n'aurait pas été plus neutre s'il avait parlé de la météo ou des prochaines courses au centre commercial. Une neutralité en total décalage avec ses mots qui déstabilisa les trois apprentis justiciers, chacun à sa manière et selon son tempérament : Mortimer avala son café de travers, Zoé plissa les yeux et Tugdual haussa les sourcils. Quant à Barbara, elle semblait hésiter à intégrer ce qu'Abakoum venait de dire. Ce fut néanmoins parfaitement évident lorsqu'il poursuivit :

— Vous ne pensiez tout de même pas que j'allais vous laisser ma belle voiture sans garder un œil sur vous ?

Il était là depuis le début, transformé en ombre, comme un ange gardien, un veilleur ! se dit Tugdual. *Il a tout vu, il sait tout... Et il cautionne !*

Barbara posa son bol sur la table et éclata d'un rire nerveux, alors que ses paupières clignaient à toute vitesse.

— Est-ce que je dois comprendre ce qu'il faut comprendre ?

Elle dévisagea ses trois enfants d'un air abasourdi.

— Mortimer ? ânonna-t-elle comme un appel à l'aide. Zoé ? Tugdual ?

Tous les trois acquiescèrent lentement, très lentement. Dans un soupir interminable, Barbara plaqua les mains sur sa tête et tira ses cheveux en arrière.

— Mon Dieu, mon Dieu... Vous avez *vraiment* fait ça ?
— M'man...
— Non ! Non, non, non ! Je crois que je préfère ne pas connaître les détails. Mais...

Tout le monde attendit sagement qu'elle continue. Moins patient, Mortimer se pencha pour la regarder par en dessous.

— ... mais moi aussi, je suis fière de vous ! lâcha-t-elle. Vraiment très fière !

*

Si la nouvelle de l'arrestation de Derek Goodwill avait été accueillie avec cette singulière retenue chez les Cobb, elle faisait l'effet d'une bombe à St. Mary's. C'était *le* sujet du jour – et, à n'en pas douter, des semaines qui suivraient.

— On fait comment ? murmura Mortimer en dépassant les groupes de lycéens qui parlaient tous de cela.

— On fait comme si on était des nouveaux qui ne connaissent pas tout le monde à Serendipity, mais qui compatissent au malheur de la fille du pervers et qui sont heureux de la fin de son calvaire, répondit Tugdual.

— Logique.

— Ce n'est pas le truc le plus énorme qu'on aura eu à cacher dans notre vie, ajouta Zoé.

— Tu veux parler de mes décuples saltos arrière ou de la fois où on a empêché la fin du monde ?

Zoé ne put s'empêcher de rire. C'était rare de la voir ainsi.

Rare et bon, pensa Tugdual.

— À tout à l'heure, les frangins ! lança-t-elle.

— Salut, la justicière masquée ! chuchota Mortimer.

Sa sœur lui fit les gros yeux.

— Ferme-la, espèce de vengeur aux ciseaux ! répondit-elle sur le même ton. Tiens, je vais t'appeler Edward, pour Edward aux mains d'argent[1] !

— C'est toujours mieux que Freddy Krueger[2] !

Tugdual siffla entre ses dents et secoua la tête, l'air faussement consterné.

— Il n'y en a pas un pour rattraper l'autre...

---

1. Edward aux mains d'argent est le héros du film du même nom, réalisé par Tim Burton. Il possède des lames de ciseaux à la place des mains.
2. Freddy Krueger est un personnage de films d'horreur créé par Wes Craven *(Les Griffes de la nuit)*. Ses doigts sont de longues et terrifiantes griffes métalliques.

— Si, toi ! fit Mortimer en lui assenant une tape affectueuse dans le dos.

— Bon, motus maintenant.

Il aperçut Victoria un peu plus loin, adossée à la colonne qu'elle semblait s'être appropriée pour l'attendre chaque matin.

— Salut, Tugdual Cobb.

— Salut, Victoria Danes.

Cette manière de s'interpeller s'était mise en place aussi naturellement que leurs silences. Elle leur appartenait, comme une sorte de *private joke* ou de code. Ils se dirigèrent vers l'entrée du lycée, étrangement silencieux. Tugdual lui jetait des petits coups d'œil en biais en attendant qu'elle parle. Car elle allait forcément dire quelque chose à propos de Goodwill, il ne pouvait pas imaginer le contraire.

— La vie est incroyable ! finit-elle par lâcher.

— Incroyable ?

— Oui ! Incroyable, bizarre, pleine de surprises, de coïncidences…

— La vie n'est faite que de ça, non ?

— À ce point, c'est complètement dingue ! Je te parle de Karen Goodwill et de son salopard de père, et paf ! la nuit suivante, il se rend à la police et fait des aveux !

Le jeune homme sentit les battements de son cœur se précipiter. Les paroles de Zoé lui revinrent : « Ce n'est pas le truc le plus gros qu'on aura eu à cacher dans notre vie. » Elle avait raison. Avec tout ce qu'il cumulait, il devait pouvoir gérer ce genre de situation. D'autres que lui n'auraient pas résisté à l'envie de se mettre en valeur. Lui, il n'avait jamais su faire ça. Et c'est d'ailleurs pourquoi il était toujours un homme vivant et libre, non un rat de laboratoire sur une table de dissection.

— Tu as entendu la nouvelle quand même ? poursuivit Victoria.

— Oui, ce matin à la radio.

Si Victoria avait pu le regarder, il se demandait ce qu'auraient exprimé ses yeux.

— Personne ne peut échapper à ce qu'il est, ajouta-t-il.

Il fallait juste que tu attires mon attention sur Goodwill et qu'on donne un petit coup de pouce au destin...

Son amie marqua un temps d'arrêt.

— Alors ça, c'est une remarque mystérieuse, mais pleine de philosophie ! s'exclama-t-elle.

— Hum, ça fait plutôt sentence de justicier à deux *cents,* non ?

Sa remarque eut le mérite de faire rire Victoria aux éclats et Tugdual s'étonna d'éprouver un certain plaisir à la voir aussi heureuse. Oui, la vie pouvait se montrer pleine de surprises.

30.

algré l'effervescence provoquée par l'arrestation de Goodwill et la satisfaction personnelle qu'il en retirait, cette journée parut très longue à Tugdual. Une idée lui trottait dans la tête. Non, pas une idée, mais une envie, inédite et irrépressible, qui l'obnubilait. Après le dernier cours, il ne s'attarda pas. Il fallait qu'il rentre, vite.

— Tu ne veux pas un peu de tarte aux noix de pécan ? l'interpella Barbara en le voyant passer en trombe dans l'entrée.

— Plus tard !

Il fonça vers la bibliothèque. Une fois dans le silence capitonné de cette pièce, toutes portes et fenêtres fermées, il inspira à fond, à plusieurs reprises, avant de se diriger vers le siège de velours gris, devant le piano. Il s'assit et, dans un mouvement anormalement brusque, souleva le couvercle de l'instrument.

Il secoua la tête. Ses mains se posèrent sur les touches sans qu'il ait contrôlé son geste. Il pouvait jouer les yeux fermés, bandés, crevés. Que disait-on, déjà ? Quand on avait appris à faire du piano, ou du vélo, on n'oubliait jamais. C'était vrai, il n'avait pas besoin de repères, tout était intact dans sa mémoire. Un accord harmonieux jaillit, produisant sur lui l'effet d'une déflagration. Les doigts toujours collés aux touches, il recula si violemment que les pieds de son siège grincèrent sur le parquet. Poursuivre lui paraissait insupportable et pourtant il en brûlait d'envie.

— Arrête de tourner autour de toi-même, s'il te plaît, t'es lamentable… grommela-t-il.

Il rapprocha le siège sans ménagement, arrachant un nouveau grincement au sol. Et cette fois, il ne lâcha pas, en dépit des pensées qui traversaient son esprit comme autant de flèches empoisonnées pour tenter de le jeter à terre, des images morbides de corps se précipitant dans des eaux glacées et se laissant engloutir par d'impitoyables cascades. Il poussa un cri dans lequel se liguaient sa révolte et sa détermination, et laissa ses doigts évoluer sur le clavier pour en extirper le meilleur, rien que le meilleur.

Une extraordinaire sensation de liberté s'empara de lui, la première depuis longtemps, si longtemps, et l'emporta au-delà de lui-même.

*

Le claquement d'un applaudissement lui fit lever la tête : Zoé l'observait depuis la porte entrouverte de la bibliothèque. C'est en s'interrompant que Tugdual s'aperçut qu'il était en nage et que son corps était aussi courbatu que s'il venait de courir pendant des heures sur le sable avec un sac plein de pierres sur le dos. Un coup d'œil à la pendule lui indiqua qu'il jouait depuis plus de trois heures. Il n'avait pas vu le temps passer. Il avait tout oublié.

— C'est magnifique… murmura Zoé.

— Mmmhhh.

— Dans tous les sens du terme, Tug.

Elle entra plus franchement dans la pièce et referma la porte derrière elle, sans voir que son frère s'était levé. Ils se retrouvèrent face à face, elle surprise, lui ombrageux. Elle ne le voyait pas très bien dans la pénombre, mais il lui semblait un peu furieux.

— Eh ! Tu ne comptais tout de même pas t'enfuir ? fit-elle.

— Je suis crevé.

— Menteur.

— Zoé, laisse-moi passer.

Elle s'adossa ostensiblement contre la porte, bloquant le passage, et croisa les bras.

— Ce que j'ai entendu était vraiment très beau, dit-elle à mi-voix.

La délicatesse de son ton contrastait avec la sévérité de son expression.

— Tu veux bien rejouer ce morceau ? Pour moi ?

Tugdual ne laissa rien paraître de son tumulte intérieur. Mais Zoé n'avait pas besoin qu'il montre, parle, défonce le mur à coups de poing ou hurle comme un dément pour savoir exactement ce qu'il ressentait. Elle le prouva en posant simplement la main sur l'avant-bras de son frère.

— S'il te plaît...

Pouvait-il refuser quoi que ce soit à la P'tite Madone ? Et pouvait-il se priver davantage de cette libération que lui procurait la musique ?

— OK, mais à une condition.

— Tout ce que tu veux !

— Tu chantes.

Les mots avaient jailli comme ça, presque en même temps que l'idée.

— Je te rappelle que je ne sais pas chanter, objecta Zoé.

Tugdual lui adressa une moue sceptique.

— On parie ?

Le sourire de sa sœur fut alors si lumineux qu'il en éprouva à la fois bonheur et fierté.

*

Après quelques heures de travail, ils se sentirent enfin prêts. Tugdual commença en douceur au piano, les cordes enregistrées virtuellement sur ordi vinrent à la rencontre de la mélodie et se mêlèrent à elle, riches et pures. Puis les voix du jeune homme et de Zoé s'invitèrent, velours et cristal alternèrent, se rejoignirent, s'entrelacèrent. La

musique ne tarda pas à gonfler et à s'envoler, empor-
tant avec elle les mots, pénétrant les cœurs, pétrissant
les esprits.

Things should not have been this way
Our life should have been normal
With its joys, torments, and tears, tears and smiles
But what runs in our blood rushes our future
In the depths of our past, for eternity.

Attraction, envy, traps of our appearance,
We are the only ones to know what lurks behind
the illusion masks,
Demons despite us, dark part of ourselves,
So far from what we look like.
They want us to die.

When desire and death become one,
Fighting is useless, just let it go.
Faces of angels, angels of death,
Our heart is black and yet so pure.

Our life could have been beautiful, our road a halo
of light
We could have been loved for who we are,
But we are punished for life
Sentenced to destroy those who love us
Thieves of the desire we cause.

When desire and death become one,
Fighting is useless, just let it go.
Faces of angels, angels of death,
Our heart is black and yet so pure[1].

---

1. *Les choses n'auraient pas dû se passer comme ça / Notre vie aurait
dû être normale / Avec ses bonheurs, ses malheurs, ses larmes et ses sourires / Mais ce qui coule dans notre sang précipite notre futur / Dans les abysses*

Quand la dernière note s'échappa du piano, les deux ados restèrent un long moment silencieux, chacun enveloppé dans ses propres émotions comme dans une cape, chaude et imperméable.

Tugdual referma avec soin le couvercle du piano et laissa ses mains reposer dessus. Quant à Zoé, elle restait parfaitement immobile, accoudée à la queue de l'instrument. Les lampes, coiffées d'abat-jour mordorés, paraient la pièce d'une lumière précieuse, comme si les murs, les meubles et les personnes avaient été recouverts d'une pellicule vieil or pour être emportés hors du temps.

Le carillon de la grosse horloge de l'entrée annonça qu'il ferait bientôt jour.

— Un bon petit déj', ça te tente ? lança Zoé.

Tugdual étira les bras devant lui, doigts entrecroisés. Ses jointures craquèrent, Zoé frémit. Ils mettaient tous deux un point d'honneur à ne pas montrer trop d'emballement, mais leur regard parlait de lui-même : il flamboyait.

---

de notre passé, pour l'éternité / Quand le désir et la mort ne deviennent plus qu'un, / Lutter ne sert à rien, laisse aller. / Visages d'anges, anges de la mort, / Notre cœur est noir et pourtant si pur. Notre vie aurait pu être belle, la route auréolée de lumière, / Nous aurions pu être aimés pour ce que nous sommes, / Mais à perpétuité nous sommes punis, / Condamnés à détruire ceux qui nous aiment, / Voleurs du désir que nous faisons naître. Attraction, envie, pièges de notre apparence, / Nous seuls savons ce qui se tapit derrière l'illusion des masques, / Des démons malgré nous, part obscure de nous-mêmes, / Si loin de ce que nous avons l'air d'être. / Nous vouloir, c'est mourir. / Quand le désir et la mort ne deviennent plus qu'un, / Lutter ne sert à rien, laisse aller. / Visages d'anges, anges de la mort, / Notre cœur est noir et pourtant si pur. (Black hearts, The No-Body).
Cette chanson a été écrite par Tugdual.

31.

Ce matin-là, c'est dans un état d'esprit nouveau que Tugdual arriva à St. Mary's. La réalité était toujours la même, pourtant sa vie prenait une dimension inattendue dans laquelle fusionnaient promesses et horizons. La mission Goodwill et la musique ne réglaient pas tous ses problèmes et n'effaceraient rien de ses tourments, mais elles le poussaient en avant. Il pouvait désormais avancer tête haute, plus fort, plus grand.

Il quitta son frère et sa sœur devant le lycée, les yeux brillants quoiqu'un peu cernés.

— Salut !

Victoria l'attendait à sa place habituelle.

— Salut, ça va ?

Il regretta aussitôt sa question. Non, Victoria n'avait pas l'air très en forme.

— J'ai eu des nouvelles de Karen Goodwill, annonça-t-elle.

— Oh...

— Les journalistes qui font le siège devant sa maison m'ont fait une haie d'honneur quand je suis allée frapper à sa porte.

— Non ?! Tu es allée la voir ?

— Je ne pouvais pas rester sans rien faire, il fallait que je lui dise...

Tugdual s'en voulait presque de la dévisager comme il le faisait, sans qu'elle le sache. Il avait l'impression de profiter de son handicap et il se trouva déloyal, presque malsain. Mais peut-être s'en doutait-elle ? Peut-être que tout le monde se comportait ainsi ?

— Qu'est-ce qu'il fallait que tu lui dises ? l'encouragea-t-il.

La jeune fille parut soudain irritée.

— Que j'ai été au-dessous de tout ! fit-elle d'une voix étouffée par ses émotions. Lâche et trouillarde, une vraie nullarde !

— Tu es sûre que tu mérites ce jugement ? C'est un peu sévère…

— Je savais depuis longtemps ce que son père lui faisait subir et j'aurais dû agir dès que je l'ai compris. Mais tout ce que j'ai réussi à faire, c'est d'en parler à mon père et d'alerter l'infirmière du lycée.

— Et elle n'est pas intervenue.

Victoria baissa la tête et soupira nerveusement.

— Non, j'ai juste eu droit à un bon sermon. Selon elle, seule une très mauvaise personne pouvait avoir des pensées aussi dégoûtantes : jamais Derek Goodwill n'aurait fait du mal à quiconque et encore moins à sa femme et à sa fille qu'il chérissait – je la cite. Au final, en répandant des horreurs pareilles, c'était moi, la grande malade. Mon erreur est d'avoir capté beaucoup trop tard que tout le monde s'était toujours prosterné devant lui et que la moindre critique se retournait contre toi en te faisant soupçonner d'être un minable bouffé par la jalousie.

Elle tapa du plat de la main les casiers métalliques devant elle.

— « Chacun est maître en sa demeure. » Ça, c'est la grande devise des gens, ici. Pratique, n'est-ce pas ? Même après que je lui ai parlé, mon père a continué de fréquenter Goodwill et d'organiser ces conneries de brunchs caritatifs, bande de sales hypocrites bien-pensants… Tu te rends compte ?

Tugdual la devina au bord des larmes. Devait-il lui offrir un geste de réconfort, lui toucher la main, presser son épaule ? L'amertume de Victoria le déroutait et son premier réflexe aurait été de la prendre dans ses bras, en toute amitié. Mais un contact physique, quel que soit ce qui le motivait, pouvait instaurer ce qu'au fond de lui il redoutait. Il renonça en se disant que les relations humaines étaient certainement la chose la plus compliquée au monde.

— On n'est responsable que de ce qu'on fait, Victoria.

À cet instant, les paroles d'Abakoum, apaisantes et tellement universelles, étaient les seules qui lui venaient.

— C'est ta devise ?

— Celle de mon grand-père. C'est un vieux sage, tu sais.

Il se risqua à poursuivre :

— Tu as fait ce que tu as pu et c'est déjà beaucoup. Je ne mets pas en doute tes talents de détective, mais ne me dis pas que tu étais la seule à savoir ce qui se passait ! Si tu t'en es aperçue, d'autres aussi, forcément. Est-ce qu'ils ont fait ou dit quelque chose, eux ? Est-ce qu'ils ont seulement tenté ?

Il surveilla ses réactions : elle respirait rapidement, le visage tendu.

— Et la mère de Karen ? Tu as pensé au rôle qu'elle a joué dans cette histoire ?

— Quoi ? s'exclama Victoria. Mais... sa mère est une victime, elle aussi !

— Je ne nie pas le calvaire qu'elle a subi...

— Mais comment une mère peut-elle laisser son mari violer sa propre fille ? l'interrompit-elle. C'est ce que tu veux dire ?

— C'est exactement ce que je veux dire.

En dépit de la gravité de leur discussion, il était heureux qu'elle soit sur la même longueur d'onde que lui. Il pouvait presque suivre le cheminement de ses propres arguments dans l'esprit de son amie, rien qu'en observant les expressions qui s'imprimaient sur ses traits, ses gestes suspendus.

— Une mère doit protéger son enfant, envers et contre tout, quitte à en mourir ! dit-elle d'une voix vibrante. C'est ça qu'une mère est censée faire, hein ?

Bouche bée, elle se tourna vers lui comme si elle cherchait à le voir. Face au désarroi qui se dégageait d'elle, cette avidité à être consolée, la distance qu'il avait réussi à préserver s'effondra comme un château de sable. Il ne sut résister et tendit la main vers les mèches qui occultaient une partie du visage de Victoria pour les glisser délicatement derrière son oreille. La jeune fille frémit, il eut peur d'être allé trop loin et retira très vite sa main.

Pourquoi je fais tout pour que ça foire ?

Victoria venait de sourire. Oh ! rien qui saute aux yeux, plutôt la traduction d'une forme de soulagement qui venait de très loin et qui peinait à rejoindre la surface. La mère de Tugdual appelait cela un « sourire de microscope ».

— Merci, murmura la jeune fille.

— Pas de quoi.

— Il est temps d'y aller, non ?

Ils fermèrent leur casier et chacun empoigna ses livres de cours. En se dirigeant vers le couloir, Tugdual aperçut Zoé qui l'observait de loin. Il lut du reproche dans son regard, il en fut contrarié et tourna la tête. Lui-même n'avait pas la conscience tout à fait tranquille. Il se sentit perdu.

C'est quoi, ce foutoir ?

Quand il chercha à nouveau sa sœur, elle avait disparu.

— Nous n'attendions plus que vous pour commencer ! résonna la voix de la prof de sciences.

Tugdual ne s'était même pas aperçu qu'ils étaient arrivés.

— Excusez-nous, madame, fit-il poliment.

La prof l'ignora complètement, toute son attention – et sa confusion – se concentrait sur Victoria.

— Ah ! pardon, mademoiselle Danes, je n'avais pas vu que c'était vous.

Tugdual sentit son amie se raidir alors qu'ils s'installaient côte à côte au premier rang. Il pouvait quasiment l'entendre penser : « Eh, oui ! je suis aveugle, mais ce n'est pas une raison pour m'accorder cet écœurant traitement de faveur ! » Toute l'heure durant, elle ne décoléra pas. Lorsqu'elle se rendit compte qu'elle avait oublié de mettre son dictaphone en marche, elle marmonna un juron.

— C'est pas grave, je t'enregistrerai mes notes, lui murmura Tugdual.

Elle hocha la tête.

— Tu vas finir par me devenir indispensable, dit-elle dans un soupir.

Il ne sut comment interpréter ces mots et choisit de croire que Victoria ne voulait que le charrier.

*

Zoé n'avait pas tout à fait le même point de vue que son frère sur sa relation avec Victoria. Le geste qu'elle l'avait vu faire à l'égard de la jeune fille lui semblait si tendre, si intime qu'elle ne pouvait s'empêcher d'être terriblement inquiète. Elle lui en fit part dès qu'ils se retrouvèrent en tête à tête à la cafétéria.

— Tu prends des risques, frangin.

Pour la première fois depuis que leur destin avait été si étroitement lié, Tugdual lui décocha un regard orageux.

Inutile de tourner autour du pot. Parlons de Victoria puisque tu y tiens, ma chère fouineuse de sœur.

— Je ne prends aucun risque, rétorqua-t-il d'un ton cassant. Victoria n'est pas amoureuse de moi. Tu te doutes bien que je le verrais tout de suite.

— Et toi ?

— Quoi, moi ?

— Tu es amoureux d'elle ?

— On peut s'entendre avec quelqu'un sans être amoureux. Tu as déjà entendu parler de l'amitié, je suppose.

— Tu veux parler de l'amitié entre un garçon et une fille formant un duo exclusif et totalement hermétique ?

Tugdual eut l'impression d'être mis en accusation.

— C'est aussi une forme d'amitié, rétorqua-t-il. Et puis, je n'ai jamais été très branché bande-de-potes-qui-font-des-milliards-de-trucs-sympas-ensemble.

— Et si ça arrive ? poursuivit Zoé. Si toi, ou elle, vous tombez amoureux de l'autre ?

— Et toi, si ça arrive avec ce type que tu ne quittes pas d'une semelle depuis la rentrée ?

— *Ce type,* comme tu dis, c'est Conor...

— Eh bien, vous aussi, vous formez un duo sacrément exclusif et sacrément hermétique...

Zoé posa sèchement ses couverts sur la table.

— Ça, c'est un coup bas... bredouilla-t-elle.

Elle réfléchit un instant, la tête droite, les épaules en arrière.

— Tu m'espionnes ?

— C'est ta seule ligne de défense ? Vous avez l'air de vraiment bien vous entendre, ce garçon et toi, je ne fais que le constater, comme tout le monde.

— Le monde s'en fout royalement, Tugdual.

— Alors, c'est plus grave quand il n'y a que moi qui le vois ?

— Évidemment, lâcha Zoé sans se départir de son attitude.

Tugdual éclata de rire, ce qui la fit sursauter.

— Je n'ai jamais vu autant de mauvaise foi !

— Tu as très bien compris ce que je voulais dire.

— Mmmm.

— Alors, balle au centre ?

— Balle au centre.

Ils se levèrent sans prononcer un mot de plus, en se jetant seulement des petits coups d'œil en coin. La partie n'était pas finie, mais l'essentiel était dit et le silence validait leur réconciliation. Arrivé devant son casier, Tugdual tint néanmoins à conclure :

— On est une famille, tu te rappelles ?

Elle opina, alors que la tension, mêlée de fierté et de fausse indifférence, l'abandonnait.

— Une meute, précisa-t-elle dans un murmure.

— On ne se surveille pas, mais on veille les uns sur les autres, d'accord ?

Il remonta son sac sur son épaule.

— Sinon, autant tout laisser tomber et essayer de survivre chacun de son côté. Je ne sais pas pour toi, mais moi, je n'ai vraiment pas envie de ça.

Le visage de Zoé était redevenu insondable et Tugdual se surprit à se demander si c'était une force ou une souffrance.

32.

Assis sur son lit, Mortimer ne cessait de tourner son téléphone entre ses mains. Il relut pour la énième fois le SMS reçu un peu plus tôt.

« Les bonnes choses ne doivent pas rester ignorées. OMG. »

Il avait beau chercher, il ne comprenait toujours pas la signification de ce message. Comme les autres, il laissait supposer une réelle bienveillance de la part de son expéditeur. Sauf que là, Mortimer ignorait complètement de quoi il s'agissait. OMG les avait vus, Zoé, Tugdual et lui, dans la blanchisserie de Goodwill ? Et il allait rendre leurs agissements publics pour que tout le monde sache combien ils étaient héroïques ? Certes, ça partait d'un bon sentiment, mais si cet OMG savait vraiment beaucoup de choses, il ignorait les ennuis que la divulgation d'une telle information attirerait à Mortimer et sa famille. Et d'ailleurs, qui était-il ? Le jeune homme passa en revue les possibilités : Tugdual, Zoé, Abakoum… Non, non, non ! Jamais ils ne feraient une chose pareille ! Il se fit honte d'avoir pensé à eux. Josh ? Pourquoi pas ?… Mais surtout : pourquoi ? Il continua de réfléchir jusqu'à ce qu'une folle idée lui traverse l'esprit. Sa tête lui sembla alors sur le point d'exploser.

— T'es cinglé… marmonna-t-il, mâchoire serrée. Complètement cinglé…

Pourtant, une telle coïncidence était-elle possible ? OMG. Orthon McGraw. Le nom de son père.

— Il est mort, t'as oublié ? grinça-t-il.

Bien sûr qu'il n'avait pas oublié. Comment le pourrait-il ? Il l'avait vu mourir sous ses yeux ! Cet homme maléfique qui avait failli mener le monde à sa perte avait été réduit en un petit tas de poussière grise. Quand tout avait été terminé, ils étaient trois à s'être partagé ses cendres : celle qui l'avait pulvérisé, Abakoum et lui. Aujourd'hui, la première « part » se trouvait dans un autre monde, fermé et inviolable ; la deuxième, dans le coffre-fort d'une banque de Washington ; quant à la troisième, Mortimer l'avait lui-même dispersée le long d'une décharge publique à la sortie de la ville de Detroit.

Cette ordure était capable de beaucoup de choses, il est déjà re-né de ses cendres, grâce à toi, ou plutôt à cause de toi. Mais maintenant, il est mort, c'est fini, à tout jamais. OMG, ce n'est pas lui. Ôte-toi ça de la tête.

Alors, qui ? Un de ses sbires ? Il en avait de nombreux, fidèles, prêts à se sacrifier pour celui qu'ils considéraient comme leur maître, ce sinistre gourou mégalomaniaque qui voulait refaire le monde à son image. Les hommes comme lui attirent ceux qui n'ont ni foi ni loi. Mortimer et les siens avaient « neutralisé » la plupart d'entre eux, mais certains de ces rats s'étaient évanouis dans la nature dès que le navire avait commencé à couler. L'un d'eux venait-il de refaire surface ? Et si c'était le cas, que voulait-il ?

Encore sous l'émotion de ses déductions, le garçon eut du mal à réagir en voyant Tugdual déboucher en trombe dans sa chambre.

— Pourquoi t'as fait ça ? rugit ce dernier.

Il se jeta sur lui, le prit par le col et le projeta à l'autre bout de la pièce. S'il n'y avait pas eu la cloison pour l'arrêter, sûrement aurait-il atterri à plusieurs dizaines de mètres.

— Hé ! Qu'est-ce qui te prend ? s'exclama Mortimer en se frottant l'épaule.

Tugdual fonça sur lui et le plaqua contre le mur en lui écrasant les côtes de ses poings.

— Tu n'avais pas le droit... lui cracha-t-il, plein de rage.

— De quoi tu parles ?

— Après tout ce qu'on a traversé ensemble... Comment t'as pu me faire *ça,* bordel ?

Paniqué par la colère de son frère, Mortimer voulut se dégager et ne retint pas son immense force : Tugdual se retrouva propulsé en arrière et atterrit sur le lit dont un des pieds se brisa sous le choc. Dans un grand cri rauque, il se releva et bondit à nouveau sur son frère. Ils s'écroulèrent tous les deux sur le sol, poursuivant l'affrontement dans le couloir. Déchaîné, Tugdual fit tomber une pluie de coups sur Mortimer qui répliqua avec autant de vigueur, sans toutefois comprendre ce qui suscitait une telle fureur chez son frère. Tous deux sentaient leurs os craquer, leur peau se fendre, du sang couler. Ils ne le voyaient pas, mais les contusions se résorbaient au fur et à mesure qu'elles apparaissaient. Les traces s'effaçaient, mais la violence, elle, ne faiblissait pas.

Une décharge électrique paralysa soudain Mortimer. Au-delà de la douleur, il prit peur. Si Tugdual en venait à utiliser ce pouvoir contre lui, c'est que ses raisons étaient plus que sérieuses.

— Arrête ! ânonna-t-il, la bouche pâteuse.

En tendant péniblement le bras en avant, il catapulta malgré lui Tugdual contre la rambarde de l'escalier. Un pur réflexe qu'il regretta aussitôt de n'avoir pu contenir. Le souffle coupé, Tugdual prit appui sur le rebord. Les articulations de ses phalanges apparurent meurtries, à vif. Il regarda son frère d'un air haineux qui fit plus mal à Mortimer que le plus brutal des coups qu'il recevait. Les effets de la décharge presque dissipés, il se redressa et se jeta sur Tugdual.

— Qu'est-ce que t'as ? Qu'est-ce que je t'ai fait ?

— Tu m'as trahi, je ne te le pardonnerai jamais…

Ses yeux, striés de fines veines presque noires, avaient la dureté et le mordant de la glace.

— Tu m'entends ? Jamais !

Ébranlé, Mortimer renforça la pression qu'il exerçait sur le corps de son frère. Tugdual se courba en arrière, le bas du dos douloureusement comprimé contre la rambarde. À ce moment, rien ne les distinguait vraiment : respiration heurtée, vêtements déchirés, muscles contractés, sueur âcre. Haine…

Depuis le hall, alertées par le raffut, Zoé et Barbara les virent basculer par-dessus la balustrade et chuter, accrochés l'un à l'autre comme des frères siamois. Ils se rattrapèrent *in extremis* en utilisant leur pouvoir de lévitation et roulèrent lourdement sur les dalles au lieu de s'y écraser. À cheval sur Mortimer, Tugdual leva le poing pour lui assener un nouveau coup. Zoé s'interposa et retint le bras de son frère.

— Il y a sûrement une explication… murmura-t-elle à son oreille.

Les tremblements dans la voix de sa sœur calmèrent instantanément Tugdual. Il se releva, sans un regard pour Mortimer.

— Vous jouez à quoi, tous les deux ? gronda Barbara.

— Demande-lui, il t'expliquera ! lança froidement Tugdual en toisant son frère.

Abakoum apparut à l'instant même, un plantoir à la main. Il regarda ses petits-fils, dont les plaies au visage se refermaient à vue d'œil, et fronça les sourcils.

— Mortimer ? fit Barbara d'un ton ferme.

Le jeune homme se redressa tant bien que mal. Mille pensées lui déchiraient le cerveau, mille questions sans réponse. Devant le silence de son fils, Barbara tenta à nouveau sa chance avec Tugdual.

— Ton fils a osé mettre en ligne la chanson que j'ai faite avec Zoé et, comme YouTube ne suffisait pas, il a envoyé le lien à la moitié du lycée, voilà ce qui se passe ! annonça le jeune homme.

Il poussa un cri rageur et trouva refuge dans le salon, non sans claquer brutalement la porte derrière lui.

33.

Mortimer sentait les regards braqués sur lui, mais il ne pouvait pas les affronter. Celui de Tugdual, plus rancunier que les autres, le brûlait presque. Aussi garda-t-il les yeux baissés tout en réfléchissant à ce qui venait de se passer.

OK. Tugdual et Zoé ont fait une chanson. Elle s'est retrouvée en ligne sur Internet... Et moi, je suis dans la merde la plus totale...

En quelques secondes, la belle affection fraternelle qu'ils avaient si laborieusement construite et qu'ils commençaient tout juste à apprécier s'était écroulée. Et c'est lui qui se trouvait au centre de ce désastre.

Tugdual détourna la tête d'un mouvement sec. La colère le rendait blême et tendait ses traits. À côté de lui, Zoé restait immobile, les bras autour de ses jambes repliées contre elle. Elle semblait perdue et terriblement attristée par cette situation.

— Qu'est-ce qui a bien pu te passer par la tête pour que tu aies fait une chose pareille ? demanda Barbara.

Ses efforts pour moduler sa voix étaient visibles, mais ils ne parvenaient cependant pas à effacer son désarroi. Son pied battait nerveusement le parquet, produisant des petits tapotis agaçants dont elle ne se rendait pas compte. En l'observant, on pouvait voir ses narines palpiter au rythme de sa respiration accélérée et les minuscules torsions de ses lèvres lorsqu'elle se mordillait l'intérieur des joues. Pour la première fois depuis longtemps, Mortimer sentit les larmes lui monter aux yeux. Voir sa mère dans cet état était une punition terrible.

Soudain, il comprit. Qu'avait dit OMG ? « Les bonnes choses ne doivent pas rester ignorées... » Un coup de poing en pleine figure ne lui aurait pas causé de plus grand choc. Le cœur comme pris dans un étau, il s'entendit endosser toute la responsabilité de ce qu'il n'avait pas fait. Tout l'accusait. Alors que faire d'autre ?

— Je voulais vous faire une surprise, dit-il d'une voix blanche en tentant de capter le regard de Zoé et de Tugdual. Je suis désolé.

Personne ne répliqua. Les visages restaient fermés dans une attitude glacée.

— C'est une belle chanson, poursuivit-il, médusé par l'ampleur du mal qu'il avait causé malgré lui. Ç'aurait été tellement dommage de ne pas la faire écouter...

Il vit nettement Tugdual frémir.

— J'ai cru bien faire.

— Tu as cru bien faire ? répéta son grand frère en se tournant vers lui.

Mortimer eut du mal à garder sa contenance face au regard assassin qu'il lui lança. Seule sa fierté lui permettait de tenir bon. Et maintenant que la machine était lancée, il ne pouvait plus reculer.

Reste dans la logique d'OMG, de ce qu'il a dit, de ce qu'il a fait...

— Je sais bien que Zoé et toi, vous ne courez pas après la gloire, fit-il. Mais l'art, la musique, l'écriture, c'est quand même fait pour être partagé, pas pour rester enfermé dans un tiroir ou au fin fond d'une bibliothèque capitonnée !

Essoufflé, il s'interrompit. Personne ne pouvait imaginer pourquoi il tremblait autant : OMG avait réussi à enregistrer son frère et sa sœur, au cœur même de la maison ! Cette évidence s'ajoutait aux messages et le renversait.

— Sauf que pour partager, il faut passer par la case « montrer »... intervint Zoé avec prudence.

— Ce qui est moyennement compatible avec notre situation, tu vois ? renchérit Tugdual sur un ton beaucoup plus vif que celui de sa sœur.

Barbara et Abakoum se regardèrent, plutôt déroutés. Tout le monde avait raison, à sa façon.

— Hé, je ne parle pas de faire des concerts dans des stades ! se défendit Mortimer. Personne ne vous voit, personne ne sait qui vous êtes... Je veux dire... que vous pouvez faire ce genre de choses sans vous exposer.

Il espéra ne pas être allé trop loin dans ses suppositions. Et si OMG avait donné leur nom ? Mis leur photo ?

— Comme Daft Punk ? Ou Gorillaz ? enchaîna Zoé.

— Par exemple, admit Mortimer.

Il avait l'impression d'être suspendu dans le vide au-dessus d'un volcan en fusion ou d'un fossé rempli de pieux acérés.

— C'est pour ça que tu as choisi le nom « The No-Body » ? demanda Tugdual, coupant.

Le front et le dos de Mortimer se couvrirent d'une sueur froide. « The No-Body » ? Il se rendit compte qu'il n'avait pas encore vu ce dont il s'accusait. Le premier concerné, le dernier au courant... Contre toute attente, Zoé lui sauva la mise.

— Être aimés pour ce qu'on fait et pas pour ce qu'on a l'air d'être ?

Mortimer acquiesça piteusement, presque au hasard.

— C'est plutôt bien vu... murmura Zoé.

Concernant Tugdual par contre, rien n'était gagné.

— Ce piano, je n'aurais jamais dû l'ouvrir. Je m'étais juré de ne plus toucher à... ça.

Il était si tendu que sa voix en devenait éraillée.

— Mais *ça* fait partie de toi, intervint Abakoum. C'est comme si tu te promettais de ne plus avoir les yeux bleus ou de ne plus écouter de musique.

Tugdual le regarda avec stupeur.

— Je sais à quoi tu penses, nous le savons tous, enchaîna son grand-père sans lui laisser le temps de répliquer. Mais les circonstances ne sont pas du tout les mêmes. Ce qui s'est passé ne pourra plus arriver, ton père t'a utilisé, toi et tes talents, comme de vulgaires outils de manipulation, tu n'étais plus toi-même.

Livide, Tugdual se figea. C'était la première fois que quelqu'un évoquait aussi frontalement son passé. Son regard se dirigea avec lenteur vers Abakoum et s'accrocha à lui. Le vieux sage y vit un encouragement et poursuivit :

— Tu n'es pas responsable de la folie de ton père ni des horreurs qu'il a commises.

— Tu paies déjà assez cher ta filiation pour ne pas t'accabler et te punir davantage ! ajouta Barbara.

Elle écarta sa frange d'un geste brusque.

— Et si quelqu'un reconnaît ma voix ? lâcha Tugdual en évitant soigneusement de regarder Mortimer. Vous y avez pensé ?

— Ça n'arrivera pas, tu le sais très bien ! assena Zoé.

Avant de quitter le Vermont, les cinq Cobb avaient admis que la voix de Tugdual pouvait... poser problème. Abakoum avait alors injecté une substance de sa fabrication directement dans les cordes vocales du jeune homme. L'âcreté du produit était épouvantable – que diable le vieil herboriste avait-il pu mettre là-dedans ? Le savoir n'aurait rien arrangé, Tugdual s'en doutait et s'était abstenu de le demander. D'ailleurs, quelques infiltrations avaient suffi pour modifier sensiblement le timbre de sa voix, sans pour autant la métamorphoser.

— Ta sœur a raison, confirma Abakoum.

Mortimer sentit que la situation basculait en sa faveur. Il en frissonna de soulagement. Non loin de lui, Tugdual respirait avec précipitation tout en essayant de surmonter le flot d'émotions contradictoires qui l'assaillaient.

Protect me from what I want[1]...

Mortimer avait raison, la musique était faite pour être partagée. Garder pour soi ce qui procurait une telle exaltation était très frustrant et retirait même une part du plaisir éprouvé. Mais Tugdual avait si peur... Peur de céder, de se laisser emporter, de se perdre.

Tu te souviens du jour où tu n'as pas résisté ? Ce jour où tu as montré tes pouvoirs surnaturels à tes potes ? Et celui où tu es monté sur une scène devant des milliers de gens qui t'acclamaient ? Tu t'es senti surpuissant, tu es devenu un dieu à leurs yeux, ils t'ont tous suivi, tu pouvais leur demander ce que tu voulais. Ton orgueil a pris le dessus sur ta raison et tu as alors détruit les efforts que ta famille avait faits depuis des décennies pour s'intégrer. Pourquoi ? Pour montrer combien tu étais différent, tellement extraordinaire, tellement supérieur. Leur admiration était ta drogue, tu te souviens comme tu t'es gavé de cette sensation ? Ce jour-là a été la fin de quelque chose de bien. Ça ne doit plus arriver. Plus jamais.

Il se leva, un peu raide, et fit face à son frère.

— On a plus à y perdre qu'à y gagner, lâcha-t-il. Alors, t'as pas intérêt à nous refaire un coup pareil...

Mortimer choisit de rester silencieux. De toute façon, qu'aurait-il pu dire ? La tempête était passée, il avait réussi à limiter la casse. Et il ne savait plus où il en était...

---

1. « Protège-moi de ce que je veux... » (extrait de la chanson du même titre, Placebo).

34.

Zoé était très fière que Lana Summer lui ait confié le soin d'établir l'annuaire de St. Mary's. On était loin d'une palpitante mission de reporter, mais ce travail avait un double avantage : il permettait à la jeune fille d'entrer en contact avec la totalité des lycéens, sans exception, et d'être reconnue par tous comme photographe « officielle » de l'établissement. Ses premiers portraits étaient si réussis qu'elle sentit une certaine popularité se mettre très vite en place. On la saluait lorsqu'on la croisait dans les couloirs, on lui souriait. En n'hésitant pas à mettre si habilement les filles en valeur, elle gagnait le respect de la majorité des lycéennes, sans entraîner la fâcheuse contrepartie d'être envisagée comme une rivale potentielle auprès des garçons.

Se faire remarquer pour un talent qui n'avait rien de surnaturel lui faisait un bien fou. Elle comprenait l'emportement de Tugdual lorsqu'il avait découvert leur chanson en ligne et le dilemme qui le déchirait : rechercher et avoir besoin de la reconnaissance d'autrui était quelque chose de profondément humain, mais c'était aussi un dangereux paradoxe en ce qui les concernait, ses frères et elle.

Aujourd'hui, elle se trouvait elle-même confrontée à une proposition aussi tentante qu'embarrassante.

— Un reportage ? Avec vous ?

— Oui, confirma Lana Summer. C'est une opportunité formidable pour toi, tu ne peux pas manquer ça !

La journaliste la fixait comme si elle voulait la convaincre par la pensée. C'est en tout cas l'impression qu'avait Zoé. Lana Summer était expérimentée, elle n'avait besoin de personne, surtout pas d'une débutante. Alors pourquoi mettait-elle tant de cœur à ce qu'elles fassent ensemble ce qui n'était qu'un banal reportage sur une opération caritative ? La jeune fille ne put s'empêcher de trouver cela suspect. Après tout, Lana Summer était journaliste...

A-t-elle découvert quelque chose à propos de moi ? De nous ? Et si tout cela était destiné à me mettre en confiance pour... me piéger ?

— Le problème, c'est que j'ai déjà beaucoup de travail avec l'annuaire, objecta-t-elle.

Sa propre méfiance la peina. N'aurait-elle jamais l'esprit tranquille ? Devrait-elle douter, toujours, de tout le monde ?

Lana Summer balaya du regard la salle où trois lycéens s'affairaient devant des ordinateurs. Zoé n'eut aucun mal à imaginer ce qu'elle pensait : son argument ne tenait pas la route, les autres membres du club de journalisme pouvaient se charger de ce travail. Elle décida d'anticiper :

— Esther et Jack s'occupent déjà de la retranscription des notes biographiques que j'ai prises pour chaque élève, dit-elle. Et Crystal traite la mise en pages...

— C'est embêtant... J'aurais vraiment aimé que tu viennes avec moi !

Zoé savait son malaise irrationnel. Elle avait envie de faire ce reportage mais, sans avoir la moindre idée de ce qui la contrariait tant, elle ne voulait pas se retrouver en tête à tête avec la journaliste.

— Vous seriez d'accord pour intégrer une personne de plus à l'équipe ? demanda-t-elle soudain. Ça permettrait d'avancer plus vite...

Lana Summer réfléchit un instant. Sa tête dodelinait légèrement, comme si son cou fin peinait à la soutenir.

— Tu connais quelqu'un qui pourrait faire l'affaire ?

Les yeux brillants, Zoé acquiesça.

Conor, félicitations ! Te voilà membre du club de journalisme ! s'exclama-t-elle intérieurement.

*

La raison pour laquelle Zoé s'était si rapidement liée avec Conor Fowler se fondait sur une seule chose : ce garçon entretenait une telle obsession pour ses études que le regard qu'il portait sur les autres, notamment sur les filles, n'allait pas au-delà de l'intérêt intellectuel qu'il pouvait leur trouver. Cette façon d'être et de considérer ses relations avec autrui le mettait à l'écart et le rendait définitivement différent. Il avait longtemps subi sa solitude, s'était parfois révolté, puis il avait fini par s'y habituer, par résignation et lucidité. Les autres avaient des amis, sortaient avec des filles, faisaient la fête, allaient à la plage en bande. Ils n'étaient pas tous ainsi mais, pour le moment, aucun d'eux ne s'intéressait à la théorie des cordes ou au boson de Higgs. Aucun ne s'intéressait... à lui. Par ailleurs, le fait qu'il soit noir accentuait insidieusement sa singularité dans ce lycée encore très ancré dans les traditions. La ségrégation n'existait plus – bien sûr qu'elle n'existait plus ! –, mais une ville comme Serendipity ne se défaisait pas si facilement de son histoire, y compris de ses épisodes les moins glorieux.

Conor était brillant, en avance d'une classe – ses parents avaient refusé qu'il en saute deux, il se serait encore plus démarqué. Mais il savait que son intégration à St. Mary's reposait sur le statut social de sa famille, l'une des plus riches de la région, et non sur ses capacités.

Zoé n'en avait rien dit à personne, mais le jour de la rentrée s'était avéré très éprouvant pour elle. Ses frères avaient la chance d'être dans la même classe, ils pouvaient se soutenir, se sentir moins seuls. Elle les avait laissés, le cœur lourd, et s'était dirigée vers sa salle de cours avec l'épouvantable sensation de se trouver à la merci de tout et de tous, une vulnérabilité qu'elle n'avait pas éprouvée depuis longtemps. Les derniers mois, elle avait été si forte, si guerrière... Personne ne faisait spécialement attention à elle ; tant mieux, c'est ce qu'elle voulait. Mais paradoxalement, cette indifférence la faisait se recroqueviller encore davantage, au point d'en être physiquement courbaturée. Le juste milieu était difficile à trouver. Tout comme l'équilibre, peut-être était-il une illusion.

Elle avait tout de suite repéré Conor. Sa singularité formait comme une bulle autour de lui. Tout le mettait à part, son sérieux implacable, la couleur de sa peau, les impressions qu'il suscitait, agacement, mépris, ironie... S'il avait été un bon sportif, tout le monde à St. Mary's l'aurait sûrement adulé. Or il était juste très intelligent et très doué, et par conséquent énervant pour grand nombre de lycéens.

Zoé avait été la seule à franchir cette barrière invisible dressée entre le monde et lui. Dès l'après-midi de ce désagréable premier jour, elle s'était assise à ses côtés et avait choisi d'être directe :

— Tu crois que ça se voit ?

— Quoi ?

— Qu'on est des extraterrestres ?

Conor avait lâché son livre des yeux pour la dévisager, stupéfait par cette entrée en matière, ou tout simplement par le fait que quelqu'un lui adresse la parole. Pendant qu'il s'interrogeait, Zoé attendait le résultat de son coup de poker. C'était quitte ou double : soit il la suivait sur ce terrain, soit il l'envoyait promener.

— Non, il n'y a que les extraterrestres qui peuvent se reconnaître entre eux. La preuve : tu m'as repéré.

— J'ai hésité, mais il y a des détails qui ne trompent pas.

Conor s'était aussitôt tâté le crâne.

— C'est à cause de mes antennes ? J'ai oublié de les replier ?

Avec le plus grand sérieux, Zoé l'avait alors regardé et d'un air de conspiratrice avait avoué :

— Tes antennes sont aussi invisibles que les miennes. Non, c'est ce que tu es train de faire qui t'a trahi : tu es le seul lycéen capable de lire un bouquin de physique quantique à l'intercours.

Il avait fait mine de pester.

— Aaah ! je savais bien qu'un jour ou l'autre je serais pris la main dans le sac !

— On n'échappe pas à ce qu'on est...

Une remarque « à la Tugdual », avait-elle constaté.

À propos de son frère, il avait raison : depuis la rentrée, Conor et elle ne se quittaient pas d'une semelle. Eh ! oui, l'amitié entre un garçon et une fille était possible. *A priori...*

*

Le buste penché en avant, Lana Summer conduisait avec une prudence excessive, en opposition avec ses mouvements assez brutaux.

— Il y a souvent des opérations de ce genre ? demanda Zoé, plutôt pour se détendre que par curiosité.

— Tout le temps... soupira Conor, assis sur la banquette arrière de la voiture. Serendipity est *la* capitale mondiale des opérations caritatives.

La réaction du garçon eut le mérite de faire sourire la journaliste.

— Le lavage de voitures par des lycéens, et surtout par des lycéennes court vêtues et surexcitées, c'est un grand classique, mais ça marche à tous les coups, précisa Conor. Les gens adorent !

— Et ça rapporte pas mal d'argent, ajouta Lana Summer.

La voiture quitta le centre-ville et s'éloigna vers les faubourgs de la ville. Les maisons se firent plus rares, la végétation plus dense.

— Vous croyez que Bright House en a vraiment besoin ? poursuivit Conor. Ce foyer croule sous les subventions et les donations en tout genre !

Lana Summer lui jeta un coup d'œil étonné dans le rétroviseur et se tourna brièvement vers Zoé.

— Zoé, tu as eu une très bonne intuition en proposant ce jeune homme... dit-elle. C'est une excellente graine de journaliste !

— Oui, je sais... Mais je me sens un peu larguée. Vous pouvez m'expliquer ?

Le garçon se rapprocha pour s'accouder aux sièges de devant et se lança avec un air très sérieux :

— Bright House a été fondée par Claudius Bright, il y a plus de cent cinquante ans, en pleine guerre de Sécession...

— Excuse-moi, Conor, mais c'est le Bright de Bright University ? l'interrompit Zoé.

— Tout à fait. Claudius Bright est le grand bienfaiteur de Serendipity. L'hôpital, le parc, la bibliothèque, l'université, et même St. Mary's lui doivent leur création.

— Bright House également... ajouta Zoé, ramenant gentiment la conversation au sujet du moment.

— Exact ! Sa première vocation était d'offrir un lieu de réunion et d'entraide pour les veuves d'officiers. Lors de la Première Guerre mondiale, puis de la Seconde, Bright House est devenue une maison de convalescence pour les haut gradés blessés au combat ou victimes de traumatismes psychologiques. Dans les années cinquante, c'est devenu un foyer pour enfants, une sorte d'orphelinat, si tu veux. Et ça l'est resté depuis. Voilà pour les grandes lignes...

— D'accord, merci. Et... pour le reste ?

— Le reste ? demanda Conor.

— Oui, il y a les grandes lignes, comme tu dis, et il y a le reste, le plus important...

Le beau visage de Lana Summer se marqua d'un indéfinissable trouble. Ses épaules parurent se resserrer, alors que ses omoplates saillaient sous le tissu léger de sa tunique quand elle se pencha un peu plus sur le volant.

— Avec vous deux, on peut être certain que la relève est assurée... fit-elle remarquer. Mais pour l'heure, je compte sur vous pour donner une image touchante du foyer et des enfants.

Zoé fut déçue de ne pas avoir de réponse à sa question. Mais elle n'osa pas insister. Lana Summer sortit une cigarette du paquet posé sur le tableau de bord et l'alluma. Elle en tira quelques bouffées qu'elle rejeta par la fenêtre ouverte avant de poursuivre :

— Le but n'est pas de faire pleurer dans les chaumières, mais de stimuler les lycéens qui participeront à l'opération « On se mouille pour les orphelins » et de motiver les donateurs, bien sûr. Donc, pas de misérabilisme, par pitié ! On peut émouvoir sans être larmoyant... Faire passer un message sans forcer le trait...

Ses yeux d'un brun chaud glissèrent vers Zoé.

— Tu as parfaitement réussi avec certains des portraits que tu as faits pour l'annuaire, conclut-elle. Alors, ça ne devrait te poser aucun problème, j'en suis sûre.

Zoé acquiesça en silence et déporta son attention sur le paysage qui défilait, végétation touffue à droite et hautes palissades surmontées d'épais rouleaux de barbelés à gauche. À intervalles réguliers, des panneaux menaçaient de lourdes sanctions quiconque entrerait.

— C'est quoi ? ne put s'empêcher de demander Zoé.

— Une base militaire, répondit Conor. Notre petite Zone 51[1] à nous... ajouta-t-il avec un rire ironique.

— Pourquoi tu dis ça ?

— Oh ! personne n'a jamais vraiment su ce qu'on y faisait.

— L'armée et la communication ne font bon ménage nulle part, tu sais... renchérit Zoé.

Elle avisa une couronne de fleurs, de celles qu'on voyait parfois le long des routes, là où quelqu'un avait perdu la vie. Accrochée à la palissade de fil de fer, celle-ci revêtait une dimension encore plus sinistre.

Lana Summer ralentit et s'engagea sur une route plus étroite, bordée d'arbres et de maisons anciennes, enfouies dans la verdure. Malgré une singulière absence d'activité humaine, tout était si parfait qu'on se serait cru dans un décor de film. Un panneau indiquait Bright House. Enfin ! La journaliste arrêta la voiture au bout de ce qui s'avérait être une impasse, devant de hautes grilles, jeta son mégot de cigarette et tendit le bras pour appuyer sur l'interphone.

— Lana Summer, annonça-t-elle. J'ai rendez-vous avec le pasteur Hopkins.

La grille s'ouvrit et la voiture s'engagea dans l'allée ombragée par les chênes séculaires qui formaient un tunnel si bas qu'il fallait arriver à son extrémité pour voir enfin Bright House, gigantesque demeure de planteur, immaculée. L'air embaumait le jasmin et l'herbe fraîchement coupée.

---

1. La Zone 51 est une base militaire créée en 1955 dans le Nevada, aux États-Unis. La CIA n'a reconnu officiellement son existence qu'en 2013. Sa configuration et le secret qui l'entoure génèrent de nombreuses théories : la Zone 51 servirait aux essais d'engins espions expérimentaux (grâce à ses immenses pistes aériennes) ; elle pourrait également être le centre névralgique de relations avec des extraterrestres où l'armée américaine testerait de nouvelles technologies issues de cette « collaboration ». De nombreux phénomènes inexpliqués ont été observés aux alentours (apparition d'ovnis, entre autres). On l'appelle aussi Dreamland, Neverland, The Farm ou The Ranch.

— C'est magnifique... murmura Zoé en descendant de la voiture.

Une femme, sorte d'austère gouvernante vêtue d'une jupe et d'un chemisier d'une sobriété irréprochable, émergea de la maison et vint à leur rencontre.

— Il n'était pas prévu que vous veniez accompagnée, fit-elle remarquer après que Lana Summer eut fait les présentations.

Son air désapprobateur n'échappa ni à Zoé ni à Conor.

— L'opération est menée par les élèves de St. Mary's et il m'a semblé plutôt logique de faire participer certains d'entre eux à la mise en œuvre... rétorqua la journaliste sur un ton cordial mais ferme.

La femme les jaugea à nouveau.

Oh ! ça va, on est seulement dans un foyer pour enfants... maugréa intérieurement Zoé. *Ce n'est pas comme s'il y avait quelque chose à cacher !*

Le verdict tomba, aussi austère que l'allure de la gouvernante :

— Venez.

La journaliste et ses deux apprentis obéirent, non sans observer avec admiration le hall d'entrée, l'escalier majestueux, les salles qu'ils traversaient, désertes et opulentes. À part les semelles de caoutchouc de la femme qui chuintaient sur les dalles, le silence était tel qu'il en devenait suspect. Difficile d'imaginer que des enfants vivaient ici !

La gouvernante les arrêta d'un petit signe de la main très directif.

— Le pasteur Hopkins va vous recevoir tout de suite.

Quelques secondes plus tard, la porte s'ouvrit à la volée et un homme entre deux âges surgit. Il toisa ses trois visiteurs pendant un court instant, d'abord avec une certaine irritation. Puis son expression se fit beaucoup plus avenante, en dépit de son regard sombre et opaque comme de l'ardoise. Zoé espéra se tromper lorsqu'elle eut la déplaisante impression qu'il s'attardait sur elle, et même qu'il la dévisageait avec insistance. Elle s'efforça de chasser cette pensée paranoïaque. Sans doute le pasteur connaissait-il tout le monde à Serendipity – tous ceux qui se rendaient à l'église le dimanche, en tout cas –, sauf les Cobb. Il tendit la main et serra celle de la journaliste et des deux jeunes.

— Bienvenue à Bright House ! s'exclama-t-il avec un sourire soudain radieux.

35.

Dès que la femme aux chaussures de caoutchouc ouvrit la porte donnant sur l'arrière de la maison, Zoé et Conor n'eurent plus aucun doute : des enfants vivaient bien ici ! Ils étaient une trentaine à s'amuser dans un espace spécialement aménagé pour eux et fermé par une petite clôture de bois blanc. Balançoires, bac à sable, tourniquets, bascules... Un véritable paradis pour les bambins qui criaient, riaient, pépiaient comme des oisillons ou jouaient tranquillement.

— Qu'est-ce qu'ils sont... petits ! s'étonna Zoé.

— Bright House n'accueille que les enfants de moins de cinq ans, précisa la femme.

— La très grande majorité d'entre eux sont adoptés avant cet âge, ajouta le pasteur Hopkins en atténuant aimablement la sécheresse de la gouvernante.

Il descendit les quelques marches et invita ses visiteurs à le suivre.

— Erica Patton m'a expliqué le but de votre visite. C'est une très bonne idée ! Grâce aux fonds que les lycéens de St. Mary's vont récolter, nous projetons d'ouvrir un autre dortoir pour pouvoir accueillir de nouveaux enfants.

Zoé fut surprise. Il y avait donc tant d'orphelins sans aucune famille pour les recueillir ? Une vraie journaliste aurait posé la question. Mais le sujet la rendait vulnérable. Et puis, elle n'était pas là pour ça.

— Nous pouvons nous installer ici ? demanda Lana Summer au pasteur en indiquant un banc un peu à l'écart. J'aurais quelques questions à vous poser, ça ne prendra pas longtemps.

Elle se tourna vers Zoé et Conor.

— À vous de jouer ! Faites marcher votre intuition et votre fibre artistique...

Les deux photographes examinèrent l'aire de jeux où s'ébattaient les enfants.

— C'est triste, quand même... lâcha Conor.

— Pourquoi « quand même » ?

— Eh bien, ils sont orphelins ! fit le jeune homme, un peu étonné.

Elle détourna la tête et commença à inspecter les lieux, les angles de vue, la lumière, sous le regard sévère de la femme qui restait debout, véritable vigie avec ses mains dans le dos et son menton levé comme si elle portait une minerve invisible.

— Ça ne doit pas rigoler tous les jours avec elle...

— Arrête ! Elle fout carrément les jetons ! renchérit Conor.

Il s'éloigna pour prendre des photos de la bâtisse et du parc, pendant que Zoé s'approchait des petits. Elle commença par quelques clichés distants, puis se risqua à des plans plus rapprochés. Les enfants la regardaient du coin de l'œil. Certains, plus extravertis, prenaient la pose et Zoé joua le jeu en les mitraillant, façon « stars ». Ce n'étaient pourtant pas ceux-là qui l'intéressaient le plus, mais plutôt les solitaires ou les duos qui paraissaient évoluer dans un monde à part, fait de rêves ou de terreurs, comment savoir.

— T'es ma sœur ? fit une toute petite voix à côté d'elle.

Zoé regarda la fillette qui la dévisageait de ses grands yeux noirs.

— Non, ma puce, je ne suis pas ta sœur ! murmura-t-elle, la gorge serrée.

— Si... fit la petite en secouant la tête de bas en haut.

Zoé s'agenouilla devant elle. Elle devait avoir trois ou quatre ans, et elle était à croquer avec ses joues rebondies, ses mains minuscules et ses cheveux courts, fins comme des fils de soie.

— Qu'est-ce que tu fais ? demanda-t-elle de son adorable voix.

— Je fais des photos. Tu veux bien que j'en prenne de toi ?

La fillette acquiesça et Zoé s'en donna à cœur joie.

— Tu t'appelles comment, mon poussin ?

— Hope[1].

— Oh... C'est joli...

Et très symbolique pour une petite orpheline...

— Tu as un drôle de collier, dis donc !

La fillette toucha le pendentif à son cou et le serra entre ses doigts potelés. Zoé prit encore quelques photos jusqu'à ce que la petite lui prenne la main et l'entraîne vers un garçonnet qui jouait à se suspendre à un module en forme de château fort.

— C'est ton copain ?

Nouvel acquiescement de la tête, aussi muet que le précédent.

— Salut ! Tu t'appelles comment ?

— Adam, répondit le bambin.

Lui aussi avait un beau regard noir, grave et indéchiffrable comme peuvent l'être ceux des enfants. Il se remit d'aplomb et, sans que Zoé s'y attende, il l'entoura soudain de ses bras et se serra contre elle. Surprise par cet élan d'affection, la jeune fille n'osa pas bouger. La femme à l'allure si rigide s'agita, sur le point d'intervenir. Zoé faillit lui faire comprendre qu'il n'y avait rien de grave, mais le pasteur Hopkins la devança d'un geste apaisant de la main.

---

1. *Hope* signifie espoir.

Il a l'œil ! se dit la jeune fille, un peu mal à l'aise de se sentir observée.

Elle caressa les cheveux du petit garçon qui la contemplait quasiment avec adoration.

— Tu es trop mignon, toi… murmura-t-elle.

Il resserra son étreinte, avec tant d'ardeur que Zoé en fut confuse. Hope s'approcha et commença à le tirer en arrière.

— C'est *ma* sœur ! geignit-elle.

— Non, c'est la *mienne* ! répliqua le garçonnet.

Au comble de l'embarras, Zoé bougea les jambes pour essayer de se dégager, mais le bambin se colla encore plus à elle, le visage levé vers elle.

— On dirait que tu les as ensorcelés, lui murmura Conor en la rejoignant.

Le regard que lui jeta Zoé le désarçonna. Elle semblait au bord des larmes.

— Adam ? improvisa-t-il. J'ai vu que tu savais très bien faire le singe tout à l'heure, c'était incroyable ! Tu veux bien le refaire pour moi ?

Le petit garçon opina et finit par lâcher Zoé. Perché sur le module, il s'assit sur une barre avant de faire basculer son corps en arrière. Sans quitter Zoé des yeux, il se balança doucement, à l'envers. Elle n'attendit pas davantage pour le prendre en photo, jusqu'à ce qu'elle avise le pendentif qui effleurait le petit visage. Le même que celui de la fillette ? Elle s'approcha.

— Qu'est-ce que c'est ? Tu me montres ?

Le bambin le lui tendit. Intriguée, Zoé fit un gros plan de la figurine, une espèce de diable sortant de sa boîte.

— C'est un porte-bonheur, résonna la voix du pasteur derrière elle.

Zoé ne l'avait pas vu approcher. Lana Summer se tenait à ses côtés, le regard glissant entre sa jeune protégée, le garçonnet et son étrange pendentif.

— Un porte-bonheur ? répéta Zoé.

— Savez-vous à quoi servent les gargouilles ?

Zoé réfléchit un instant.

Ce n'est donc pas un diable... Mais tout de même, quelle drôle d'idée de coller ça au cou d'un petit enfant...

— Les gargouilles servent à défendre les lieux sacrés, non ? suggéra Conor.

— Tout à fait, mais pas seulement, renchérit le pasteur. On dit aussi qu'elles sont les gardiennes du Bien, de puissants symboles de protection contre les démons et contre le Mal. Ces enfants en ont besoin, bien besoin...

Il se frotta les mains avec bonhomie avant de proposer un verre d'orangeade. En voyant tout le monde regagner la maison, Hope et Adam tentèrent de s'inviter. La femme les retint et leur cri de protestation fit se retourner Zoé. Ils se jetèrent contre elle et se cramponnèrent comme si leur vie dépendait de sa présence. Sous le choc d'une violente émotion, elle sentit à nouveau les larmes lui monter aux yeux. Elle s'agenouilla pour les serrer dans ses bras. Les petits bras se refermèrent sur elle, les menus visages s'enfouirent dans le creux de ses épaules. Elle crut étouffer de tristesse face à une telle soif de tendresse.

— Allons, les enfants ! intervint la gouvernante, droite comme un « I » juste derrière eux.

Les deux bambins firent la sourde oreille.

— Adam ? Hope ? les interpella à son tour le pasteur Hopkins.

Cette fois, ils levèrent la tête.

— Notre jeune amie reviendra, vous la reverrez ! fit-il avec un sourire. N'est-ce pas, Zoé ?

La jeune fille fondait de l'intérieur. Les enfants l'émouvaient tellement qu'elle avait l'impression qu'ils tenaient son cœur entre leurs petites mains. À cela s'ajoutait le regard du pasteur, bienveillant mais pénétrant. Déstabilisant.

— Oui, bien sûr... bredouilla-t-elle.

Quand Adam et Hope plaquèrent leurs lèvres sur ses joues, elle fut parcourue par un tel frisson que Conor s'en inquiéta. Il l'entraîna vers l'intérieur de la maison, pendant que les petits regardaient Zoé s'éloigner, immobiles sur le palier. Elle se retourna et leur fit un signe qu'elle trouva bien faible par rapport à ce qu'elle ressentait. Attentif, Conor ne la lâchait pas des yeux. Lana Summer et le pasteur Hopkins non plus, d'ailleurs. Ce dernier les conduisit dans son bureau avec une cordialité tout à fait naturelle et leur proposa des boissons, sans cesser ses bavardages. Mais Zoé aurait été incapable de dire de quoi il parlait.

— Ça va ? lui glissa Conor.

Elle s'arracha à la contemplation de la fenêtre à travers laquelle elle apercevait les enfants qui jouaient et lui jeta un regard hébété. Elle lui trouva un air grave, inattendu. Comme s'il savait.

Comme s'il savait quoi ? Qu'elle aussi était orpheline ? Que ses parents lui manquaient terriblement ? Que ces petits l'avaient complètement ébranlée ?

— Tu tiens le coup ? fit-il.

— Mmm.

Il se planta face à elle, la forçant à le regarder.

— Si t'as envie de parler à quelqu'un de sympa, je suis super doué pour écouter, tu sais.

Les yeux de miel de Zoé rencontrèrent ceux du jeune homme, iris de caramel fondu. Le sourire qu'elle lui adressa venait de loin, du fond d'elle-même. Est-ce qu'il existait une seule chose en quoi Conor n'était pas doué ? Elle avait beau chercher, elle ne trouvait pas.

36.

Sa visite à Bright House avait ébranlé Zoé plus qu'elle ne le montrait. Tout au long du retour à St. Mary's, elle sentit sur elle le regard de Lana Summer et celui de Conor. Alors que la journaliste se montrait inquisitrice, le garçon restait dans l'observation, sans sous-entendus, sans autre attente que de lui apporter son aide, si toutefois elle l'acceptait. Mais pour cela, encore aurait-il fallu que la jeune fille sache de quoi elle avait besoin.

Préoccupés, ils récupérèrent leurs affaires de cours dans leur casier et se quittèrent avec un mutisme un peu gêné. Sitôt à la maison, Zoé fonça dans sa serre, au fond du jardin, et but d'une traite un grand verre d'eau. Puis elle s'affaissa littéralement, dos contre la cloison de verre opaque, visage entre les genoux.

Elle avait déjà expérimenté cette étrange sensation à plusieurs reprises : préférer la frustration de se taire au réconfort que pouvait procurer la confidence. Tant que certaines de ses pensées demeuraient au fond d'elle, elles restaient protégées, réversibles, contrôlables. Si elle les formulait, elles s'échapperaient pour prendre vie, devenir corps, s'exposer, entraîner le risque qu'elle soit jugée, raillée, trompée, incomprise. Voilà pourquoi elle parlait si peu. Les mots pouvaient faire un bien fou, mais pas toujours. C'était ainsi depuis toujours. Encore une contradiction qu'elle entretenait farouchement...

Faites ce que je dis, mais pas ce que je fais.

Mais au cours de ce singulier après-midi, elle avait été à deux doigts de se délivrer de son excédent d'émotions auprès de Conor. À deux doigts... Elle s'était reprise *in extremis*. Peut-être changeait-elle ? Elle n'arrivait pas à déterminer si c'était une bonne ou une mauvaise chose. Quoi qu'il en soit, il lui faudrait redoubler de vigilance.

Elle aimait bien Conor. De toute façon, pouvait-elle faire mieux ? Plus ? Non. Jusqu'à sa mort, elle ne pourrait aimer quiconque plus que « bien ». Quelques années plus tôt, des créatures monstrueuses, pilleuses de sentiments amoureux, lui avaient dérobé sa capacité à aimer au-delà de l'affection, de la tendresse, de l'amitié. Plus jamais Zoé ne serait amoureuse, quand bien même elle le désirerait de toutes ses forces, de toute son âme. Et cette limite resterait une souffrance incurable.

L'affection que Conor et elle se portaient mutuellement était ce qui pouvait lui arriver de mieux. D'un côté comme de l'autre, le risque d'une histoire d'amour était nul et elle en éprouvait un immense soulagement. Il fallait juste que cela dure. Pourtant, elle ne pouvait nier une des raisons profondes qui l'avaient inconsciemment poussée vers le jeune homme. Bien qu'il l'ait tout de suite remarqué, Tugdual avait eu la délicatesse de ne pas en parler de façon ouverte. Mais Zoé savait qu'il avait compris. Conor et Niall. Niall et Conor. Des garçons aussi brillants l'un que l'autre, drôles, décalés, à la peau et aux yeux couleur caramel, cruellement ressemblants si ce n'était cette différence immense et essentielle : Niall était amoureux d'elle et elle avait adoré qu'il le soit, elle avait eu besoin de son amour et avait tout fait pour l'entretenir, même si elle ne pouvait pas lui donner autant en retour.

A trembling flame
In my dark night

That can be killed in one breath
That's what you are

Love me
Even if I could never love you
As much as you love me
Love me

A waterfall
In my jungle
A bridge between my two shores
That's what you are

Love me
Even if I could never love you
As much as you love me
Love me

A tender laugh
In my silence
My precious hyphan with life
That's what you are

Love me
Even if I could never love you
As much as you love me
Love me

You know who I am
Who I can be
You can't heal me, I'm wasted
That's what I am, but...

Love me
Even if I could never love you

As much as you love me
Love me[1].

Seule face à elle-même, elle prenait de plein fouet cette part inavouable tapie au fond de son cœur. La présence de Conor dans sa vie était une bonne et belle chose mais, à cet instant, elle agissait sur ses souvenirs et les rendait plus insupportables, plus violents. Sans chercher à les endiguer, elle ouvrit les vannes en grand. Pourquoi s'infligeait-elle cela ? À quoi bon se faire davantage de mal ? Elle se revit dans l'immeuble de Washington où elle vivait avec les siens, il n'y avait pas si longtemps. Elle y avait commis son premier… meurtre – comment appeler autrement l'acte, volontaire ou non, d'arracher la vie à quelqu'un ? Niall était mort. Il était amoureux d'elle et à cause de cela elle l'avait tué.

Son corps avait-il été découvert ? Elle n'arrivait même pas à se souvenir si Abakoum avait eu le temps de s'en occuper dignement, de l'envelopper, de le protéger pour qu'il ne soit pas la proie des rats dans cette cave déserte où elle l'avait laissé. À cet instant, elle aurait fait n'importe quoi pour pleurer, hurler, expulser la rage qui formait une boule d'épines en elle. Mais elle n'y parvenait pas. Les émotions restaient bloquées, surtout les plus corrosives. Et les images qui se succédaient continuaient de la heurter avec la brutalité d'un stroboscope. Le visage de

---

1. *Une flamme tremblante / Dans ma nuit noire / Que l'on peut faire mourir d'un seul souffle / Voilà ce que tu es / Aime-moi/Même si jamais je ne pourrai / T'aimer autant que tu m'aimes / Aime-moiUne cascade / Dans ma jungle / Un pont entre mes deux rives / Voilà ce que tu es / Aime-moi / Même si jamais je ne pourrai / T'aimer autant que tu m'aimes / Aime-moi.*
Un tendre rire / Dans mon silence / Mon précieux trait d'union avec la vie / Voilà ce que tu es / Aime-moi / Même si jamais je ne pourrai / T'aimer autant que tu m'aimes / Aime-moi.
Tu sais qui je suis / Et qui je peux être / Tu ne peux pas me guérir, je suis perdue / Voilà ce que je suis, mais… / Aime-moi / Même si jamais je ne pourrai / T'aimer autant que tu m'aimes / Aime-moi.
(*That's what you are*, The No-Body). Cette chanson a été écrite par Zoé en hommage à Niall. Tugdual en a composé la musique.

Conor se confondait avec celui de Niall et brouillait sa raison. Elle avait si peur.

— Conor n'est pas amoureux de toi, martela-t-elle, les dents serrées. Conor ne risque rien, Conor ne risque rien, Conor ne risque rien... Tu ne le tueras pas.

Tendue comme un arc, elle bondit sur ses pieds et s'approcha d'une des lampes. La chaleur brûla la pulpe de ses doigts quand elle dévissa l'ampoule. Cependant, à peine fronça-t-elle les sourcils. Elle brisa le globe de verre contre la table carrelée et garda en main un fragment, fin et tranchant, qu'elle plaqua sur l'intérieur de son avant-bras dénudé, là où la peau était le plus fine. Peu à peu, la lame de verre s'enfonça, un filet de sang commença à couler et à épaissir au fur et à mesure que Zoé exerçait une impitoyable pression. Elle remonta lentement le long de l'avant-bras, la peau s'écartait, creusait un sillon sombre et gluant... puis se refermait...

— Aaaargh !

Elle n'avait même pas le droit de décider ce qu'elle voulait faire de son corps. Elle ne pouvait même pas le détruire, même si c'était sa volonté. Hors d'elle, elle se mit à lacérer profondément sa peau, d'affreuses traînées rouges s'imprimaient, se chevauchaient, pour disparaître quelques secondes plus tard sans même laisser de cicatrices. Seule restait une vague douleur en surface, négligeable en comparaison de l'autre, immense, à l'intérieur. Zoé balança le morceau de verre, il tinta en heurtant la cloison et tomba sur le sol, comme une larme de sang.

*

Elle reprit ses esprits, inspira à fond et, les mains derrière la tête, calma les tremblements qui l'agitaient. Son reflet sur la céramique blanche lui fit penser à celui d'un fantôme. Elle se saisit d'un petit miroir de poche qui lui servait à créer des effets pour ses photos et observa son visage.

Faces of angels, angels of death.

— Retour à la normale… murmura-t-elle.

Cette expression lui tira un sourire sarcastique.

— Retour *à l'anormal…*

Qui aurait pu deviner qu'elle venait de se mutiler ? Et qui serait encore debout après s'être infligé de telles blessures ? Il y avait du sang partout, le sol et le mobilier en étaient maculés. Mais elle ne se sentait pas le courage de nettoyer.

Plus tard.

Elle poussa la porte de la serre-labo et referma soigneusement derrière elle. La lumière du soleil, bien que déclinante, l'éblouit. Elle s'avança dans l'herbe qui chatouillait ses pieds, chaussés de sandales. Autour d'elle, cachés dans la végétation, les oiseaux pépiaient avec toute l'énergie de leur insouciance. Elle aperçut la silhouette de Mortimer, contre la fenêtre de la cuisine, et celle de Barbara qui s'activait. Tugdual devait être dans sa chambre ou dans la bibliothèque, travaillant son piano. Et Abakoum ? Sans doute en train d'arroser les plantes à l'avant de la maison – c'était son heure.

Une vraie petite famille modèle…

L'ironie n'était ni un réflexe ni une habitude chez elle et sa remarque la peina, elle s'en voulut aussitôt. Cette famille, c'était à la fois son ancre et son phare, la stabilité et le repère immuable. Elle ne devait jamais, *jamais* l'oublier. Elle s'engagea vers la piscine, retira ses habits tachés de sang, et sauta dans l'eau, en sous-vêtements. La fraîcheur la saisit alors qu'elle atteignait la mosaïque qui tapissait le fond. Son corps lévita naturellement jusqu'à la surface, et elle s'enfonça à nouveau. Au bout de plusieurs va-et-vient, elle se laissa flotter, le corps en X, les yeux ouverts sur le ciel moutonneux, ses cheveux ondulant autour d'elle comme une auréole d'or. La vie n'était-elle pas ainsi ? La plupart du temps, on était comme ça, dans un équilibre inné, qui parfois se rompait. Là, on perdait pied, on coulait, on manquait se noyer, s'enfoncer dans la vase de ses tourments. Et puis on retrouvait le chemin, sa propre voie vers la surface et la lumière. On pouvait alors retrouver son souffle, un autre horizon, de nouvelles forces. Et tant qu'on était capable de ça, on était vivant. D'autres – ses parents, sa chère grand-mère, Niall... – n'avaient pas eu cette chance. Ça non plus, elle ne devait pas l'oublier. Jamais.

37.

Depuis la mise en ligne de la chanson de Tugdual, les relations entre les deux frères Cobb étaient restées glaciales. La confiance de l'aîné avait été atteinte en profondeur et le cadet ne pouvait que serrer les dents face à la distance qui s'était instaurée entre eux. Pourtant, personne n'en doutait : ils finiraient bien par se réconcilier.

Ce matin-là, Victoria donna sans le savoir un petit coup de pouce dans ce sens.

— Tu aimes la musique ? demanda-t-elle à Tugdual entre deux cours.

— Tout le monde aime la musique, non ?

Elle sembla réfléchir avant de poursuivre :

— Tu dois avoir raison... Donc, j'en déduis que ta réponse est oui.

Même si elle ne pouvait pas le voir, Tugdual lui sourit, persuadé qu'elle le sentait.

— La musique, c'est toute ma vie... lui glissa-t-il dans un murmure.

— Je ne sais pas pourquoi, mais ça ne m'étonne pas du tout !

— Ah oui ?

Elle tourna la tête vers lui, ses lunettes fumées ne laissaient rien passer. Tugdual ne pouvait se fier qu'aux petits plis qui formaient des parenthèses autour de sa bouche : le sourire n'était pas loin. Ils parlèrent musique pendant

quelques instants, se trouvèrent des goûts en commun
– encore ! – jusqu'à ce que Victoria lance :

— Tu connais les No-Body ?

Le cœur de Tugdual faillit se décrocher. Il s'appliqua à
marcher au même rythme et à réguler son souffle.

— Non, répondit-il d'une voix aussi neutre que possible.

— Alors, tu devrais écouter, leur chanson est en train
de faire un carton sur Internet, mais c'est vraiment bien !

— Pourquoi « mais » ?

— Parce que tout ce qui cartonne n'est pas forcément
bon, je ne t'apprends rien.

Tugdual se sentait sens dessus dessous. Il n'avait
aucune idée de ce qu'il pouvait dire sans déclencher une
avalanche de doutes, d'indices, de soupçons.

Hé ! Calme-toi ! T'as tué personne, là !

Le regard trouble, il sentit le fourmillement qu'il
connaissait bien, le sang effervescent comme une boisson
pétillante qui se distillerait dans ses veines. Son cerveau
assimilait les informations et, au fur et à mesure, tout ce
qui circulait dans son corps s'accélérait.

— Merci pour le conseil, j'écouterai...

Sa voix le trahissait-elle ? Tant qu'il ne chantait pas
dans les couloirs du lycée, il n'y avait aucune raison pour
que Victoria établisse un lien quelconque entre les No-
Body et lui. Mais paradoxalement, l'envie qu'elle le fasse
le prit par surprise. Mortimer avait raison : c'était si naturel – et si bon ! – de partager ce qu'on aimait... D'autant
plus avec quelqu'un qu'on appréciait spécialement.

— Tu me diras ? fit Victoria.

— Je te dirai quoi ?

L'espace d'une seconde, Tugdual envisagea de se donner une bonne gifle.

— Si tu aimes ! répondit la jeune fille.

— Compte sur moi...

Bien qu'il se sente à nu, l'intensité du bonheur qu'il éprouvait le renversait, même si elle lui était familière. Il s'était déjà trouvé dans cette situation. Toucher les autres avec ce qu'il faisait, les ouvrir à lui, les emmener dans son univers, par les mots et par la musique... Il avait tant aimé cela. Victoria fredonnait à ses côtés – *our heart is black and yet so pure* –, et lui procurait un plaisir sans nom, une sorte d'absolu qui ne connaissait aucun équivalent.

Il se rendait compte que rien n'avait changé : ce qu'il était et ce qu'il aimait être se trouvait en lui, pour toujours. Malgré les tragédies et les traumatismes, malgré les manipulations génétiques et psychologiques de son père, il pouvait exister à la fois pour et en dépit de ce qu'il était.

> *There's something inside you*
> *'t's hard to explain*
> *Th'y're talking about you boy*
> *But you're still the same[1].*

Victoria ne le voyait pas et quand bien même, il ne montrait rien, ou si peu. Pourtant, il avait l'impression qu'elle savait tant de lui, qu'elle le comprenait, qu'elle détectait le meilleur de lui. Son sourire exprimait tout cela. Et à cet instant, Tugdual éprouva une irrésistible envie de l'embrasser. Il détourna les yeux pour échapper à la vision du profil délicat de la jeune fille et au vertige de stupeur et de désir sur le point de le faire céder.

*

Abakoum s'essuya les lèvres avec sa serviette avant de se lever, le corps pesant, et quitta la table.

---

1. *Il y a quelque chose en toi / C'est difficile à expliquer / On parle de toi, mec / Mais tu restes le même.* (Nightcall, Kavinsky).

— Merci, Barbara, c'était très bon.

Il se dirigea vers la porte ouvrant sur le jardin.

— Je t'apporte ta petite tisane dans un instant, lui dit Barbara.

Depuis leur installation à Destiny Drive, ils avaient tous les deux instauré cette tradition sur laquelle les trois ados jetaient un regard tendrement amusé. Ils lui avaient même trouvé un nom, un peu moqueur mais plein d'affection : le Cérémonial de Pépère-Mémère.

Silencieux et affairés, Tugdual, Mortimer et Zoé débarrassèrent la table, puis rejoignirent Abakoum et Barbara dans la moiteur de cette soirée de fin d'été, au lieu de monter dans leur chambre. Même si les deux frères étaient encore en froid, l'esprit de famille semblait plus important que tout. L'ambiance était au calme et à l'apaisement, chacun d'eux pouvait être soi-même et veillait à préserver ce moment hors du temps, hors du monde, enclave fragile.

Avec la souplesse d'un serpent, Tugdual se glissa dans la piscine et nagea sans bruit. Depuis la terrasse en bois où elle s'était assise en tailleur, Zoé le prit en photo, sombre silhouette nimbée d'ombres étranges, tour à tour jaunes, bleues ou violettes, sous les spots aux lumières changeantes du bassin. Lui-même avait l'impression de flotter dans une sorte de kaléidoscope halluciné.

Gagné par cette tranquillité, Mortimer s'allongea de tout son long dans l'herbe encore tiède et contempla le ciel, piqué d'étoiles entre les lambeaux de nuages aux reflets de mercure. Depuis combien de temps ne s'était-il pas autorisé un peu de répit ? Et le méritait-il ? On lui avait fait un sale coup en rendant publique leur chanson. OMG… Qui était-il ? Que voulait-il ? Le saurait-il un jour ? Face à ces questions sans réponse, il faillit se lever pour aller flanquer de grands coups de poing dans son punching-ball. Pourtant, il ne le fit pas et sa propre résistance lui procura plus de réconfort que de frustration. Peut-être était-ce là une forme de force. Il observa les siens, alors que lui revenaient des pensées de feu et de sang, des souvenirs de son père, à vif. Il se fixa sur sa mère pour chasser les images qui le percutaient. Sans doute l'ignorait-elle, mais elle représentait à ses yeux un formidable exemple de courage et d'abnégation. Elle avait beaucoup souffert par le passé, et pourtant elle était là, bien vivante, un œil bienveillant sur *ses* enfants, bien qu'ignorant la tournure que tout cela allait prendre. D'ailleurs, qui parmi eux le savait ? Au mieux, ils pouvaient anticiper certaines choses, mais l'improvisation restait leur mode essentiel de fonctionnement. Or la vie n'était-elle pas ainsi ? Une succession d'événements inattendus auxquels il fallait s'adapter ? Le jeune homme soupira. Tout était très relatif, il le savait mieux que quiconque.

Il perçut une présence à côté de lui : sa mère s'était assise dans l'herbe, son verre à la main.

— Comment ça va avec Tugdual ? demanda-t-elle à mi-voix.

— Bof...

— Tu as réussi à retirer le lien sur YouTube ?

Comment l'aurait-il pu ? Seul celui qui l'avait mis en ligne pouvait le supprimer.

— Eh non, il n'a pas été foutu de rattraper sa connerie ! résonna la voix de Tugdual.

Mortimer grimaça : grâce à son ouïe surdéveloppée, son frère n'avait rien perdu de l'échange. Ce dernier se hissa au bord de la piscine et s'essuya plutôt vigoureusement.

— Je l'ai fait, je te signale ! se défendit Mortimer. Mais quelqu'un avait enregistré le fichier et l'a remis en ligne !

L'expression de Tugdual se fit polaire.

— Oh ! pas la peine de me jeter ton regard de tueur ! fit Mortimer.

Sa frustration, complètement intérieure, ne se manifestait plus que par un petit tremblement dans sa voix.

— Il serait peut-être temps de vous réconcilier, intervint Barbara.

Sa peine était évidente et toucha les garçons plus qu'ils ne l'auraient admis. Tugdual s'en voulait presque de rester focalisé sur lui-même. Il tut donc la question qui lui brûlait les lèvres : n'y avait-il aucun risque qu'on puisse remonter jusqu'à eux ? Il essayait de se raisonner. Certes, Mortimer était impulsif, mais il ne l'était pas au point de mettre tout le monde en danger. Tugdual ne pouvait imaginer qu'il n'ait pas fait le nécessaire pour éviter toute identification. Son frère aussi avait beaucoup à cacher – et à perdre.

Il aurait aimé parler de son inquiétude, s'en libérer, balayer définitivement ses doutes, mais son orgueil le bloquait. Reconnaître ce qui entrave, c'est admettre ses faiblesses. Or il n'avait jamais accepté de les montrer. Non : il n'avait jamais *su*.

— Le nom... fit-il soudain en regardant à nouveau Mortimer.

— Quoi, le nom ?

— Les No-Body, c'est vraiment bien vu.

Mortimer se tortilla. C'est OMG qui avait fait ce choix, pas lui. Tugdual gardait les yeux fixés sur lui. Il semblait toutefois moins en colère et le jeune homme en éprouva un vif soulagement. Leur situation était déjà bien assez difficile pour qu'entre eux ne subsiste aucune tension inutile.

— Mais t'as pas intérêt à jouer à nouveau les cavaliers seuls ! le prévint Tugdual.

— C'est bon... marmonna Mortimer.

Il suivit son frère du regard jusqu'à ce qu'il disparaisse à l'intérieur de la maison. Des accords de piano flottèrent bientôt jusqu'au jardin, magnifiés par la voix de velours noir de Tugdual. Tous les visages s'illuminèrent. Mieux qu'une trêve, c'est un armistice qui venait d'être conclu. Enfin.

38.

Zoé n'avait pas eu de mal à convaincre Conor de s'inscrire au club photo organisé après les cours, une fois par semaine. Outre l'affection singulière qu'elle portait au garçon, elle devait reconnaître en secret qu'elle se sentait plus forte avec lui à ses côtés.

Je suis vraiment contente que ce soit lui qui me rende moins seule.

C'est ce qu'elle avait écrit dans son journal intime la veille. La formule était un peu alambiquée, son prof de littérature l'aurait gratifiée de la mention « maladroit ! » dans la marge, mais elle pensait vraiment ainsi. Leur différence et leur solitude donnaient tout son sens à leur bonne entente.

Bien sûr, les Fowler avaient acheté à leur fils du matériel photo dernier cri, un peu trop sophistiqué pour l'usage qu'il en ferait. Il en avait conscience et un peu honte. D'autant plus que les commentaires des autres pouvaient difficilement le lui faire oublier, même si aucun d'eux n'était réellement à plaindre – tous étaient formidablement équipés, ainsi que le leur fit très vite remarquer le prof qui animait le club.

— On envie toujours ce que les autres possèdent, quelle que soit sa classe sociale… lui murmura Zoé.

— Tu crois que tous les humains sont comme ça ?

— La plupart.

— Sauf les grands sages comme nous, précisa Conor. Ou je devrais peut-être dire les grands « singes », après tout, on n'est rien d'autre, non ?

— Des mammifères évolués…

— Tu sais qu'on a découvert que les singes pouvaient rire ? Jusqu'alors, on était persuadé que seuls les hommes en étaient capables.

— Oh…

Voilà ce que Zoé aimait tant chez Conor : il avait toujours quelque chose d'incroyable à dire !

Côte à côte devant un ordinateur, ils sélectionnaient les clichés numériques qu'ils venaient de prendre, des portraits croisés, afin de les présenter en duo devant les participants de l'atelier en argumentant leur choix et en expliquant comment ils avaient procédé.

— La technique et le matériel sont importants, mais ils ne servent à rien s'il n'y a pas l'instinct du photographe et l'in-dis-pen-sa-ble petit supplément d'âme ! leur rappela le prof.

Il balaya la salle du regard et s'arrêta sur Zoé et Conor.

— Vous ouvrez le bal ?

Ils se levèrent tous les deux, l'air plus assuré qu'ils ne l'étaient vraiment. Conor glissa une clé USB dans l'ordinateur relié au vidéoprojecteur et le visage de Zoé apparut sur l'écran fixé au mur. La jeune fille eut un léger mouvement de recul en voyant son image, si grande et si nette. Le portrait de Conor était affiché en vis-à-vis, le regard absent, comme tourné à l'intérieur de lui-même.

La main devant la bouche, le prof observa longuement les photos.

— Zoé, expliquez-nous pourquoi vous avez choisi cette photo.

La jeune fille parut décontenancée. Elle jeta un coup d'œil à Conor, qui l'encouragea d'un bref geste de la tête.

— Pour les couleurs, commença-t-elle sur un ton hésitant.

— Oui, précisez... fit le prof.

— Je trouvais que c'était... chatoyant.

Quelques lycéens sourirent, d'autres s'étonnèrent, mais personne ne se moqua. Zoé, elle, crut se pétrifier. Elle trouva cependant l'énergie de dévisager Conor, surpris par le choix de ce mot. Le prof les libéra d'un silence embarrassant.

— Cha-toy-ant ! s'exclama-t-il avec fièvre. C'est e-xac-te-ment cela ! Et l'expression ? Parlez-nous de l'expression !

— Je voulais montrer que Conor était là sans être là.

Le prof opina.

— Alors, vous avez tout à fait relevé le défi !

— Merci, monsieur.

— Et vous, Conor, que vouliez-vous faire ressortir dans le portrait de Zoé ?

Sous l'effet de la lumière et du gros plan, la peau de la jeune fille ressemblait à de la mousse de lait saupoudrée de poudre de noisette. Une mèche de cheveux cuivrée tombait comme un pétale sur sa joue et voilait sans le cacher son regard.

— Sa peau... Je trouve qu'elle ressemble aux étoiles extragalactiques qu'on peut parfois observer dans la Voie lactée... Ça lui donne un côté extraterrestre.

Conor traînait derrière lui une réputation de garçon-pas-comme-les-autres. C'est ce qui lui valut une certaine indulgence de la part des autres élèves.

— Je comprends parfaitement ce que vous voulez dire, commenta le prof. Mais rassurez-nous, Zoé, vous faites bien partie de notre monde ? ajouta-t-il d'un air amusé.

Zoé s'était attendue à tout, sauf à cela. Quelques années plus tôt, elle aurait rougi, peut-être même tremblé. Aujourd'hui, elle contrôlait son masque à la perfection.

— Oui, pour autant que je sache ! répondit-elle.

Le prof semblait ravi de cette réponse, mais pas seulement.

— Vous avez produit un excellent travail, tous les deux ! conclut-il. C'est très prometteur ! Passons maintenant à un autre binôme…

Conor récupéra sa clé USB et rejoignit Zoé.

— Pas mal pour commencer, non ? lui chuchota-t-il.

Zoé hocha vaguement la tête. Le masque tenait bon mais, à l'intérieur, quelle agitation…

*

Est-ce cet état d'esprit, cette fierté partagée en silence qui empêcha Zoé et Conor de voir tout de suite le danger ? Les autres lycéens étaient sortis. Ils étaient les derniers, le jour déclinait et les trois racailles se tenaient en embuscade derrière les arbres, à l'entrée du parking désert.

— Salut, les p'tits bourges !

Zoé et Conor s'arrêtèrent net. Sans être spécialement baraqués, les trois garçons, le visage en partie dissimulé par des casquettes à large visière, mesuraient tout de même une tête de plus qu'eux. Et surtout, ils avaient à la main des couteaux qu'ils agitaient d'un air forcément supérieur.

Ils s'approchèrent et commencèrent à tourner autour de Zoé et Conor en poussant des cris, comme s'ils se lançaient dans une danse tribale. Conor tentait de faire bonne figure, mais la terreur se voyait nettement dans sa posture figée. Sa respiration s'accéléra, il n'arrivait à fixer son regard sur rien. Zoé, par contre, éprouvait une sensation à mi-chemin entre l'agacement et la frustration : la bêtise pure et dure, telle que celle qui s'étalait sous ses yeux, ne manquait jamais de l'irriter sévèrement. Et s'empêcher d'y mettre fin s'avérait tout aussi énervant.

Les trois racailles se déplaçaient comme des crabes autour de Zoé et de Conor, de plus en plus près. L'un d'eux s'arrêta, sortit son téléphone portable et se mit à filmer la scène.

244

Les coups commencèrent à tomber sur Conor, d'abord des bourrades supportables, puis de plus en plus violentes, sur les épaules, le ventre, la tête. Conor chancela, le visage complètement fermé. Le sac qu'il portait à l'épaule glissa, il le remit d'aplomb.

— Oh ! mais qu'est-ce qu'il a dans son sac, le p'tit cacao ? fit l'un des trois.

Il tira sur la bandoulière pour faire céder la résistance de Conor et finit par le lui arracher. Complètement tétanisé, le jeune homme ne bougea pas.

— Ouh ! mais c'est qu'il est foutrement bien équipé ! s'exclama l'abruti en brandissant l'appareil photo flambant neuf.

— Du matos pareil pour un négro, c'est du gâchis, tu trouves pas ?

— Regarde, t'es filmé, fais un sourire à mon pote !

Conor resta figé et muet. L'abruti lui tira brutalement les cheveux pour lui relever la tête. Afin de donner plus de panache à cet acte plein d'héroïsme, il pointa son couteau sous le menton du garçon. Un filet de sang souilla le col de sa chemise bleu clair.

— Eh ! les mecs, il est mort de trouille. Tu vas quand même pas te pisser dessus, le p'tit cacao ?

Il le poussa de façon à ce que celui qui filmait voie bien la scène et posa à côté de Conor, les doigts agrippés à ses cheveux pour lui maintenir la tête bien droite.

— C'est qui la star ? C'est moiiiiiiiii ! brailla-t-il.

Il relâcha soudain Conor et secoua la main, la mine dégoûtée.

— Beuuhh, les cheveux de négro, c'est vraiment dégueu !

Puis il lui assena une gifle monstrueuse qui le fit tomber au sol. Non content de cela, il surenchérit avec un grand coup de pied dans le ventre, sous les rires de ses deux comparses.

— J'aime pas tes cheveux de merde, mais j'aime bien tes pompes, ricana-t-il.

Il se mit à cheval sur Conor pour lui enlever ses baskets en lui tordant les pieds. Les yeux pleins de rage et de honte, Conor enfouit son visage entre ses bras et se laissa faire.

39.

Dès la première seconde, Zoé s'était juré de ne pas intervenir. Non qu'elle n'en meure pas d'envie... Il lui fallait lutter de toutes ses forces pour rester stoïque : le moindre geste équivaudrait à se dévoiler, et c'était strictement inconcevable. Alors, pour trouver l'énergie de ne pas agir, elle se mit à lister tout ce qu'elle était capable de faire.

Bande de débiles... Vous n'imaginez même pas... Je n'ai qu'à lever le petit doigt pour vous projeter tous les trois contre le mur et vous réduire en bouillie, casser tous vos membres, vous étrangler, vous saigner à blanc, vous vider de vos entrailles puantes, fracasser vos crânes répugnants l'un contre l'autre et les vider de votre cervelle viciée...

Elle pouvait leur faire tout cela et eux ne le savaient pas, ce qui lui laissait une désagréable sensation, comme un très mauvais goût dans la bouche. Ah ! si Conor n'avait pas été là, elle se serait déchaînée ! Elle envisagea un instant de retirer son bracelet, mais la perspective que les racailles s'en emparent l'arrêta aussitôt. La nuit n'allait pas tarder à tomber, les bactéries gobeuses de phéromones ne feraient bientôt plus effet. Alors, la gentille petite lycéenne deviendrait une redoutable prédatrice. Pendant une fraction de seconde, elle faillit se laisser tenter par cette option extrême et en éprouva un trouble violent. Cependant, ni Conor ni elle ne pouvaient attendre dix ou quinze minutes dans ces conditions. Et quand bien même ! Se jeter sur les racailles pour les embrasser jusqu'à la mort n'avait rien de moins « extra-ordinaire » que de les envoyer se fracasser à plusieurs mètres ou sur le toit du lycée.

Non, elle n'avait pas le choix. À part de rester là, faussement impuissante, les mains accrochées à la bandoulière de son sac, l'air effarouché, elle ne pouvait rien faire sans se compromettre.

— C'est bon, là ! ne put-elle s'empêcher de marmonner lorsqu'elle vit le plus bavard des abrutis voler les baskets de Conor.

— Elle dit quoi, la pouffe ?

Il s'approcha d'elle en faisant tourner les baskets par les lacets, comme un lasso. Par pur réflexe, Zoé soutint son regard. Un peu surpris, son agresseur la dévisagea pendant qu'elle détaillait chaque partie de son visage, les inscrivant profondément dans sa mémoire.

— J'en connais une qui cherche à être lattée ! ricana l'abruti.

Il se tourna vers celui qui filmait et lui adressa un petit signe triomphal de la main avant de balancer les baskets de toutes ses forces sur la tête de Zoé. Elle vacilla sous le choc, les larmes lui montèrent aux yeux sous l'afflux de la douleur et de la colère, mais elle resta debout, sans même porter la main là où elle sentait le sang couler. Le garçon fit à nouveau tourner les baskets au-dessus de sa tête et les projeta une seconde fois sur Zoé, directement sur son visage. Les rivets métalliques lui écorchèrent les pommettes, mais elle savait qu'il ne faudrait que quelques secondes pour que les plaies se referment.

Fais profil bas, maintenant. Pas la peine de te prendre des coups pour rien. Baisse la tête, aie peur comme n'importe quelle fille qui se trouverait dans cette situation, pleure, gémis. Non, t'es pas obligée de supplier, pas la peine de t'abaisser à ça.

Les phares d'une voiture éclairèrent soudain cet angle du parking, assombri par les arbres imposants. Ni une ni deux, les racailles arrachèrent son sac à Zoé, manquant de lui démettre l'épaule, et disparurent dans les fourrés.

*

Si le moment n'avait pas été tellement grave, elle aurait presque ri en voyant que la voiture ne venait pas du tout dans leur direction : elle faisait simplement demi-tour et les racailles avaient détalé comme des lapins... Mais la silhouette de Conor recroquevillée sur le sol et la rage qu'elle ressentait ne s'y prêtaient pas. Elle s'agenouilla auprès de son ami et le tourna doucement vers elle pour dégager son visage.

— Oh, non ! Tu saignes ! s'écria-t-elle, horrifiée.

Elle fouilla dans ses poches et en sortit un mouchoir en papier qu'elle pressa sur la tempe de Conor. Il cligna des yeux et ses doigts touchèrent ceux de Zoé lorsqu'il se tâta la tête. Elle retira précipitamment sa main.

— Ça va aller... dit-il d'une voix blanche. Et toi ? Ils t'ont... frappée ?

— T'inquiète, je suis entière.

Il se redressa péniblement et resta assis, les coudes sur les genoux. Zoé ne put s'empêcher de regarder le ciel. La nuit approchait, le temps dont elle disposait devenait une question de minutes, quasiment de secondes.

Cendrillon à l'approche des douze coups de minuit...

Pourtant, laisser Conor seul et en sang sur ce parking aurait été pire que tout. En dépit du danger imminent qu'elle représentait, elle était incapable de l'abandonner. Alors, elle s'assit en silence à ses côtés, tout près de lui, en espérant de toutes ses forces que la nuit prendrait son temps.

— Je suis désolé, murmura-t-il.

— Désolé ? Mais ce n'est pas ta faute !

— Je les ai laissés faire, j'aurais dû réagir...

— Hé ! l'interrompit Zoé. Stop ! On ne pouvait rien faire d'autre sans risquer de se prendre un coup de couteau. Tu crois vraiment que ça aurait valu la peine ?

Elle soupira longuement.

— Moi aussi, je les ai laissés faire, rétorqua-t-elle.

— J'aurais dû te défendre ! insista Conor.

Elle regarda son ami. Il était bien plus mal en point qu'elle. Et il avait l'air si malheureux, si honteux.

— Pourquoi ? Parce que tu es un garçon et que je suis une fille ? On est au XXIe siècle, tu sais. Les filles ne sont plus de frêles créatures que les garçons doivent protéger de leur puissante armure et de leurs gros muscles !

— Je ne suis pas vraiment musclé...

— Alors raison de plus ! De toute façon, musclé ou pas, quand tu as affaire à trois malades du couteau, il vaut mieux s'écraser.

— Justement...

Zoé attendit qu'il continue. Tout était si tendu en lui, les traits de son visage, ses poings serrés, sa voix. Il semblait sur le point de craquer.

— Justement ? répéta-t-elle pour l'encourager à exprimer ce qui l'oppressait.

— J'en ai tellement marre de m'écraser, si tu savais. Je ne fais que ça, depuis la seconde où je suis né, et peut-être même avant.

— Pourquoi tu t'écrases ? Je veux dire... pour quelles raisons tu as ce sentiment ? lui demanda-t-elle.

Il releva le visage pour l'exposer à la lumière du lampadaire qui grésillait au-dessus d'eux, et montra ses mains.

— Tu vois ça ? Cette couleur ?

— Oui, t'es Black, et alors ?

— Et alors, si les gens nous respectent, ma famille et moi, c'est uniquement pour notre statut social et notre fortune... Parce qu'on est dans un pays où ce genre de choses compte, tu vois. Mais pour la plupart, on représente cette petite catégorie de Noirs-qui-ont-réussi-aussi-bien-que-des-Blancs, un mélange exemplaire d'intégration et de rêve américain, la démonstration que tout le monde peut réussir, histoire de bien enfoncer ceux qui restent sur le carreau. Rendez-vous compte, mesdames, messieurs, même des Noirs y sont arrivés ! C'est pas une preuve, ça !?

Zoé pinça les lèvres.

— Je sais, murmura-t-elle. Je sais, je comprends et je m'en fous royalement.

Conor eut un mouvement de surprise.

— Je veux dire que ça m'est égal que tu sois Black, précisa-t-elle.

Il osa enfin la regarder en face, brièvement, mais suffisamment pour se sentir rasséréné.

— Et moi, ça m'est égal que tu sois une extraterrestre, fit-il.

En souriant, sa lèvre fendue lui tira une grimace.

— Chacun sa croix... conclut Zoé avec une pincée de dérision.

40.

La vidéo de l'agression de Zoé et Conor fut mise en ligne sur Internet dans l'heure qui suivit. Ainsi qu'ils le découvrirent aux côtés de leur famille consternée, elle n'était malheureusement pas la première : après avoir exercé leurs minables talents en Floride, les trois racailles, autoproclamées les TriStar, sévissaient depuis la rentrée dans la région de Serendipity. La dernière attaque concernait même une fille de St. Mary's qui s'était vue molester et déposséder de sa voiture, à la sortie d'une boîte de nuit. Le car-jacking avait été filmé, de la même façon que l'agression de Zoé et de Conor, et les TriStar n'avaient pas lésiné sur les gros plans : les gifles violentes qui avaient valu à la fille un visage couvert d'hématomes, Conor roulé en boule à terre et roué de coups de pied, les baskets tournant comme les pales d'un hélicoptère et s'abattant sur Zoé... Et ce n'était là que la surface de cette brutalité, car on ne pouvait voir ni les contusions, partout sur le corps, ni la douleur sourde, et encore moins l'humiliation, aussi collante qu'une boue nauséabonde.

— Si je les trouve sur mon chemin, je les dépèce ! annonça Mortimer.

— Et tu ne commences pas sans moi ! ajouta Tugdual.

Les deux garçons étaient blancs de rage. Blottie contre Barbara sur le canapé, Zoé buvait à petites gorgées un chocolat chaud.

— Vous me laisserez une petite place entre vous deux ? intervint-elle.

— La place d'honneur ! lui répondit Mortimer.

Il reporta son attention sur l'ordi.

— Il y a même eu un article dans la presse : ces salauds ont déjà braqué plus de trente personnes depuis le début de l'été ! En fait, ils ciblent surtout les lycéens de bahuts un peu huppés comme St. Mary's et ils les dépouillent, fringues, smartphones, sacs, chaussures... et quelques voitures.

Un long sifflement fusa d'entre ses dents.

— On dirait que la police rame un peu : ces mecs ont beau agir à découvert, personne n'arrive à mettre la main sur eux. De vraies anguilles !

— Personne ne peut rester introuvable, commenta Abakoum.

Les deux garçons le dévisagèrent d'un œil tracassé.

— J'espère bien que si, marmonna Tugdual.

La gorge de Mortimer se serra, il déglutit avec difficulté. Zoé et Tugdual évitèrent de le regarder. La police avait conclu que l'incendie qui avait emporté la famille de la nageuse était un accident. Leur frère était hors de danger, même si sa conscience restait torturée par ce souvenir – et par l'angoisse qu'on retrouve la fille de la plage, son plus sinistre secret. Toutefois, la menace ne pesait pas que sur lui : une épée de Damoclès demeurait suspendue au-dessus des cinq Cobb, le risque d'être démasqués pouvait surgir de partout, à n'importe quel moment.

— Un jour ou l'autre, ces petites frappes feront forcément le faux pas qui les perdra ! poursuivit Abakoum.

— En attendant, ils font de sacrés ravages, maugréa Tugdual.

Barbara attira doucement la tête de Zoé contre son épaule et lui caressa les cheveux. Le plus difficile n'avait pas été de la soigner – ses coupures s'étaient déjà refermées –, mais de surmonter la frustration de n'avoir pas pu se défendre alors qu'elle en avait tout à fait les moyens. Elle avait l'habitude de camoufler ses pouvoirs, de les retenir, même si c'était parfois compliqué. Cependant, l'impunité de ceux pour qui le mal représentait un simple jeu la faisait trembler de colère. Elle en avait mal partout, comme si on l'avait enfermée dans une toute petite boîte et qu'elle se cognait à chaque mouvement. Son gémissement involontaire inquiéta sa famille.

— Ça va, ma chérie ? fit Barbara.

Zoé se dégagea avec délicatesse de l'étreinte maternelle. Elle se redressa, observa Abakoum et Barbara, puis ses frères.

— Il faut que je dorme…

Frêle dans sa liquette de coton blanc, elle avait plus que jamais l'air d'un ange aux cheveux mordorés. Seules les paillettes émeraude au fond de ses yeux dévoilaient sa volonté d'acier et de minuscules bribes de son immense noirceur. Personne n'était vraiment dupe : elle n'avait pas spécialement envie de se coucher, mais plutôt besoin de se retrouver seule.

— Oui, bien sûr, ma chère enfant, il faut que tu te reposes… murmura Abakoum.

Il prit le visage de la jeune fille entre ses deux mains et lui embrassa le front.

— À demain tout le monde.

Et elle quitta la pièce, silencieuse comme un fantôme.

*

Tugdual et Mortimer ne tardèrent pas à la rejoindre dans sa chambre. Elle les attendait, assise en tailleur par terre, sous la fenêtre entrouverte.

— Ah, vous voilà ! fit-elle en souriant. Pas trop tôt…

— Dis donc, tu serais pas un peu voyante, toi ? lui fit remarquer Mortimer.

— Pas plus que toi, frangin.

Cette repartie les amusa tous les trois. Tugdual et Mortimer s'assirent à ses côtés, l'un à sa droite, l'autre à sa gauche.

— Alors ? commença Tugdual.

À la seconde même de leur irruption dans sa chambre, Zoé avait compris qu'ils savaient ce qu'elle allait leur dire. Mais le formuler représentait un tel plaisir, pour eux comme pour elle !

— Alors, je crois que je sais où les trouver... dit-elle à mi-voix.

Ses frères sourirent.

— Je sais même quand et comment, ajouta Zoé.

Elle leur exposa le cheminement de son raisonnement, point par point. Quand elle eut terminé, Tugdual tapa lentement dans ses mains.

— Bravo, P'tite Madone.

— Vous êtes d'accord ?

— On va leur défoncer la tronche, confirma Mortimer.

Son regard glissa vers son frère et sa sœur.

— Façon de parler, bien sûr ! rectifia-t-il avec un petit rire. Ça va être un peu plus subtil que ça, hein ?

— Euh... pas sûr que ce soit plus subtil, mais ça risque d'être pas mal du tout ! précisa Zoé.

— Bon, en attendant, il va falloir que tu continues de jouer à la pauvre fille inoffensive qui fait face comme elle peut.

— Mais c'est ce que je suis ! fit-elle d'une voix étrange.

Tugdual tourna précipitamment la tête et vit sa sœur se tasser, comme si elle se rétrécissait sous l'effet de ses émotions et de son ressentiment.

— Pardon, murmura-t-il.

— Non, ça va, c'est bon... enchaîna-t-elle.

Son ton était un peu trop rapide pour convaincre. Tugdual tendit la main. Mais son geste spontané s'arrêta là, suspendu au-dessus du genou de Zoé.

— Ça va, répéta-t-elle, plus posée. Et ça ira encore mieux samedi soir.

Elle se leva et regarda ses frères, l'un après l'autre.

— Allez, au lit, maintenant !

— À tes ordres, colonelle !

*

Regards de sympathie, tapes compatissantes sur l'épaule, sourires contrits, mimiques gênées, encouragements... Zoé eut droit à toute la gamme des réactions dès son arrivée au lycée, le lendemain matin. On ne la voyait pas très clairement sur la vidéo des TriStar, mais suffisamment pour que ceux qui la côtoyaient puissent la reconnaître. Le bouche à oreille n'avait plus qu'à prendre le relais et nul doute : il fonctionnait très efficacement dans ce genre de situation. Effet collatéral non négligeable : Tugdual et Mortimer purent réellement se rendre compte combien Zoé était appréciée par bon nombre de lycéens. Non pas qu'ils doutent de la sympathie qu'elle pouvait susciter... Mais la voir aussi populaire était une véritable découverte.

Escortée de ses deux frères jusqu'à sa salle de classe, Zoé constata que Conor n'était pas là. La journée promettait d'être affreuse. Elle géra son dépit, tant bien que mal, mais pas son inquiétude. Allait-il bien ? Elle se rendit compte qu'elle n'avait même pas pensé à lui demander son numéro de téléphone – lui non plus, d'ailleurs. Toutefois, au vu des circonstances, la secrétaire accepta d'appeler chez les Fowler pour communiquer des nouvelles à la jeune fille, suppliante dans son bureau.

— Il a deux côtes cassées et l'épaule luxée, l'informat-elle en raccrochant. Mais il est surtout très éprouvé, il doit se reposer.

Zoé se sentit très triste et plus confortée que jamais dans sa décision d'agir. En face d'elle, la secrétaire la dévisageait avec une espèce d'apitoiement qui l'irrita, même s'il semblait vraiment sincère.

— Bon courage, mademoiselle Cobb... fit-elle. J'espère que la police va bientôt retrouver ces crapules. Vous avez porté plainte, je suppose ?

Zoé savait que le sujet serait abordé à un moment ou à un autre. Du reste, il le fut bien davantage dès le retour du lycée, le soir même...

— C'est quoi cette voiture de police ? s'affola Mortimer en débouchant dans Destiny Drive. Pourquoi elle est garée devant chez nous ?

C'est la fille de la plage, ils l'ont retrouvée, ils savent que c'est moi... Je vais finir sur la chaise électrique !

— Hé ! Pas de panique ! tenta de le rassurer Tugdual.

Il n'était pourtant pas aussi sûr de lui qu'il en avait l'air. D'autres pensées que celles qui alarmaient son frère se précipitaient dans sa tête, comme une rafale d'éclats de verre tournoyant et écorchant l'intérieur de son crâne.

Le goudron qui a coulé de nos narines, les empreintes digitales, des traces, des preuves... Personne n'est introuvable...

Il jeta un coup d'œil à Zoé, l'air pincé.

— Arrêtez de baliser, murmura-t-elle. Ils sont sans doute là pour moi, à cause de la vidéo.

Tugdual et Mortimer ne pouvaient pas se montrer soulagés pour autant. L'incursion de la police dans leur petit cercle familial n'avait rien de bon. Ils se regardèrent, solidaires, et inspirèrent tous les trois à fond avant de gravir les quelques marches qui menaient à la maison.

*

Sitôt qu'ils eurent franchi la porte, Barbara vint au-devant d'eux.

— Ah ! vous voilà ! s'exclama-t-elle.

Elle roula des yeux pour leur indiquer le policier qui se trouvait dans leur champ de vision, accoudé au bar de la cuisine ouverte sur le salon, une tasse de café à la main. Debout face à lui, Abakoum jouait les parfaits maîtres de maison.

— Tout va bien, ne vous inquiétez pas... chuchota-t-elle aux trois ados.

Puis, plus fort :

— Les enfants, je vous présente le lieutenant Willis.

— Bonjour, répondirent-ils quasiment en chœur.

Depuis le temps qu'ils devaient cacher ce qu'ils étaient, afficher le détachement de n'importe quel ado à peu près normal leur venait naturellement. Ils s'installèrent autour du bar, néanmoins à distance raisonnable du policier, comme si quelques centimètres pouvaient les préserver d'un quelconque risque.

— Lieutenant, voici Tugdual, Mortimer et Zoé, poursuivit Barbara.

— Enchanté de faire votre connaissance, fit le policier en les détaillant un à un. Même si j'aurais préféré vous rencontrer dans d'autres circonstances...

Son regard glissa vers Barbara. Mortimer fronça les sourcils. Ce quadragénaire était plutôt séduisant, avec ses yeux d'un bleu renversant, son teint hâlé, son uniforme... et il regardait sa mère comme... une femme... Tugdual et Zoé comprirent aussitôt que le jeune homme allait le détester.

— Vous êtes là à propos de la vidéo ? intervint Zoé, autant pour détourner l'attention de son frère que pour en venir aux faits.

— À propos de ton agression, corrigea le policier. Tu veux bien m'expliquer comment ça s'est passé ?

Zoé hésita. Il devait déjà savoir, Conor lui avait tout raconté et la vidéo confirmait son compte rendu. Que pouvait-elle ajouter ? Pourtant, elle se plia sagement et poliment à la demande du policier et relata l'attaque dans ses moindres détails. Les tremblements dans sa voix étaient sincères, ô combien, mais ils n'entraînaient pas la même interprétation dans l'esprit de chacun. Tugdual et Mortimer savaient lire l'impatience de la vengeance, là où le policier ne décelait que colère et envie de pleurer. Quant à Abakoum et Barbara, peut-être avaient-ils compris qu'il y avait un peu de tout cela.

— Le lieutenant Willis nous encourage vivement à porter plainte, fit Barbara quand Zoé eut terminé.

Elle posa la main sur l'avant-bras de la jeune fille. Le policier acquiesça et adressa un sourire furtif à Barbara. Puis, comme s'il cherchait leur assentiment, il regarda tour à tour Abakoum et les deux garçons. Tugdual prit un air préoccupé, alors que Mortimer tentait laborieusement de rester neutre. Peur du policier ou antipathie pour l'homme qui n'arrêtait pas de jeter des coups d'œil à sa mère et de lui sourire, rien ne devait se voir.

— Nous ne voulons pas le faire sans que tu sois d'accord, souligna Barbara sans lâcher le bras de Zoé. Il faut en discuter.

— C'est vraiment nécessaire ? marmonna la jeune fille. Je veux dire… est-ce que ça sert à quelque chose ?

Elle leva le visage vers le policier d'un air sombre, tout en remerciant intérieurement Barbara de l'avoir maquillée de façon à ce que sa peau témoigne de la violence des coups qu'elle avait reçus – et qui avaient disparu dès son retour à la maison, la veille au soir. Un peu de brun ici, un peu de violet là… Les contusions semblaient plus vraies que nature.

— C'est primordial ! répondit le policier. Ne pas porter plainte, c'est faire comme si rien ne s'était passé, c'est nier la gravité de l'agression que ton ami, Conor Fowler, et toi avez subie.

Oui… Mais comment vous expliquer que, quelles que soient les raisons, on aimerait ne jamais être fichés par la police… se dit-elle intérieurement.

— Ça ne vous aidera pas à arrêter cette bande de minables ! fit-elle, écartant ses pensées.

Le policier la regarda avec une attention sérieuse.

— Techniquement, non. Mais le jour où ils seront arrêtés, plus il y aura de plaintes, plus leur condamnation sera lourde.

Zoé se retint de montrer combien l'imminence de ce moment la réjouissait.

Mais avant qu'ils soient arrêtés et condamnés, on va juste s'occuper un peu d'eux...

— Nous finirons par mettre la main sur eux, poursuivit le lieutenant. Quand on commet de tels actes, on ne peut pas s'attendre à échapper indéfiniment à la justice.

Les cinq Cobb évitèrent de se regarder. Le plus urgent était de ne rien laisser paraître des effets de la tempête qui déferlait en chacun d'eux. Devaient-ils voir des sous-entendus dans ce que venait de dire Willis ? Y avait-il lieu de s'inquiéter ?

— Les Fowler ont porté plainte, tu sais ? insista le policier.

— Oui, je sais, répondit-elle dans un souffle.

Elle jeta un coup d'œil à Abakoum. Son grand-père se tenait à l'écart, sans doute pour mieux capter les regards, les micro-réactions, les signes invisibles. Il fit un léger hochement de tête, signe que Zoé attendait et qu'elle était la seule à pouvoir saisir.

— C'est d'accord, dit-elle.

Le lieutenant Willis lui adressa un sourire discret.

— Tu as pris la bonne décision, Zoé...

41.

Dans les couloirs du lycée, l'effervescence côtoyait les sommets en cette veille de bal de rentrée. Tout le monde ne parlait que de cela, au grand dam des profs, qui peinaient à obtenir un minimum de concentration de la part des élèves survoltés.

— Tu y vas ?

Victoria avait posé la question à Tugdual avec une certaine nonchalance, après avoir longuement soupiré au rappel de l'événement, clamé par les haut-parleurs tout le long des couloirs.

Oui, en quelque sorte... répondit-il dans sa tête.

— Non, fit-il.

Que devait-il voir dans la fugace contraction qui s'était imprimée sur les lèvres de Victoria et entre ses yeux ?

Oh ! non, Victoria, ne me dis pas que tu es... déçue ! Tu attendais que je dise oui ? Tu voulais qu'on aille à ce foutu bal ensemble ?

Mais l'expression, à peine entraperçue, avait déjà disparu. Pourquoi avait-il répondu d'une façon si péremptoire et si brutale ? Il s'en voulut aussitôt.

— Ce genre de festivités, ce n'est pas trop mon truc, précisa-t-il, plus doux.

— Et c'est quoi, ton truc, Tugdual Cobb ?

Le ton faussement badin de Victoria, ce murmure sec et rapide le surprit. D'autant plus que sa question n'avait rien de simple. Ni d'innocent.

— Attends, laisse-moi deviner ! poursuivit-elle. Dès que la nuit tombe, tu enfiles des collants et un masque, tu jettes une cape sur tes épaules et tu parcours les rues pour sauver les jeunes filles en détresse !

Un étrange sourire se dessina sur son visage.

— J'ai vu juste, hein ?

— Disons que tu n'es pas loin...

De la dérision, un peu de vrai, un peu de moins vrai... Rien de mieux pour rester à l'abri.

— Ah, je le savais ! exulta Victoria.

— Il y a juste un détail...

— Les collants ?

— Oui, ils ont été abolis depuis deux bonnes décennies par la confédération des superhéros.

— Dommage !

Elle rit tout en ramenant ses cheveux sur sa nuque. L'arrondi de ses bras et le mouvement de sa tête, gracieusement inclinée en arrière, frappaient Tugdual chaque fois. Il y voyait une sorte d'équilibre délicat, presque fragile, contrastant avec la beauté, sombre et éclatante à la fois. Une fleur vénéneuse... Il se sentit à nouveau touché jusqu'aux confins de son corps, de son esprit, de sa conscience. Cette fille l'agitait, le désordonnait. Lui plaisait. Infiniment...

Ils refermèrent leur casier et cheminèrent côte à côte en direction de leur salle de classe dans le brouhaha des couloirs.

— Les bals de rentrée, c'est pas trop mon truc non plus ! lâcha soudain Victoria. Je n'aimais déjà pas ça avant, mais aujourd'hui c'est encore pire.

Tugdual ne s'attendait pas à ce qu'elle revienne sur le sujet, même s'il était plutôt difficile de l'oublier, étant donné les messages ininterrompus déversés par les haut-parleurs.

— Je crois que je n'ai jamais su m'amuser, ajouta-t-elle.

— Je suis sûr que si ! À ta façon...

Il lui jeta un regard en coin. Elle semblait si amère.

— Il faut croire qu'on n'est pas normal si on n'aime pas spécialement s'habiller hyper-sexy, se soûler jusqu'à tomber dans le coma, fumer tout et n'importe quoi, coucher avec n'importe qui...

— Hé ! Tu nous fais quoi, là ? la coupa Tugdual.

Il lui prit le bras et l'arrêta en plein milieu du couloir. Il s'aperçut qu'il avait fait erreur : elle n'était pas amère, mais en colère.

— Tu as vraiment envie d'être comme ça ? lui demanda-t-il avec un calme qu'il espérait communicatif.

— Je détesterais être comme ça !

— Alors ? C'est quoi le problème ?

— Le problème ? C'est que je suis *a-tro-ce-ment* différente !

— On l'est tous, non ? Même ceux qui suivent le troupeau comme des moutons ont un petit truc qui les démarque des autres... On n'est pas les clones les uns des autres !

— Je sais bien ! gémit Victoria. C'est tellement prétentieux de croire qu'on n'est pas comme tout le monde. Mais certains jours, ce que je suis pèse des tonnes, ça me bouffe la tête, ça pourrit ma vie. Je voudrais tout vider et tout reprendre à zéro.

Tugdual ferma les yeux.

Je pourrais dire exactement la même chose...

— Il y a des moments où on a l'impression de subir ce qu'on est, fit-il. On peut alors rester la victime de soi-même jusqu'à la fin de ses jours... et on peut aussi essayer d'accepter et d'en faire une force.

— Tu veux dire que lutter contre soi-même ne sert à rien ?

— Je ne sais pas, avoua Tugdual. Je crois que c'est vain : on ne peut pas devenir complètement différent de ce qu'on est.

L'air tourmenté de Victoria le peina. Il tendit la main vers sa chevelure et en effleura les boucles douces. Elle n'en sut rien, et il se fit l'effet d'un psychopathe caressant la photo d'une jeune fille innocente. Vite, il retira sa main.

— Il me semble qu'il faut seulement chercher à être meilleur, dit-il, le timbre voilé.

Victoria réfléchit un instant.

— Et être meilleur, est-ce que parfois ce n'est pas lutter contre ce qu'on est ?

La question ébranla Tugdual. Il se sentait mis à nu, comme si Victoria découvrait de minuscules parts de lui – les plus essentielles – pour les disséquer et les observer au microscope. Et pourtant, il n'en éprouvait ni inquiétude ni malaise. Le devrait-il ? D'ordinaire, il était soit hermétique, soit fuyant. À part Abakoum, celui qui l'avait toujours compris, et Oksa, celle qu'il avait aimée sans réserve, jamais il n'avait laissé quiconque s'approcher au plus près de ce qu'il était. Il n'oubliait pas Zoé, non, bien sûr. Mais Zoé, c'était... Zoé. Son alter ego, sa sœur de sang, de cœur, d'infortune.

Être meilleur, est-ce que parfois ce n'est pas lutter contre ce qu'on est ?

Victoria soulevait un incroyable dilemme.

— Moi, je crois qu'être soi-même est une lutte permanente, poursuivit-elle, face au silence songeur du jeune homme.

— Tu n'es pourtant pas si mauvaise, répliqua Tugdual dans un souffle rapide.

— Je ne suis pas si bonne, non plus...

La sonnerie annonçant le début du cours retentit, des lycéens les bousculèrent par mégarde, d'autres les regardèrent bizarrement.

— Drôle d'endroit pour avoir une conversation aussi sérieuse...

— Un peu *space*, acquiesça Tugdual.

L'un et l'autre sentaient leur complicité se sceller, la légèreté et la gravité, l'humour et la dérision, la lucidité, les non-dits qui disaient plus que les mots. Même si pour Tugdual, ce qui se passait entre eux allait bien au-delà.

— Tu crois qu'il faudrait combien de temps pour qu'on prenne racine ? fit Victoria, petit sourire en coin.

Tugdual tapa du pied sur les dalles plastifiées du sol.

— Je dirais trois, quatre mille ans.

— Tant que ça ? Alors, on va peut-être bouger, non ?

— On bouge...

Victoria lui emboîta le pas alors qu'il avançait, stupéfait de se rendre compte qu'avec elle, être lui-même n'était pas si difficile.

We want to be beautiful
We want to be good
We want to be the best

We want to be understood
But we don't say everything
We don't show everything

We are...
Just imperfect
Able to do the best
Human
Able to do the worst
Inhuman human

We think we are honest
But we cheat so much
We hide so much

Is it so difficult to be true ?
Is it so dangerous
To be yourself ?

We are...
Just imperfect
Able to do the best
Human
Able to do the worst
Inhuman human

Staying blind is so easy
Staying dupe
Is painless

Our strength, our weakness
Our goodness, our horrors
Balance is a choice[1]...

---

1. *On veut être beaux / On veut être bons / On veut être meilleurs / On veut être compris / Mais on ne dit pas tout / On ne montre pas tout / Nous sommes... / Juste imparfaits / Capables du meilleur / Humains / Capables du pire / Humains inhumains / On croit tous être honnêtes / Mais on triche tant / On cache tant / Être vrai est-il si difficile ? / Est-il si dangereux / D'être soi-même ? / Nous sommes... / Juste imparfaits / Capables du meilleur / Humains / Capables du pire / Humains inhumains / Rester aveugle est si facile / Rester dupe / Est moins douloureux / Nos forces, nos faiblesses / Notre bonté, nos horreurs / L'équilibre est un choix* (Human, The No-Body).

42.

Le bal de rentrée avait lieu dans le gymnase de St. Mary's. À près de minuit, la fête battait son plein. On pouvait entendre la musique et les cris de joie des lycéens à plusieurs centaines de mètres à la ronde. Ce samedi soir, c'était *la* soirée à ne pas manquer, le moment incontournable pour tous les lycéens de la prestigieuse institution. Et une aubaine pour les petites frappes attirées par les signes extérieurs de richesse. Nul doute, les TriStar allaient profiter de cette occasion pour sortir de leur tanière et frapper à nouveau.

Dans la voiture d'Abakoum, les trois Cobb profitaient d'une vue imprenable sur le parking. Il n'y avait pas âme qui vive, seulement des voitures, dont beaucoup devaient valoir une petite fortune.

— Ils ont l'air de s'éclater, là-dedans... marmonna Mortimer, les yeux braqués sur les fenêtres du gymnase à travers lesquelles jaillissaient des lumières colorées et tournoyantes.

— Tu regrettes ? fit Zoé.

Mais qu'est-ce qu'ils ont tous à vouloir aller à ce fichu bal ? se demanda Tugdual.

— Regretter ? s'exclama Mortimer. Tu te fous de moi, là ? Tu m'imagines à un bal ?

Il avait prononcé ce dernier mot d'un air dégoûté, de la même façon qu'il aurait dit furoncle, pus ou endive – il détestait ça !

— C'est tellement plus marrant de faire la planque sur un parking désert...

Ils attendirent, immobiles, protégés par l'habitacle aux vitres teintées. Les échos de la musique au loin leur parvenaient, étouffés, et le crissement de la combinaison en Néoprène de Zoé sur les sièges en cuir rompait de temps à autre le silence. Seule distraction : les fêtards qui sortaient pour fumer ou flirter aux abords du gymnase, près des sources lumineuses, guirlandes et lampions accrochés sur la façade de la bâtisse.

Au bout d'une heure qui avait déjà mis à l'épreuve la patience des trois Cobb, les phares d'une voiture transpercèrent la nuit profonde.

— On se réveille, les frangins.

— On ne dormait pas.

— Je sais.

La voiture s'arrêta à une vingtaine de mètres et une portière s'ouvrit, laissant apercevoir trois silhouettes à l'intérieur. À la lueur du faible éclairage du plafonnier, deux des occupants du véhicule en sortirent, casquette vissée sur la tête, et se faufilèrent parmi les véhicules.

— Bonne pioche... murmura Zoé.

Les battements de son cœur s'étaient sensiblement accélérés, rendant son souffle plus heurté. Elle se rendit compte qu'elle tremblait. Et elle savait que ce n'était pas de peur.

— Bien vu, sœurette.

— C'était évident...

— Il n'empêche que c'est bien vu, insista Tugdual.

Un des TriStar disparut soudain entre les rangées. Quelques secondes plus tard, une alarme se mit en route, aussitôt coupée. Des phares clignotèrent et une belle petite décapotable quitta son emplacement.

— Hé ! Qu'est-ce que vous faites ? Arrêtez !

Les trois Cobb frémirent en voyant émerger d'un pick-up une fille et un garçon. La fille réajusta sa robe tout en hurlant :

— Chris, appelle la police ! Ils sont en train de voler des voitures !

— Non, tu crois ? marmonna ironiquement Mortimer.

L'un des TriStar, en plein travail sur une deuxième voiture, se redressa et fonça sur eux pendant que ses comparses commençaient à pousser les gaz, prêts à décamper.

— Chriiiis ! cria la fille.

— Elle ferait mieux de la fermer, pesta Zoé. Tout ce qu'elle va réussir à faire, c'est de se prendre un mauvais coup.

Pour preuve, le TriStar brandit ce qui ressemblait à un pistolet, ou une clé anglaise, une matraque, un couteau... On ne voyait pas très bien dans cette obscurité. Par contre, chacun put distinguer le bras levé de la racaille s'abattant sur la fille qui s'effondra aussitôt dans un cri sourd. Le garçon à ses côtés tenta de se jeter sur lui pour le maîtriser et reçut à son tour un violent coup en travers du visage. Il chercha à répliquer, tant bien que mal.

— Il faut qu'on intervienne ! lança Mortimer.

— Non, fit Tugdual. On n'est pas là pour ça.

Il saisit clairement la réprobation dans le soupir de son frère.

— Mais ne crois surtout pas que je n'en meurs pas d'envie ! ajouta-t-il.

Aussi dépités les uns que les autres, ils regardèrent le TriStar assener plusieurs coups au garçon. Une fois qu'il eut estimé que c'était suffisant, ce dernier reprit le forçage du véhicule qu'il convoitait. Quelques secondes plus tard, il rejoignait ses deux complices au volant d'une jolie petite voiture de sport.

Tugdual mit le contact et démarra en douceur, tout en gardant les phares éteints.

— On vous escorte, les mecs... fit-il.

Le repaire des TriStar – leur caverne d'Ali Baba – se trouvait à quelques kilomètres à l'ouest de Serendipity. Rien ne le différenciait des dizaines d'entrepôts de cette zone industrielle lugubre : même forme cubique, mêmes parements de métal grisâtre, même impression de laideur. Le cortège des trois voitures ralentit jusqu'à s'arrêter devant l'un des cubes dont la porte s'ouvrit lentement, téléguidée à distance. Non loin, Tugdual gara la voiture d'Abakoum sur l'accotement et coupa le moteur.

— On est arrivés à la maison, les racailles ?

L'entrepôt engloutit les trois véhicules, la porte se referma et la nuit reprit son morne cours.

— Bonnet ? fit Tugdual.

— Bonnet, confirmèrent sentencieusement Zoé et Mortimer.

— Lunettes ?

— Lunettes.

— Prêts ?

— Prêts.

Souples et silencieux, ils se glissèrent tels des félins hors de la voiture. Avant de refermer la portière, Tugdual se saisit d'un sac de sport qu'il plaça en bandoulière autour de son buste. Goodwill avait été une excellente entrée en matière. Mais il était seul et, en dépit de la violence dont il avait été capable envers sa femme et sa fille, il n'avait pas représenté un réel danger lors de la « mission blanchisserie ». Cette fois-ci, ils seraient trois contre trois et l'un des caïds avait levé la main sur Zoé. Ce qui méritait une punition *spéciale*...

*

Tugdual, Mortimer et Zoé étaient unanimes : une intrusion par le toit promettait non seulement d'être très spectaculaire, mais surtout de clouer les TriStar sur place et de leur faire comprendre d'emblée à qui ils avaient affaire.

— Oui, enfin... pas sûr qu'ils captent vraiment ce qui est en train de leur tomber dessus... murmura Mortimer, très emballé par cette perspective.

— On y va ? s'impatienta Zoé.

Ils se plaquèrent contre les murs métalliques et grimpèrent jusqu'au toit-terrasse avec l'agilité de varappeurs surdoués – ou de grosses araignées...

— Attendez, je jette juste un coup d'œil, fit Tugdual.

Il s'allongea et enfonça le visage dans le revêtement humide du toit, offrant la vision plus qu'étrange de son corps en partie incorporé à la bâtisse. Il réapparut très vite, en entier et satisfait.

— Ils sont en train de fêter leur dernière pêche à grands coups de tequila.

— Je parie qu'ils se prennent pour les rois du monde, commenta Zoé.

— Quasiment.

La jeune fille souffla rageusement.

— C'est marrant comme la confiance excessive en soi peut se transformer en point faible, parfois.

Mortimer fronça les sourcils derrière ses lunettes noires.

— Marrant ? Je te rappelle que c'est ce qui a causé la perte de notre père – ton grand-oncle... lâcha-t-il entre ses dents.

— Je n'ai pas oublié. Il ne faut jamais l'oublier.

— Ça ne risque pas...

Tugdual souleva ses lunettes et les dévisagea, l'un et l'autre, sans un mot.

— Kaiiisuuus ? fit Mortimer.

Son frère opina.

— Quand vous voulez, les frangins ! conclut Zoé.

43.

Tugdual, Zoé et Mortimer traversèrent le revêtement du toit et restèrent suspendus au plafond, à l'intérieur de l'entrepôt. Plus bas, les TriStar buvaient à la bouteille, l'un dans la décapotable volée, les jambes allongées par-dessus la portière, les deux autres vautrés dans un canapé défoncé et crasseux. Autour d'eux, on comptait sept voitures, toutes très luxueuses, et des caisses débordant de portables, sacs à main, montres, chaussures et vêtements de marque.

Un des TriStar se leva et, d'une démarche imprécise, se dirigea vers un coffre-fort dont il extirpa des liasses de billets.

— Hé ! les mecs, c'est qui les pures stars ?

Il retira les bandes plastique autour des liasses et lança les billets en l'air.

— C'eeest nooouuus !

Plus loin, un ordinateur diffusait en boucle la vidéo du vol et de l'agression qui avaient eu lieu un peu plus tôt. Leurs auteurs n'avaient pas perdu de temps pour la mettre en ligne. À croire que cela représentait une priorité. Les cris de la fille résonnaient comme une rengaine répétitive dont les racailles ne semblaient pas pouvoir se lasser. Ce qui n'était pas le cas des trois Cobb, collés au plafond et excédés. Zoé n'y tint plus : un éclair bleuté partit de la paume de sa main et crépita jusqu'à l'appareil qu'il désintégra.

— C'est quoi ce bordel ? s'écria le TriStar debout près du coffre, des billets voletant tout autour de lui.

— Ça doit être un court-circuit... réagit l'un des deux autres avachis.

— Mais on s'en fout, des ordis, on en a des caisses entières ! fit l'autre.

Ils semblaient moins perturbés par cet incident que par leur bouteille de tequila, presque vide.

— Ouais, t'as raison ! rigola leur compère.

Il entreprit de s'allonger sur les billets qui formaient un tapis vert sur le béton. Bras et jambes écartés, il poussa un long cri de jubilation. Puis un autre, plutôt ahuri.

— C'est quoi ce bordel ? bafouilla-t-il, les yeux rivés au plafond.

— Tu te répètes, mec...

— Y a des gens...

Il n'eut pas le temps de terminer sa laborieuse explication : Zoé lui tomba littéralement dessus en moins de temps qu'il ne lui fallait pour prononcer un mot de plus. Dans le même temps, Tugdual et Mortimer fonçaient sur les deux autres et les neutralisaient par une bonne décharge électrique.

Lorsqu'ils revinrent à eux, les TriStar mirent quelques secondes à comprendre exactement dans quelle situation ils se trouvaient. Ils voyaient trois personnes devant eux, à l'envers, trois dingues habillés en noir, bonnet et lunettes inclus. Malgré les nausées et la migraine qui brouillaient leurs sens, ils finirent par saisir : on les avait suspendus ! À l'horizontale, au-dessus d'une trentaine de couteaux dont les lames se dressaient vers eux !

— C'est quoi ce bordel ? s'agita l'un d'eux.

— Il va falloir penser à varier un peu ton vocabulaire, soupira Mortimer. Ça devient lassant.

Les trois Cobb s'assirent en tailleur devant eux. Solidement ficelés sous de grandes tables, visage face au sol, les TriStar complètement désorientés durent se tordre le cou pour pouvoir les regarder. L'un d'eux voulut cracher sur Tugdual, mais il ne réussit qu'à faire couler un filet de bave par terre.

— Bon, voilà la situation… *votre* situation… commença Tugdual.

— Elle n'est pas brillante, précisa Zoé.

— Ta gueule, la pouffe ! brailla l'un des TriStar.

Tugdual lui envoya un de ces fameux petits éclairs bleus au niveau du buste. L'autre hurla, plus de terreur que de douleur – enfin… c'est ce que Tugdual supposait.

— Elle, c'est une princesse, murmura-t-il en s'approchant au plus près du visage grimaçant du caïd. Tu lui parles encore une fois comme tu viens de le faire et je te grille les trois neurones qui tournent en rond dans ton crâne d'abruti.

— Vous êtes qui, d'abord ?

— Nous, on n'est personne. Et vous, vous êtes les TriStar, d'infectes petites merdes.

Le ton de Tugdual, posé et monocorde, surprit même son frère et sa sœur. Les TriStar gigotèrent si fort qu'ils parvinrent à déplacer de quelques centimètres les tables auxquelles ils étaient attachés.

— Vous ne devriez pas faire ça, enchaîna Zoé, en phase avec Tugdual. Vos liens sont solides, mais s'ils venaient à lâcher, vous vous écraseriez comme des bouses sur tous ces jolis couteaux pointés sur vous.

Elle passa nonchalamment le doigt sur les pointes émergeant de l'installation, sorte de tapis diabolique sorti tout droit de l'imagination vengeresse de la jeune fille.

— Ouïe… fit-elle avec un sourire inquiétant.

— Il fait quoi, l'autre ! demanda un des voyous, fou de rage.

Zoé lui colla une gifle magistrale. Portable à la main, Mortimer était en train de filmer les yeux du caïd qui roulaient dans leurs orbites. Il en profita pour prendre un gros plan sur la peau où s'imprimait déjà la trace laissée par les doigts de Zoé.

— On ne t'a jamais appris qu'il ne fallait pas dire « l'autre » quand on parle de quelqu'un ? dit-elle froidement. Ça ne se fait pas.

— Vous êtes de grands malades...

Mortimer secoua la tête.

— On est bien atteints, oui.

— Je crois même qu'on est pires que ça... ajouta Zoé.

Mortimer se leva et recula de quelques pas.

— Allez, montrez-moi vos sales tronches !

Les trois petites frappes enfoncèrent la tête dans leurs épaules et s'agitèrent, faisant leur possible pour qu'on ne voie pas leur visage. Une attitude qui ne risquait pas de leur attirer les bonnes grâces de Zoé. Elle délogea un des couteaux de son installation pour en caresser la pointe sur les joues des TriStar.

— On obéit et on montre sa sale gueule ! murmura-t-elle.

Face à celui qui avait jeté si violemment les baskets de Conor sur elle, elle ne résista pas à l'envie d'enfoncer davantage la pointe du couteau. Le caïd se figea et commença à transpirer. Quelques gouttes de sang tombèrent sur les lames, juste sous lui.

— Tu ne vas pas me faire croire que tu n'aimes pas les couteaux, poursuivit-elle. Il y a des tas de vidéos qui prouvent le contraire.

En la voyant presser la lame plus fort, Tugdual amorça le geste de vouloir l'arrêter. Mais il s'arrêta, hésitant. Les gémissements de la petite frappe ne l'émouvaient pas le moins du monde. Par contre, l'attitude de Zoé le troublait. Il ne voyait pas son regard, mais il ne doutait pas qu'il soit froid, déterminé et... cruel. Il le sentait et les menues palpitations qu'il apercevait sur ses tempes et sa gorge le lui confirmaient. La jeune fille, quant à elle, avait l'impression qu'un monde s'ouvrait en elle. Un monde présent depuis toujours et dont l'existence lui était enfin révélée. Abasourdie, elle en oubliait presque de respirer.

— Vous voulez quoi ? balbutia le caïd d'une voix tremblante.

Elle le regarda comme si elle le découvrait pour la première fois. Les yeux grands ouverts, débordant d'une panique sans nom, il la fixait comme si elle était un monstre prêt à le dévorer, ou plutôt à le tailler en pièces, au sens le plus littéral. Elle fut étonnée d'être regardée ainsi, de lire autant de terreur dans son expression. Mais ce n'était rien à côté du plaisir qu'elle ressentait, qui l'enivrait, l'affolait, la transcendait. Elle avait envie de faire du mal, à cet abruti devant elle, à tous les abrutis du monde, n'importe lesquels, quoi qu'ils aient fait. Envie ou besoin ? Est-ce que cela faisait une différence ?

La conséquence fut à la hauteur de cette découverte : elle enfonça le couteau dans la joue du caïd et tourna, lentement. La peau était si molle à cet endroit, et la sensation si renversante… Elle eut le pressentiment qu'elle pouvait aller très loin, transpercer ce visage grimaçant, faire en sorte que ce garçon n'existe plus. Au lieu de cela, elle retira prestement le couteau et coupa un des liens qui retenaient le TriStar à la table. Les lois de la gravité furent implacables : le corps du caïd, désormais retenu du bassin jusqu'aux pieds, s'affaissa. Il poussa un cri perçant, avant de lâcher une bordée de jurons, lorsque son buste s'arrêta à quelques centimètres seulement des lames les plus longues.

— Arrête, murmura Tugdual en posant une main ferme sur l'avant-bras de Zoé. Je crois qu'il a compris.

Zoé tourna vivement la tête. Il y avait quelque chose d'inquiet dans le ton de son frère, une inflexion nerveuse et inhabituelle. Même Mortimer semblait troublé. Ses frères avaient-ils décelé la puissance obscure qui la guidait ? Ou bien ne voyaient-ils qu'un désir de vengeance un peu féroce, mais pourtant si légitime ? Les deux garçons se regardèrent dans une sorte de brève consultation et opinèrent. Il était temps de reprendre le cours de leur mission.

— Ho, ho ! je crois bien qu'il s'est pissé dessus ! fit Mortimer en se penchant vers le TriStar à la joue sanguinolente.

L'expression de Zoé resta insondable.

Œil pour œil... se dit-elle avec une pensée pour Conor et l'humiliation qu'il avait dû ressentir. Voudrait-il lui parler à nouveau ? Ses côtes cassées étaient-elles la seule raison de son absence au lycée ? Peut-être qu'il n'osait plus reparaître. La honte pouvait être plus forte que tout.

Si je l'ai perdu à cause de ces petites merdes, je les tue...

Venait-elle vraiment de penser cela ? Elle se sentit soudain très lasse, comme si elle avait vieilli de cent ans.

— Bon, les mecs, ce n'est pas qu'on s'ennuie avec vous, mais il va falloir qu'on pense à rentrer, poursuivit Mortimer.

— Vous n'allez pas nous laisser là comme ça ? s'énerva un des trois en essayant une fois de plus de se défaire de son entrave.

— Ben si...

Les TriStar se mirent à brailler toutes les insultes qu'ils connaissaient, avec en prime la promesse d'une mort lente et douloureuse pour chacun des trois Cobb – surtout pour la fille, cette garce psychopathe.

— Comment on va vous massacrer !...

Quand Zoé sauta sur les tables et se mit à taper du pied sur leur plateau de toutes ses forces, ils durent ravaler leurs menaces. Les trois corps ballottaient dangereusement au-dessus des lames. Ils paraissaient plus près que jamais, notamment celui du garçon ensanglanté dont le buste et le visage frôlaient les pointes à chaque secousse.

— Si vous m'aviez laissé finir ma phrase, j'aurais pu vous préciser qu'on allait revenir ! fit Mortimer.

Les TriStar lui lancèrent un regard meurtrier.

— Quand ?

— Bientôt.

Ils rugirent comme des bêtes piégées.

— Ça veut dire quoi « bientôt » ?

— Ça veut dire ce que ça veut dire, répondit placidement Mortimer.

Il se pencha sous la table pour les dévisager avec un large sourire.

— On va finir par croire que vous êtes impatients de nous revoir ! fit-il d'un air amusé. Mais ne vous faites pas de films : on ne deviendra jamais potes, oh non !

— En attendant, on va vous installer confortablement, intervint Tugdual.

Il se saisit d'un gros rouleau de scotch et, avec l'aide de son frère, il entreprit de renforcer les liens du caïd que Zoé avait partiellement « libéré ». Ils lestèrent les tables avec les lourdes caisses de matériel volé pour éviter qu'elles ne soient déplacées. L'une d'elles regorgeait de smartphones, tablettes et, derniers trophées, deux appareils photo. Tugdual fit signe à Zoé. Elle s'approcha, en prit un qu'elle mit en marche et éprouva une violente envie de pleurer en voyant la photo qui s'affichait sur le petit écran numérique, celle que Conor avait présentée à l'atelier. Elle avait l'air si douce sur ce cliché, si inoffensive. La voyait-il ainsi ? Que dirait-il s'il était là, face à elle, vêtue de son étrange combinaison de justicière masquée, les mains couvertes de sang, l'âme noire comme de l'encre, le cœur abîmé, si abîmé ?

— On les prend ? murmura Tugdual à son oreille.

— Quoi ?

— Les appareils... On les prend ?

— Euh... oui...

Tugdual les enfourna dans son sac sans la quitter des yeux. Du bout des lèvres, il lui demanda si elle allait bien. Elle acquiesça d'un hochement de tête. À l'autre bout de la table, Mortimer les regardait tout en consolidant les liens des caïds. Malgré ses lunettes noires, il semblait tracassé. Tugdual leva la main pour le rassurer.

— Voilà, ça devrait tenir ! conclut Mortimer, les mains sur les hanches.

Pendant ce temps, Zoé fixait devant la bouche de chaque TriStar un tube relié à un jerrican.

— C'est quoi, ça ? fit un des voyous, toujours aussi hargneux.

Elle répondit calmement en continuant à attacher les tubes :

— Il va falloir vous passer de manger pendant un petit moment. Mais, bonne nouvelle ! Vous pourrez boire autant que vous voulez : il y a dix litres d'eau potable à votre disposition ! Ce serait dommage que vous creviez avant...

— Avant quoi ? risqua une des racailles.

— Avant votre pur moment de gloire !

Elle les regarda comme si l'étonnement qu'ils étaient supposés ressentir l'étonnait elle-même.

— Les stars, c'est vous, non ?

44.

Les cloches des églises de Serendipity sonnaient les unes après les autres, appelant les fidèles à la messe dominicale. Depuis l'escalier où elle était assise, Zoé regardait sans les voir les rais de lumière qui zébraient le hall d'entrée comme des lasers dans une chambre forte.

Le pétale d'une rose se détacha du bouquet que Barbara avait déposé dans une énorme potiche et tomba sur le sol dallé. Ce minuscule mouvement poussa Zoé à se lever. Elle ramassa le pétale ; son toucher avait la douceur étrange de la peau. Elle le porta à son visage et le passa avec délicatesse sur sa joue. Les larmes lui montèrent aux yeux, elle les refoula en abaissant fortement ses paupières pendant qu'entre ses doigts le pétale ne devenait qu'un triste lambeau.

L'écho du déjeuner de ses frères lui parvint de la cuisine. Elle traversa le hall : ils n'avaient pas à supporter son humeur taciturne. D'ailleurs, depuis qu'ils étaient revenus de l'entrepôt des TriStar, à peine avaient-ils échangé vingt mots. *« Ça va, P'tite Madone ?... Tu es sûre ?... On est là, si tu as besoin de parler... »* Non, ça n'allait pas fort. Oui, elle en était sûre. Oui, elle avait besoin de parler. Non, elle n'y arrivait pas. C'est ce qu'elle leur aurait répondu si elle en avait eu la force.

— Déjà levée ?

La jeune fille sursauta : absorbée par ses pensées, elle n'avait même pas vu Abakoum surgir du salon.

— Il est plus de dix heures... objecta-t-elle avec gentillesse.

— Mais c'est dimanche... et tu n'as pas beaucoup dormi cette nuit.

Abakoum la contempla, avec l'immense tendresse mêlée de tristesse qu'il éprouvait à son égard depuis le premier jour de leur rencontre. Zoé savait que chaque fois que ses yeux se posaient sur elle, c'est un peu de son amour perdu qu'il voyait. Le vieil homme n'avait aimé qu'une seule femme : Réminiscens, la grand-mère de Zoé. Pour le plus grand malheur de tous, elle en aimait un autre, le meilleur ami d'Abakoum. Et puis, tout s'était brisé quand elle avait été dépossédée de toute capacité à aimer d'amour – comme Zoé, bien des années plus tard. Mais toute sa vie, dans une sorte de nostalgie impérissable, Abakoum était resté fidèle à celle qu'il n'avait jamais cessé d'aimer.

— Tu projetais de faire quelque chose de particulier dans l'heure qui vient ? lui demanda-t-il.

— J'allais travailler quelques photos dans la serre...

Les yeux d'Abakoum glissèrent vers l'appareil photo que la jeune fille tenait. Elle soutint son regard incisif en se demandant s'il avait compris qu'elle avait récupéré ce qui lui appartenait. D'ailleurs, la question se posait-elle vraiment ? Bien sûr qu'il avait compris...

— Viendrais-tu nager avec moi ? fit-il.

Elle acquiesça aussitôt, non pas parce qu'elle était surprise, mais parce que sa bienveillance muette la touchait.

— Piscine ou mer ?

— Mer, répondit-elle.

Un instant plus tard, ils traversaient tous deux la promenade et descendaient sur la plage, plutôt déserte en ce dimanche matin : de rares personnes âgées, quelques surfeurs, et toute l'étendue de sable, de mer, de ciel à perte de vue. Où que l'on regarde, rien ne semblait devoir connaître de fin.

Ils retirèrent leurs vêtements et entrèrent dans l'eau, étonnamment chaude. Très vite, l'envie leur prit de lâcher prise, de s'autoriser à être eux-mêmes sans craindre de se mettre en danger. Alors, ils s'enfoncèrent sous l'eau et nagèrent vers le large, à une vitesse défiant toute vraisemblance. De temps à autre, ils refaisaient surface, remplissaient leurs poumons d'oxygène et disparaissaient à nouveau, tels de gros poissons nageant côte à côte. Quand ils furent loin et que la côte ne ressembla plus qu'à un fin liseré séparant la mer de l'horizon, ils s'arrêtèrent et firent la planche, les yeux perdus dans les nuages qui commençaient à se former au-dessus d'eux. À un moment, Zoé tourna la tête pour observer Abakoum, son expression grave et paisible à la fois, son corps vieillissant, un peu fripé. Elle savait qu'il l'avait emmenée là pour lui donner l'occasion de parler en toute intimité, même si l'endroit s'avérait étrange. Mais qu'est-ce qui ne l'était pas, dans toute cette histoire – *leur* histoire ? Elle était là, flottant sur l'eau qui clapotait mollement, pendant que trois pourritures crevaient d'angoisse, ligotées dans un entrepôt, pas très loin d'ici. Elle savait aussi que les mots n'étaient pas toujours nécessaires pour se comprendre. Certains silences, certains regards pouvaient être plus forts, plus justes.

Pendant qu'ils filaient sous l'eau, le ciel s'était couvert. De grosses gouttes de pluie s'écrasèrent bientôt sur leur front. D'autres ne tardèrent pas à tomber en formant des petits cratères éphémères à la surface de l'eau.

— On va être tout mouillés, fit remarquer Zoé avec un petit rire.

Bien qu'elle ne puisse voir que son profil, elle attrapa au vol le sourire d'Abakoum avant qu'il ne l'invite à rejoindre la plage. Ils se rhabillèrent en silence sous l'averse et regagnèrent la maison. Une fois au sec, il la regarda bien en face.

— Ne t'inquiète pas, murmura Zoé.

— En es-tu bien sûre, ma chère petite ?

— On gère...

— Je ne pensais pas à vos activités nocturnes, la coupa-t-il gentiment.

Du bout du doigt, il tapota le crâne de la jeune fille.

— Je pensais à ce qui se passe là.

Elle faillit tout lui dire, sa stupéfaction et sa profonde délectation quand elle avait senti l'envie, puis le plaisir de faire du mal, bien supérieur à celui que la simple vengeance lui dictait. Sans l'intervention de Tugdual, elle serait allée plus loin, elle n'en doutait pas un seul instant. Et Abakoum semblait le savoir, lui aussi.

— Ne t'inquiète pas, répéta-t-elle.

— Je ne te ferai pas de sermon sur les bienfaits de la communication et du dialogue...

— Non, les sermons, c'est pas le genre de la maison.

— Soit, admit le patriarche. Par contre, j'espère que la confiance n'est pas devenue une valeur négligeable pour toi.

Zoé baissa les yeux. Décevait-elle ceux qu'elle aimait ? Les trahissait-elle ? Cette perspective la dévastait. Sans eux, elle ne serait plus rien. La gorge serrée, elle se jeta dans les bras d'Abakoum. S'il se sentit désemparé, le vieil homme n'en montra rien et serra la jeune fille contre lui.

— Il y a beaucoup de choses que tu ne pourras jamais changer, lui souffla-t-il à l'oreille. Mais si tu donnes le meilleur de ce que tu as en toi et que tu t'efforces d'être juste, tu resteras quelqu'un de bon.

— Je... je ne suis pas... sûre...

Je ne suis pas sûre d'y arriver. Je ne suis pas sûre d'avoir la capacité de bonté que tu crois.

— Appuie-toi sur nous quand tu doutes, poursuivit Abakoum. Savoir reconnaître qu'on a besoin des siens n'est pas une faiblesse, c'est une force.

Il semblait avoir cessé de respirer.

— Tu le sais, n'est-ce pas ?

Zoé hocha la tête. Oui, elle le savait, d'autant mieux qu'elle ne devait sa vie qu'à cette solidarité de sang et de cœur.

— Merci, Abakoum.

— Je t'en prie, ma chère petite. N'oublie jamais que je serai toujours là pour toi.

— Je sais...

Abakoum la regarda monter l'escalier, visage d'ange, ange de mort...

— Zoé ?

Elle se retourna, l'air un peu absent.

— Je pose les clés de la voiture sur le guéridon de l'entrée, dit-il. Ça vous évitera de les chercher ce soir.

Zoé ne put s'empêcher de pousser un petit cri de protestation, ce qui sembla beaucoup amuser son grand-père. Puis elle enchaîna vivement sur le même registre :

— Tu seras des nôtres ?

Abakoum leva un sourcil.

— Qui peut vraiment savoir ?

45.

À l'avant de la voiture qui filait vers les faubourgs de Serendipity, Tugdual et Mortimer discutaient musique. Zoé les écoutait depuis la banquette arrière, ou plutôt elle les entendait car sa perception n'allait pas au-delà de ce que ses sens pouvaient capter. Et l'heure tardive, ou très matinale selon le point de vue, n'y était pour rien. Alors qu'ils étaient arrêtés à un feu rouge, elle croisa le regard de Tugdual dans le rétroviseur. Son air préoccupé la ramena sur terre.

— Tout va bien ? lui demanda son frère. On ne t'a pas beaucoup vue aujourd'hui... Enfin, hier...

— Je me suis entraînée.

Mortimer se retourna et, un coude sur le dossier du siège, profita de cette ouverture bienvenue – la morosité de sa sœur ne lui avait pas échappé. Mais les filles étaient parfois si... spéciales.

— Ah oui ? Tu t'es entraînée à quoi ? s'enquit-il.

— J'ai fait des expériences photographiques...

— Du genre ?

— Je voudrais arriver à exprimer ce que je ressens à travers une photo.

— Tu crois que c'est possible ? s'étonna Mortimer.

— Oui ! Une photo peut transmettre de l'émotion !

— Mais tu crois qu'elle transmet l'émotion exacte du photographe au moment où il appuie sur le déclencheur ?

Tu ne crois pas que c'est un peu comme l'art contemporain : sans notice, tu ne peux pas tout saisir ?

— C'est ça que je n'arrive pas encore à déterminer, avoua Zoé.

— Tu nous montreras ? fit Tugdual.

— Sans doute... Quand je serai prête.

Autour de la voiture les habitations devenaient plus rares et l'éclairage public moins intense. Puis les premiers entrepôts de la zone industrielle apparurent enfin, toujours aussi lugubres, spécialement à quatre heures du matin... Tugdual gara la voiture juste devant le repaire des TriStar et consulta du regard son frère et sa sœur.

— Ça va être d'enfer ! fit Mortimer.

— Surtout pour eux ! précisa Zoé.

Elle sortit de la voiture et tira sur les manches de sa combinaison en Néoprène avant d'ajuster ses immenses lunettes et son bonnet.

— J'adore ta tenue, lui chuchota Tugdual avec un petit sourire. T'as l'air d'une star intergalactique.

Faisant résolument le choix de s'en amuser, Zoé lui donna un coup de coude.

— Tu crois que je pourrais lancer ma propre ligne ? Il ne doit pas y avoir grand monde sur le marché de la mode à proposer des looks aussi...

Elle chercha le mot le plus précis possible.

— Furtifs ? proposa Tugdual.

— Exactement !

Elle enfouit les dernières mèches de cheveux sous son bonnet.

— Je garde l'idée en réserve, on ne sais jamais... Mais en attendant, on a du boulot ! lança-t-elle, les yeux sur la porte de l'entrepôt.

— Vous croyez qu'on pourrait faire un peu flipper nos caïds préférés ? demanda Mortimer.

Tugdual et Zoé se regardèrent, tous deux tentés par cette suggestion.

— À quoi tu penses ?

— À ça !

Le jeune homme s'approcha de la porte métallique et se mit à la frapper de toutes ses forces. Les échos d'une soudaine agitation – ou bien d'un véritable espoir – résonnèrent alors depuis l'intérieur du bâtiment.

— Au secours !

— On est prisonniers, aidez-nous !

— S'il vous plaît, on est en train de crever !

Les mains sur les hanches, Zoé eut du mal à cacher sa satisfaction.

— Ils vont être drôlement déçus...

— Tu m'étonnes ! fit Mortimer. Et maintenant, qu'est-ce que vous diriez d'une petite entrée du style « passe-muraille » ?

— D'accord pour moi ! acquiesça Tugdual.

Il se tourna vers sa sœur.

— Tu en dis quoi ?

— J'en dis qu'ils vont bien baliser...

Elle ouvrit la marche avec une évidente détermination et traversa la porte de métal comme si c'était une simple barrière d'eau. Ses deux frères l'imitèrent, pressés d'agir.

— Salut, lança Mortimer d'un ton morne en parfait décalage avec la situation.

Si l'espace d'un instant l'espoir avait pu effleurer les TriStar, il s'évanouit bien vite au profit d'une terreur sans nom. Les yeux écarquillés et rougis, ils regardèrent leurs trois geôliers émerger de l'acier et sentirent leur corps se liquéfier.

— On vous avait dit qu'on reviendrait bientôt, leur rappela Tugdual.

— Alors, nous voilà ! ajouta Zoé.

Les trois Cobb s'avancèrent vers le centre de l'entrepôt.

— Oh, les mecs, ça pue là-dedans ! poursuivit Mortimer en grimaçant. Qu'est-ce que vous avez foutu ?

Zoé s'approcha des tables où les caïds, toujours solidement maintenus, n'avaient pu s'empêcher de faire leurs besoins sur eux. Ils étaient mal en point, sales, haineux. Elle s'accroupit pour les observer, en se pinçant les narines.

— Les porcs sont comme ça, ils vivent dans leur propre merde, commenta-t-elle.

Celui qu'elle avait blessé à la joue lui jeta un regard meurtrier.

— Toi, le jour où je te retrouve, je te massacre... murmura-t-il en grinçant des dents.

Par pure réaction, Zoé retira un de ses gants. Une boule de feu, pas plus grosse qu'une bille, apparut à l'intérieur de sa paume et fonça droit sur la joue couverte de sang séché. L'impact du feu sur la peau provoqua un grésillement tout aussi écœurant que l'odeur qui s'éleva. Le TriStar se retint de gémir, puis de hurler, mais nul doute, il avait mal. Très, très mal. Et terriblement peur.

— Le jour où tu me retrouves, c'est *moi* qui te massacre... corrigea Zoé en générant une nouvelle boule de feu au creux de sa main. On s'est compris ?

Elle sentit une main sur son épaule qui la tirait en arrière, sans brutalité mais avec suffisamment de fermeté pour qu'elle comprenne le message : le caïd avait son compte de douleur. Et de peur. Elle se releva et remit son gant comme si rien ne s'était passé.

— C'est une infection, intervint Mortimer. On aurait dû leur mettre des couches.

Tugdual tapa un grand coup sur la table, ce qui ne rassura pas les caïds.

— Ça, c'est une super bonne idée ! s'exclama-t-il d'une voix éclatante.

— Et puis quoi encore ? risqua l'un des voyous

Tugdual se pencha pour lui faire face. Son visage n'était qu'à quelques centimètres de celui du caïd. Derrière lui, Zoé et Mortimer retinrent leur souffle, prêts à intervenir.

— À ton avis ?

Le caïd perdit tout ce qu'il lui restait de contenance.

— Vous allez nous tuer ?

— Tu trouves qu'on a l'air de tueurs ? rétorqua Tugdual.

L'autre agita la tête, mais personne ne pouvait véritablement définir s'il voulait répondre oui ou non.

— On a encore deux, trois petites choses à faire et puis on pourra en finir ! avertit Mortimer.

— En finir ?! bredouilla un des caïds.

Mortimer soupira bruyamment.

— Qu'est-ce qu'ils sont impatients... fit-il à l'intention de Zoé et Tugdual.

— En même temps, quand on sait ce qui les attend, on peut comprendre qu'ils aient un peu hâte ! renchérit son frère.

Les caïds renoncèrent à poser d'autres questions. À peine s'agitèrent-ils sous leur table en grommelant des insanités.

— Allez, on bouge ! annonça Tugdual.

*

Quand les trois Cobb arrivèrent au lycée ce lundi matin, des dizaines de lycéens étaient déjà rassemblés sur le parking.

— On va voir ? demanda Zoé d'un air innocent.

— Ben oui ! s'exclama Mortimer.

— Surtout qu'on se demande *vraiment* ce qui se passe... ajouta Tugdual, faussement morne.

La scène avait de quoi surprendre tout le monde, sauf ceux qui l'avaient orchestrée, bien sûr : des dizaines de caisses de matériel high-tech et de vêtements volés étaient posées sur le sol à côté de voitures plutôt clinquantes, garées en cercle. Sur le capot de l'une d'elles, un ordinateur portable diffusait les images de vidéos où l'on voyait des agressions en *live*. De nombreux lycéens les connaissaient déjà et leurs sifflements indignés se mêlèrent bientôt au son des vidéos qui se déversait à tue-tête des lecteurs MP3 de chacune des voitures, cris de filles et de garçons qu'on brutalisait, émaillés du rire grossier et des insultes de leurs agresseurs.

Mais le clou du spectacle se trouvait au centre de ce cercle : les TriStar, désormais aussi célèbres que déchus, étaient exposés sur des chaises, crasseux, hagards. Hormis la serviette nouée entre leurs jambes comme un pagne hindou, ils étaient nus. Finies les tenues au luxe ostentatoire, finies les casquettes griffées. Et fini cet air arrogant et machiste ! La lettre K avait été inscrite sur leur torse, vraisemblablement à la peinture rouge, vu ses épaisses coulures – personne n'osait imaginer qu'il s'agissait de sang.

— Kaiiisuuus... ne put s'empêcher de murmurer Mortimer.

Zoé lui jeta un coup d'œil complice.

— Chuuut.

— Compris, colonelle...

Le lien entre les vidéos et les trois garçons ligotés sur leur chaise devint de plus en plus évident. À partir de là, la jubilation se mit à rivaliser avec un puissant désir de vengeance. Dans la foule grandissante, des cris fusèrent, moqueurs, insultants, revanchards. Très vite, ils ne suffirent plus. Une fille, qui apparaissait durement malmenée sur une des vidéos, se fraya un passage pour cracher à la figure des TriStar, donnant le coup d'envoi d'un afflux de violence de la part de personnes pas forcément concernées. Des pierres commencèrent à voler, des coups de pied et des gifles ne tardèrent pas à s'abattre, l'un des TriStar tomba même en arrière, toujours attaché à sa chaise.

— Ho, ho ! ça va tourner au lynchage... fit une voix familière derrière Mortimer.

Le jeune homme se retourna.

— Salut, Josh ! Oui, ça sent mauvais pour ces trois-là.

— Tu te souviens de ce qu'on disait l'autre jour ?

— Euh... à propos de quoi ?

— À propos des ennuis.

— Ah oui ! Quand on les cherche, on finit toujours par les trouver, c'est ça ?

Josh sourit et, d'un mouvement de la tête, indiqua à son ami le grabuge en train de se dérouler devant eux.

— C'est exactement ça !

Autour d'eux, de plus en plus de lycéens filmaient la scène avec leur téléphone quand des voitures de police firent irruption sur le parking, sirènes hurlantes.

— Ah, voilà la cavalerie !

Les policiers descendirent prestement de leur véhicule et firent reculer tout le monde. Parmi eux, les trois Cobb reconnurent le lieutenant Willis, le premier à s'approcher des TriStar. Les mains sur les hanches, il les dévisagea longuement.

— Arrêtez-moi ces vidéos ! fit-il à l'intention des agents.

Une fois le son coupé, chacun put se rendre compte de l'effet incitateur des images et des cris, comme si le silence engageait au pacifisme, ou pour le moins à la passivité.

— Eh bien, on a fini par vous mettre la main dessus ! s'exclama-t-il alors qu'un de ses hommes relevait le caïd à terre.

— Vous ? grinça l'un des trois. Arrêtez de fantasmer ! Vous arrivez après la bataille, comme d'hab...

Le lieutenant Willis blêmit de rage.

— Il aurait mieux fait de ne pas la ramener, cet abruti... murmura Zoé.

— Tu sais bien que c'est comme ça, les abrutis ! lui fit remarquer Tugdual. Il faut qu'ils la ramènent, c'est plus fort qu'eux.

Mâchoire crispée, le lieutenant pointa le doigt sur le torse sale de celui qui le raillait et l'enfonça sans ménagement entre ses côtes.

— Tu ne devrais pas dire des choses que tu pourrais regretter, assena-t-il suffisamment fort pour qu'un maximum de gens entendent.

D'un mouvement rapide, il releva la tête de son comparse, à moitié inconscient, et l'inclina d'un côté, de l'autre, exposant aux yeux de tous la joue brûlée et ensanglantée avant de lancer à l'autre d'un ton doucereux :

— Mais tu préfères peut-être qu'on fasse comme si on n'avait rien vu et qu'on vous laisse au milieu de ce parking ? Au moins, ceux qui vous ont fait ça pourront finir ce qu'ils ont commencé...

Il lâcha la tête du caïd, qui retomba en avant, et recula d'un pas, les pouces glissés dans la ceinture.

— Personnellement, ça ne me pose aucun problème.

Son regard bleu perçant s'éleva au-dessus de la tête des trois caïds et croisa celui de Zoé qui se tenait quasiment en face, au milieu de la foule des lycéens. Il la dévisagea pendant quelques secondes qui parurent durer bien trop longtemps dans l'esprit de la jeune fille. Bloquée par les gens serrés autour d'elle, elle ne pouvait éviter ni le regard de Willis ni les pensées qui affluaient dans son esprit. Elle était très satisfaite de ce qu'elle et ses frères venaient de faire. Elle était également heureuse de la façon dont ils avaient mené cette nouvelle mission et soulagée que ce soit terminé. Mais quand le lieutenant lui fit un petit sourire, accompagné d'un signe de tête, Zoé se sentit parcourue par un désagréable frisson. Simple relent d'une culpabilité qu'elle n'avait pas vraiment conscience d'éprouver ? Ou bien un des effets de cette ineffable peur d'être démasquée, toujours, encore, éternellement ?

« Ne te place jamais dans la posture de quelqu'un qui a quelque chose à cacher : les autres ne voient que ce que tu décides de leur montrer, rarement plus loin. »

C'était ce que lui disait souvent sa grand-mère. Le secret du secret, grâce auquel elle avait vécu des dizaines d'années sans que quiconque soupçonne la moindre singularité. Zoé ignorait si c'était parfaitement juste, mais elle savait aussi que ce n'était pas tout à fait faux. Alors elle se concentra et renvoya au lieutenant son plus inoffensif regard.

46.

Qu'il s'agisse des No-Body ou des « Kaiiisuuus », l'anonymat présentait de bons et de mauvais côtés. Selon leur personnalité et l'éducation qu'ils avaient reçue, Tugdual, Zoé et Mortimer géraient chacun à sa façon leurs nouvelles activités clandestines, ainsi que leurs propres paradoxes.

En toute bonne foi, le père adoptif et la mère de Tugdual avaient élevé leur fils dans l'ignorance de ses origines. Tous les membres de sa famille, les humains comme ceux dotés de pouvoirs, avaient passé leur vie à préserver le secret, jusqu'à ce que le jeune homme apprenne par inadvertance sa nature surnaturelle. Le choc avait été épouvantable et avait failli mener sa famille à la catastrophe. Inquiétude, méfiance, soupçons, paranoïa… Rien n'avait plus été pareil. Depuis, Tugdual revêtait cette armure de froideur qui donnait de lui l'image d'un être insensible et distant. Il le regrettait parfois, mais pouvait-il faire autrement ? Chaque fois qu'il avait lâché prise, à chaque tentative de rendre l'armure moins imperméable, les ennuis n'avaient jamais tardé. Alors, s'il n'existait pas d'autre moyen pour conserver un tant soit peu le contrôle de lui-même, il garderait cette attitude.

Zoé, elle, n'avait pas eu connaissance de ses pouvoirs dans un contexte plus serein, loin de là. Ses parents venaient de mourir – elle apprendrait plus tard qu'Orthon McGraw en portait l'entière responsabilité, ce qui rendait le drame d'autant plus cruel. Sa grand-mère, jumelle d'Orthon, avait pris le relais, alors que Zoé entrait dans une adolescence tourmentée. Tout s'était enchaîné, déchaîné... et la jeune fille avait encaissé avec courage. Comme Tugdual, elle avait tendance à s'envelopper d'un blindage épais, la grande différence étant que le sien ressemblait davantage à un outil de torture, aux parois intérieures bardées de pointes. Et elle avançait ainsi, introvertie et malheureuse, sans savoir si elle connaîtrait un jour la fin de ses souffrances.

Mortimer, quant à lui, avait été éduqué dans le culte de ses origines et dans la croyance qu'il était un être supérieur et invincible. Il y avait une part de vrai : le garçon et son père étaient issus d'une lignée d'êtres aux immenses pouvoirs. Ils n'étaient pas les seuls, mais le père de Mortimer était l'un des rares dont l'ambition dépassait toute raison et toute prudence. Rien chez cet homme n'était mesuré et, malheureusement, il disposait de tous les moyens pour mener à bien – à mal... – ses projets mégalomaniaques.

Par ailleurs, en dépit de sa sombre folie, personne ne pouvait lui nier un sens aigu de la famille. Obstiné, il avait placé en ses fils des espoirs qu'aucun des deux n'avait voulu réaliser.

Tugdual était entré dans sa vie à plus de quinze ans, bien trop tard pour qu'Orthon puisse lui inculquer des principes radicalement différents de ceux que le jeune homme respectait. Mais Mortimer avait été élevé et façonné par ce monstre d'exigence, obsédé par la performance, méprisant toute faiblesse. Aimé mais complexé, le garçon avait beaucoup souffert de ne pas se sentir à la hauteur des attentes de son père. Même quand il avait l'impression de faire bien, ça ne l'était jamais assez.

Aujourd'hui, il comprenait que la véritable force se trouvait ailleurs et qu'il pouvait exister, faire de belles et bonnes choses, tout en étant imparfait. Paradoxalement, son père représentait le meilleur contre-exemple : ses ambitions l'avaient aveuglé et son insatiable sentiment de supériorité avait fini par causer sa chute, puis sa perte. Pourtant, bien que libéré de ce tyran, Mortimer gardait au fond de lui une certaine amertume : il savait que jusqu'à son dernier souffle son père avait persisté à croire les autres – si médiocres, si faillibles – responsables de sa déchéance. Et le jeune homme aurait tant aimé lui montrer combien il avait tort.

Barbara n'ignorait rien des tourments de son fils, elle aussi avait subi le caractère despotique de son mari. Leur rencontre et les premières années de leur mariage la rendirent heureuse, vraiment heureuse. Elle avait épousé un homme secret, mais brillant et attentionné. Un jour, il lui dit la vérité sur ses origines et sa nature. Elle ne l'en aima que mieux, d'autant plus qu'il lui paraissait tellement reconnaissant d'accepter sa différence. Puis tout avait chaviré, elle ne savait toujours pas ce qui avait déclenché ce basculement vers tant de noirceur. Si... Aujourd'hui, après tant d'années, il lui semblait savoir... Elle pouvait même dire quel jour et à quelle heure cela avait dû se passer : au moment où l'échographie avait révélé qu'elle mettrait au monde un garçon. Elle avait entrevu sa déception : son mari voulait une fille. Elle finit par comprendre bien plus tard, bien trop tard, qu'une fille aurait servi ses ambitions restées secrètes jusqu'alors. La déception le transforma en un homme cassant, profondément et injustement brutal avec elle. Le fait d'être une simple humaine se retourna contre Barbara : son mari se mit à la considérer comme une femme *seulement* humaine, mais si chanceuse d'avoir à ses côtés un homme tel que lui...

Elle aurait pu fuir avec Mortimer, l'emporter loin de la fureur dans laquelle ils risquaient de se voir entraîner. Maintes fois, elle envisagea de le quitter. Mais elle l'aimait, malgré tout. Alors, pendant des années elle endura sa condescendance, sa dureté.

Mortimer n'en voulait pas à sa mère : il était bien placé pour comprendre qu'on ne quittait pas si facilement un homme comme Orthon, les conséquences pouvant être encore plus graves que la menace qu'il représentait. Pourtant, au cœur de la tourmente, elle avait réussi à trouver la force de s'affranchir de cette emprise malsaine. Orthon l'avait laissée partir. De toute façon, elle ne comptait déjà plus depuis longtemps.

Aujourd'hui, ses trois enfants et Abakoum l'aimaient pour ce qu'elle était, elle le savait et en éprouvait un bonheur intense. Leur vie n'était pas simple, mais jamais elle n'avait connu autant de bienveillance et d'affection. Cette constatation lui fit monter les larmes aux yeux alors qu'elle préparait des crêpes, un œil sur sa nouvelle famille. Ils étaient là, tous les quatre, les uns pianotant sur leur portable, les autres bouquinant, et elle se dit qu'ils représentaient ce qu'il lui était arrivé de mieux dans la vie.

Le téléphone sonna dans l'entrée et tous abandonnèrent ce qu'ils faisaient, sans pour autant se lever.

— C'est sûrement pour moi ! s'exclama Barbara.

Elle traversa le salon à toute vitesse pour répondre.

— C'est qui ? marmonna Mortimer.

— Comment tu veux qu'on le sache ? rétorqua Tugdual.

Mortimer se tourna vers Abakoum qui avait repris la lecture de son journal.

— Abakoum, tu sais, toi ?

Le patriarche ne cacha pas son amusement.

— Non, mais tu pourras le demander directement à ta mère, lui conseilla-t-il.

— Tu peux compter sur moi !

Tugdual et Zoé lui jetèrent un coup d'œil en coin.

— Barbara a le droit d'avoir une vie privée... risqua Zoé.

— Une vie privée ?!

Mortimer était si sincèrement étonné par cette perspective que les siens ne savaient pas s'ils devaient être choqués ou attendris par cet élan de possessivité filiale. De son côté, Tugdual ne pouvait s'empêcher de remarquer l'étrangeté de ce terme.

Une vie privée... Privée de quoi ? De normalité ? de sécurité ? d'un avenir paisible ? se questionna-t-il intérieurement.

— Les chéris, Abakoum, j'ai une grande nouvelle à vous annoncer ! clama Barbara, de retour dans le salon.

— C'était qui ? embraya Mortimer.

Le ton renfrogné et l'œil ombrageux de son fils firent éclater de rire Barbara.

— L'adolescence dans toute sa splendeur ! commenta-t-elle.

— C'est pas drôle... se défendit le jeune homme.

— Oh si !

— Alors, c'était qui ?

— Le maire, répondit Barbara avec un naturel étonnant.

— Le maire ? s'étrangla Mortimer. Pourquoi ? Qu'est-ce qu'il voulait ? Et c'est quoi, cette grande nouvelle que tu veux nous annoncer ?

— Hum... je me suis trompée... Ce ne sont plus les ravages de l'adolescence, mais ceux de la dictature !

D'un geste léger, elle chassa sa frange qui, indocile, revint aussitôt à la même place.

— Eh bien, vous avez devant vous la nouvelle paysagiste officielle de Serendipity ! annonça-t-elle.

La joie que cette nouvelle lui procurait faisait plaisir à voir. Abakoum se redressa, un sourire lumineux éclairant son visage.

— On peut en savoir plus ?

— Oh ! c'est très simple ! Quand le lieutenant Willis est venu nous voir, l'autre jour, il n'a pu s'empêcher de

298

remarquer nos magnifiques plantations. Je lui ai expliqué que je venais de réorganiser toute cette végétation...

— Il te drague ? la coupa Mortimer.

Barbara rit à nouveau.

— Pas du tout ! Au fil de la conversation que nous avons eue avant votre arrivée, je lui ai parlé de ma passion pour le jardinage et il m'a demandé un service : comme nous, il vient d'emménager à Serendipity avec sa femme et il voulait que je lui donne un coup de main pour créer des massifs devant leur maison. Je suppose qu'ils ont été satisfaits au point d'en parler au maire...

— Le maire cherchait un paysagiste et il t'a recrutée, poursuivit Mortimer.

— Tout à fait !

Le jeune homme hocha plusieurs fois la tête.

— C'est cool, conclut-il.

Abakoum se leva pour serrer Barbara dans ses bras.

— Félicitations !

— Bravo, Barbara ! renchérit Zoé. Ça va te faire du bien de sortir un peu de cette maison...

— ... et de t'intéresser à autre chose qu'à ta pénible progéniture, ajouta Tugdual.

L'attitude des deux ados était bien trop affectueuse et leur regard beaucoup trop sincère pour que Barbara ne suspecte une quelconque accusation de leur part.

— Tu auras encore le temps de nous faire des crêpes, j'espère ! fit Mortimer. Parce que je te rappelle qu'on attend toujours celles que tu nous as promises...

Sa mère leva les yeux au ciel.

— Oui, Votre Altesse. Bien, Votre Altesse.

— Et pendant ce temps, je m'occupe de déboucher le champagne !

47.

Dans l'apparente quiétude du 302 Destiny Drive, chacun s'accommodait peu à peu de ses propres secrets. Après tout, il existait de bien pires souffrances dans ce monde que celle d'avoir des pouvoirs surnaturels et de ne pas pouvoir se montrer sous son véritable jour. D'ailleurs, qui le faisait vraiment ? Les grands naïfs qui se berçaient de l'illusion d'être parfaitement honnêtes ? Les simples d'esprit qui ne le faisaient pas exprès ?

> *We want to be understood*
> *But we don't say everything*
> *We don't show everything...*

Tugdual avait raison : la vie – celle de sa famille, en tout cas – nécessiterait toujours quelques aménagements avec la réalité, une sorte d'adaptation de l'intime au monde autour de soi. L'essentiel étant de ne pas oublier qui on était et de ne pas perdre pas son âme. Rester honnête avec soi-même, à défaut de pouvoir l'être avec les autres...

Mortimer aurait aimé s'en convaincre et appliquer ce principe. Plus son inquiétude vis-à-vis du mystérieux OMG grandissait, plus sa conscience le tourmentait. Pourtant, il ne parvenait pas à dire la vérité aux siens. Même quand, ce matin-là, le ciel lui tomba à nouveau sur la tête.

Quand il arriva dans la cuisine, sa famille était en peine discussion.

— J'ai toujours trouvé ces bestioles monstrueuses ! se récria Zoé.

En face d'elle, Abakoum replia son journal.

— Quand tu penses qu'ils ont réussi à survivre depuis la période des dinosaures... ajouta Tugdual.

— Baaahhh, sales bêtes...

— Qu'est-ce qui vous arrive ? demanda Mortimer.

— Le corps d'une jeune fille de Serendipity a été retrouvé dans une réserve de crocodiles, à une vingtaine de kilomètres d'ici, l'informa Abakoum. La malheureuse avait disparu depuis la semaine de la rentrée.

— Un des gardiens de la réserve l'a découverte juste à temps, avant que les crocodiles ne la dévorent tout entière, précisa Zoé, l'air vraiment écœuré.

— Oh... se rembrunit Barbara. C'est une épouvantable histoire.

— Épouvantable, oui... acquiesça Abakoum.

Mortimer se sentit comme parcouru de l'intérieur par un courant d'air glacé. Un terrible pressentiment commença à lui perforer l'esprit. Sans pouvoir terminer son petit déjeuner, lui d'habitude si vorace se leva et quitta la table en prétextant avoir oublié un livre de cours. Une fois dans sa chambre, il se jeta sur son ordinateur. La photo de la fille de la plage s'afficha dès qu'il ouvrit la rubrique « actualités » – le même portrait que celui utilisé pour diffuser les avis de recherche. Il évita de la regarder et lut l'article avec une avidité angoissée. Puis, sur le site de la réserve, il découvrit ce qu'il n'osait imaginer.

Cette fille est morte sur la plage, dans la nuit du vendredi au samedi de la première semaine de la rentrée, pensa-t-il, affolé. *C'est moi qui l'ai tuée. C'est moi qui ai transporté son corps au large, j'ai vu le courant l'emporter... Alors, comment peut-elle se retrouver dans la gueule de crocodiles, à vingt kilomètres à l'intérieur des terres ? Il n'y a pas de rivière qui lie cette réserve à la mer, pas le moindre petit ruisseau, rien. Ce qui veut dire...*

Sa tête tournait, la nausée menaçait. Il étouffait de peur.

Ce qui veut dire que quelqu'un l'a trouvée et l'a transportée jusque-là !

Il n'arrivait même pas à se demander pourquoi. La déduction qu'il venait de faire était déjà bien assez terrible. Et sans doute ne tarderait-il pas à recevoir une confirmation d'OMG. Évidemment... Qui d'autre que son étrange protecteur pouvait avoir fait ça ? À moins que... Abakoum ? Tugdual ? Zoé ? Ce serait tellement... mieux !

— Mortimer ? Tu viens ?

La voix de Zoé lui parvenait à peine tant la panique l'étourdissait. Il la rejoignit, hagard. Elle lui jeta un coup d'œil distrait, davantage pour s'assurer qu'il était prêt que pour scruter sa mine, et remarqua sans s'en étonner qu'il restait à distance tout le long du chemin menant au lycée. Des trois Cobb, il était le plus lunatique : il lui arrivait aussi souvent d'être un véritable boute-en-train qu'un petit taureau bougon...

Il sentit son portable vibrer dans sa poche : un SMS... Avec un peu de chance, c'était Barbara lui souhaitant une bonne journée – elle faisait cela, parfois – ou bien Josh lui donnant rendez-vous pour aller plonger. Le message affiché sur le minuscule écran tactile lui fit perdre toute illusion :

« Il ne reste aucune trace, les crocodiles ont bien fait leur travail. Tu es en sécurité. OMG. »

Il s'arrêta, la respiration coupée. Voilà, ça devait arriver... Il ne devait le maquillage de son crime ni à son frère ni à sa sœur. Ses soupçons, ou plutôt son fol espoir étaient partis en fumée avec ce fichu message.

Une nouvelle vibration au creux de sa paume le fit chanceler.

« Sauras-tu m'aider à ton tour quand j'aurai besoin de toi ? OMG. »

Il faillit jeter son portable dans le caniveau. Comme si cela pouvait changer quoi que ce soit au pétrin dans lequel il s'était mis...

*

Pendant toute la matinée, ses pensées tournèrent dans son esprit comme le disque d'une scie circulaire enfermée dans sa boîte crânienne et menaçant à chaque instant d'en découper les contours. L'image était affreuse, mais très proche de ce qu'il ressentait. En attendant, il devait faire semblant d'aller bien et ne rien laisser paraître.

Il devait retrouver Josh à la pause du déjeuner. Ponctuel, le jeune homme l'attendait, nonchalamment adossé contre son casier. Quand il aperçut Mortimer, il se redressa et remonta son sac de sport sur son épaule.

— Salut, ça va ?

— Salut, répondit Mortimer.

— Il est marrant, ton tee-shirt !

Mortimer baissa la tête pour vérifier lequel il avait choisi ce matin dans sa pile de vêtements : le bleu avec un panneau de signalisation « danger », comme une forme de lapsus révélateur.

— J'en ai toute une collection, dit-il mécaniquement.

— Je sais !

Devant l'air étonné du jeune homme, Josh se reprit :

— Enfin, j'ai cru comprendre...

Ce genre de détails était le cadet des soucis de Mortimer, surtout en ce moment. Cependant, par pur mimétisme, il détailla son ami dont le look était vraiment décontracté, jean large et délavé, tee-shirt, baskets et coiffure en pétard. Mais il ne sut quoi dire.

— T'as l'air patraque, poursuivit Josh.

— J'ai été bousculé ce matin, répondit Mortimer, comme pour s'excuser.

— Ça arrive. C'est pas grave, y a pas mort d'homme.

Il le fait exprès ou quoi ?

Ils se mirent tous deux en route pour la piscine.

— T'as vu cette sale histoire de fille bouffée par les crocodiles ? lui demanda soudain Josh.

Mortimer eut l'impression que son sang se solidifiait dans ses veines. Mais, s'il voulait être objectif, qu'y avait-il d'anormal à ce que Josh lui parle de ça ? Sa question était légitime, non ? Depuis ce matin, c'était le sujet de conversation de tout le lycée, et sûrement de tout Serendipity. Pourtant, il ne pouvait s'empêcher de douter. L'objectivité pouvait *aussi* être une forme de déni...

— C'est moche de finir comme ça, lâcha-t-il en essayant d'être aussi naturel que possible.

— Mes parents m'ont emmené dans cette réserve quand j'avais huit ou neuf ans, lui confia Josh. Un des mecs donnait à manger aux crocodiles, d'énormes morceaux de viande, on pouvait encore voir des os qui dépassaient, des côtes ou des trucs de ce genre. Ces monstres ont tout dévoré, ils n'ont rien laissé, pas le moindre petit bout de viande. J'ai tellement flippé que j'ai fait des cauchemars pendant des semaines.

— Pourtant, tu sembles plutôt costaud !

— Tu sais ce qu'on dit : les éléphants sont terrorisés à la vue d'une souris...

— Sauf que toi, t'as rien d'un éléphant et que les crocodiles sont un poil plus dangereux que les souris.

Josh sourit.

— Oui, t'as pas tort... En tout cas, si t'as besoin de faire disparaître un corps, ces monstres sont le meilleur moyen ! On peut dire que c'est une chance que la fille ait pu être trouvée à temps, sinon on n'aurait jamais rien su...

Mortimer était au supplice.

Qu'est-ce que tu veux me faire comprendre, Josh ? Tu cherches quoi ?

Plus il y pensait, plus l'évidence s'imposait : Josh et OMG ne faisaient qu'un. La façon dont le jeune homme l'avait approché lors de leur première rencontre, son attention particulière, le fait qu'il soit le seul étranger à qui il ait donné son numéro de portable, ses phrases à double sens... Tout convergeait dans ce sens, tout coïncidait. Tout l'accusait ! Restait à savoir pourquoi...

*

De toute l'heure, il ne fit pas un seul plongeon correct. L'entraîneur le lui reprocha, ses camarades l'encouragèrent, et Josh lui proposa d'aller boire un verre à l'issue de cette pitoyable séance. Plutôt honteux, Mortimer fut tenté d'esquiver. Mais, devant l'insistance de Josh, il finit par accepter. Peut-être trouverait-il l'occasion d'en savoir plus.

— Tu veux manger un truc ? proposa Josh.

— Non, je vais juste prendre un soda.

— Moi, je crève la dalle !

Le jeune homme se rendit au comptoir et passa commande d'un double cheese-burger et de boissons bien fraîches. En attendant qu'il revienne, Mortimer regardait autour de lui d'un air vague. Quelques lycéens étaient installés autour d'une table un peu plus loin, des employés de bureau ou de magasin se partageaient un assortiment de petites pâtisseries, des policiers en uniforme finissaient leur café, avant de retourner au travail certainement. Il reconnut parmi eux le lieutenant Willis et en éprouva un sentiment désagréable. Leurs regards se croisèrent, le lieutenant le salua d'un signe de tête auquel Mortimer répondit, plus par politesse que par envie. Préoccupé par le flot de ses pensées, il frémit quand Josh posa un plateau sur la table et s'assit en face de lui. Le garçon se saisit de son cheese-burger et l'entama goulûment.

Le bon moment pour partir à la chasse aux indices...

— Pourquoi t'as pas de potes ?

Josh eut un petit mouvement de recul.

— Waouh…

— Ça te gêne que je te pose cette question ?

— Non ! Mais je te l'ai dit, je redouble. Tout le monde est à l'université maintenant, et moi je suis là comme un pauvre nase.

En face de lui, Josh avait quelque chose de lointain, comme s'il s'était perdu, au-delà.

— T'as rien d'un pauvre nase ! se récria Mortimer.

Il s'aperçut avec surprise qu'il était sincère.

Hé ! Reprends-toi ! Si ça se trouve, ce mec est un vrai psychopathe en train de te manipuler !

Il but une gorgée de soda.

— Tu ne bossais pas assez ?

— Non… J'ai eu des problèmes.

Josh leva la tête et le regarda avec une expression, sombre et intense, à laquelle le jeune homme ne s'attendait pas.

— Une histoire d'amour qui a mal tourné, je n'ai pas très bien encaissé…

Il détourna la tête, les yeux dans le vague.

— Ensuite, je n'ai rien trouvé de mieux que la fumette, fit-il d'une voix éteinte.

— Tu… tu te droguais ?

La réaction de Mortimer sembla l'intriguer.

— Ben, la fumette, c'est un peu ça, non ?

Mortimer se sentait penaud, en parfait décalage avec certaines réalités. Il s'obligea à apporter une explication :

— Avec ma famille, on a vécu en dehors des circuits officiels, ces dernières années. Alors, je ne suis pas vraiment habitué à ce genre de choses.

— Eh ben, tu as de la chance, rétorqua Josh. Si j'ai un conseil à te donner, reste à l'écart de cette merde. Ça m'a éloigné de tout ce que j'aimais.

Ils sirotèrent leur soda pendant un moment, dans un silence solidaire. Mortimer devait s'avouer touché par l'histoire dont son ami avait eu le courage de lui confier quelques bribes. À supposer que ce soit vrai...

— Et maintenant, ça va ? lui demanda-t-il.

— Super ! Je ne touche plus à rien, je bosse dur pour rattraper mon retard, ma vie est plus saine que celle d'un bonze tibétain, mais je n'ai plus un seul pote...

Mortimer hésita à le contredire. Même s'il l'avait voulu, Josh ne lui en laissa pas le temps.

— Excuse, c'est pas ce que je voulais dire ! C'est cool d'avoir un ami comme toi.

Mortimer opina

— Et toi, t'as déjà fait des trucs graves ? fit Josh.

Mortimer se raidit sur son siège. À ces mots et à la vue de ce qu'il n'aurait jamais pu imaginer, il eut la sensation qu'une lame d'acier lui déchiquetait l'intérieur du crâne. Sous le regard déconcerté de Josh, fixé sur son visage crispé, il se leva en renversant presque sa chaise.

— Tu m'attends là, tu ne bouges pas, je reviens !

Il fallait qu'il s'isole un instant. Il se précipita aux toilettes et s'aspergea d'eau froide, l'esprit chaotique. À court d'air, il entrouvrit la porte des toilettes. Josh était dans son champ de vision. Et ce que Mortimer avait entraperçu juste avant se trouvait toujours là, ce redoutable souffle, noir comme les ténèbres, qui s'échappait d'entre ses lèvres.

— C'est pas vrai, Josh... gémit-il. Dis-moi que c'est pas vrai, pas toi...

À ce moment, son portable vibra dans sa poche. Il s'en saisit, machinalement. Un coup d'œil lui suffit pour prendre connaissance du SMS qu'il venait de recevoir :

« Nous devrons bientôt nous entraider. OMG. »

Les mains de Josh étaient bien visibles autour de son verre qu'il tournait d'un air préoccupé. Alors Mortimer comprit combien il s'était trompé. Doublement. Non seulement Josh n'était pas OMG, mais, en plus, il éprouvait des sentiments amoureux pour lui.

Secoué, Mortimer jaillit hors des toilettes, attrapa son sac sur la chaise où il s'était assis et, sans un mot, sans un regard, sortit en trombe du café.

48.

Allongé sur son lit, Tugdual ne cessait de prendre son téléphone portable, de le reposer, de le reprendre, de consulter le répertoire, de le fermer avant de le parcourir à nouveau pour s'arrêter une énième fois sur la lettre V. Afin de s'en empêcher, il finit par faire léviter le petit appareil jusqu'à son bureau sur lequel il atterrit avec un bruit métallique. Que devait-il vraiment faire ? Céder et appeler Victoria ou bien continuer de lutter et se priver d'un instant de bonheur ?

Il se passa une main sur le visage, comme s'il pouvait effacer ce qui l'assombrissait tant. Appeler Victoria le tourmentait autant que de ne pas l'appeler. Cette fille le renversait. Il se sentait glisser vers elle, basculer à la fois en douceur et avec une puissance irrésistible. Il aimait tant de choses en elle, ce qu'elle montrait, ce qu'elle laissait entrevoir, ce qu'elle révélait au fil des jours et qu'il découvrait, stupéfait de l'effet qu'elle produisait en lui au moindre mot, geste, sourire, silence. Sa façon de relever ses cheveux. Sa silhouette en appui contre une des colonnes de l'entrée du lycée, la même, tous les matins. Son sourire, malgré son regard mort. Les inflexions de sa voix lorsqu'elle disait « Tugdual Cobb ». Les parenthèses qui se formaient au coin de sa bouche. Son ironie acidulée. Son empathie et sa révolte face à certaines situations... On avance qu'un battement d'ailes de papillon peut provoquer une tornade à l'autre bout de la Terre. Victoria avait ce pouvoir sur Tugdual.

Ils passaient de plus en plus de temps ensemble, à parler de tout, de rien, de ce qu'ils étaient prêts à dire, des petits bouts de leur vie qu'ils acceptaient de livrer, parfois crûment, parfois par de simples allusions. L'instinct et le respect absolu qu'ils avaient l'un pour l'autre faisaient le reste. Ils savaient où et quand s'arrêter, comme s'ils se connaissaient depuis toujours.

Avec Victoria, Tugdual sentait sa propre vulnérabilité. Il n'avait pas vécu une multitude d'expériences avec les filles, mais chaque fois c'était lui qui avait pris les devants et mené les relations à sa guise, là où il le souhaitait, s'il le souhaitait. Or Victoria était beaucoup plus entreprenante que lui. Elle se comportait comme si... elle le voulait ! Et pourtant, ce n'était pas son but. Il l'aurait tout de suite su. Il suffisait d'une seule volute noire s'échappant de ses lèvres – qu'il rêvait d'embrasser... Malgré cette impression de fragilité dans laquelle elle le jetait, il était stupéfait de se sentir lui-même. Elle lui révélait peu à peu ce qu'il ne voulait jamais voir : elle lui permettait d'avancer, pas à pas, vers une forme d'acceptation. S'en rendait-elle compte ?

Elle ne savait rien de ses dons ni de ses origines. Et encore moins du danger qu'il représentait. À peine avait-il évoqué son père, ou plutôt *ses pères,* le bon et le mauvais. Elle l'avait écouté, attentive, en contenant une évidente envie d'approfondir. Elle ignorait tout de l'essence de ce qu'il était, mais Tugdual se sentait à nu quand il se trouvait à ses côtés. Il s'était même demandé si elle ne lisait pas dans ses pensées. Lui et les siens possédaient des pouvoirs surnaturels, alors pourquoi Victoria ne pourrait-elle pas être un des ces médiums qu'on voyait dans les séries télé ? Toutefois, il ne le pensait pas. Et même si c'était le cas, étrangement, il n'en éprouvait aucune crainte. Non, sa seule appréhension, monstrueuse, était de voir un jour le souffle noir. Il tenta aussitôt de casser cette épouvantable idée.

Tu te prends pour qui ? Victoria n'est pas amoureuse de toi. Et d'ailleurs, pourquoi le serait-elle ? Tu as peut-être une gueule d'ange et t'es capable de faire de bonnes choses, mais tu as aussi toute cette boue dégueulasse en toi. Qui voudrait de toi pour ce que tu es ? Sans ces saletés de phéromones, tu n'as... aucune chance !

Cette réflexion lui coupa le souffle. Bouche bée, il se redressa, paniqué par le cheminement de ses pensées.

Arrête ça tout de suite. Tout de suite !

Assis au bord de son lit, il se força à respirer calmement, inspiration, expiration, lentement, au rythme des vagues qu'il entendait s'écraser plus loin, sur la grève.

Tu es en train de tomber amoureux de cette fille. Super ! Tu es un être humain comme les autres ! Sauf que... non. Tu sais qu'un jour ou l'autre, tu ne pourras pas résister à la tentation de la voir t'aimer, elle aussi. Aimer et être aimé, tout le monde veut ça, non ? Tu la voudras, et tu voudras qu'elle te veuille. Tu feras tout pour ça. Tout.

Son habituelle impassibilité s'ébréchait de seconde en seconde. Il se leva et resta debout, comme perdu au milieu de sa chambre. Malgré la pénombre, il aperçut son reflet dans le miroir accroché au mur. Il se fit l'effet d'une ombre de chair et de sang, prête à se métamorphoser en démon.

Et que se passera-t-il si tu vois qu'elle ne tombe pas amoureuse de toi ? Tu vas retirer ton bracelet ? Tu vas l'inviter à se balader sur la plage un soir à la nuit tombée ? Est-ce que tu seras assez fort pour t'empêcher de le faire ? Est-ce que tu l'aimeras assez pour que ça n'arrive pas ?

De ses deux bras, il forma un étau autour de sa tête et serra jusqu'à s'en faire mal.

Si tu continues sur cette voie, tu sais ce qui arrivera : que Victoria vienne à toi naturellement ou artificiellement, rien ne pourra t'empêcher de la tuer.

Les vibrations de son téléphone sur le bureau firent redoubler de violence les battements de son cœur. Il avait promis à Victoria de l'appeler et il ne l'avait pas fait. Elle avait promis de lui en vouloir s'il se défaussait et elle venait le lui rappeler. Il plaqua la main sur le portable pour étouffer le bruit du vibreur, les ondes se propagèrent dans sa paume, énervantes. Il brûlait autant d'envie de décrocher que d'exploser son téléphone contre le mur. Et puis tout s'arrêta.

Le jeune homme se roula en boule sur son lit et, les yeux grand ouverts sur les feuilles des arbres qui bruissaient dans la nuit paisible, il laissa l'obscurité l'envelopper.

*

Dans la chambre d'à côté, le téléphone était lui aussi au centre d'une histoire, d'une autre vie.

— Comment tu as eu mon numéro ?

L'irritation, qui rendait la voix de Conor Fowler un peu plus aiguë qu'elle ne l'était réellement, n'échappait pas à Zoé. Cependant, elle n'y voyait pas d'agressivité, tout juste l'expression d'un réflexe défensif.

— La secrétaire… répondit-elle.

— Elle t'a donné mon numéro ? Elle n'a pas le droit, c'est confidentiel ! Si mes parents l'apprennent, elle va…

— Conor ! l'interrompit Zoé.

— Quoi ?

— Pas la peine de préparer la chaise électrique pour cette pauvre femme, elle n'y est pour rien.

Cette disculpation sembla aussitôt calmer Conor.

— Tu as fait comment ? demanda-t-il. Elle garde ses fichiers comme s'ils contenaient le code de la bombe atomique et elle est aussi incorruptible qu'un juge de l'Inquisition.

Il y eut un court silence avant que Zoé ne se mette à rire.

— Je pense que tu es le seul au monde à pouvoir faire des comparaisons aussi...

Elle chercha le mot le plus précis possible.

— Historiques ? l'aida Conor.

— Exactement ! Bon, maintenant que la secrétaire a échappé au bûcher, tu peux peut-être me dire comment tu vas...

— Ça va, dit-il d'un ton inexpressif.

— Tu sais que j'ai actionné mon détecteur interne de mensonges et qu'il vient de devenir tout rouge ?

Conor soupira.

— J'avais oublié qu'on ne peut rien cacher aux extra-terrestres de ton espèce...

— Eh non ! fit Zoé. Alors tu ferais mieux de tout me dire avant que je vienne forer ton esprit avec mes outils hyper-sophistiqués.

— OK, je me rends. En fait, c'est toi la Grande Inqui-sitrice...

— Comment tu vas ? insista Zoé.

— Mieux.

Zoé choisit de ne pas parler de l'arrestation spectacu-laire des TriStar. Conor ne pouvait pas l'ignorer. Alors pas la peine d'en rajouter.

— Ce qui veut dire que tu reviens bientôt...

Elle laissa la fin de sa phrase entre affirmation et inter-rogation.

— Je... je ne... sais pas encore... bredouilla Conor.

Elle sentit toute la frustration du garçon derrière ces quelques mots, ce mélange de honte et de colère qu'il ne pouvait exprimer.

Tu n'as pas été nul, Conor, tu ne t'es pas écrasé devant ces trois abrutis. Tu as agi intelligemment et tu dois être fier de ce que tu es.

Elle aussi se sentait incapable de verbaliser ses pensées, mais elle pouvait les traduire autrement.

— Je passe te chercher demain matin. Avec des beignets.

En dépit de l'incomparable délicatesse du ton de Zoé, cette annonce ne laissait place à aucune contestation. La jeune fille avait toujours procédé ainsi : la douceur, dans la voix comme dans l'attitude, permettait de faire passer... à peu près tout.

— Je ne suis pas prêt, tenta de se défendre Conor.

— Ne me dis pas qu'il te faut des heures pour choisir des fringues et faire ton sac de cours ?

— J'ai le choix ?

— Non.

Elle l'entendit soupirer à l'autre bout de la ligne.

— En fait, tu as l'air toute gentille quand on te voit comme ça. On pourrait même penser que tu manques de confiance en toi. Mais dans le fond, tu es une vraie dictatrice !

— On est tous comme ça sur la planète d'où je viens, fit Zoé avec un petit rire. Enfin, surtout les filles... On a tout pouvoir.

— Oh ! sur le modèle du matriarcat ? Ou est-ce que c'est plutôt une forme intergalactique du peuple des Amazones ? Il faudra que tu me racontes, ça m'intéresse !

Zoé rit franchement cette fois.

— Tu n'arrêtes pas une seconde, toi !

— Je n'arrête pas quoi ? s'étonna Conor.

— De me faire rire !

— Eh bien, on m'a souvent dit que je la ramenais trop.

— Eh bien, il faut croire que je ne suis pas ce mystérieux « on »...

Un silence s'installa, rempli de sourires.

— Alors, demain, huit heures ! conclut Zoé d'une voix presque chantante. Tiens-toi prêt, l'Amazone extraterrestre ne tolérera aucun manquement.

— Sinon ?

— Pas de « sinon ». Demain, huit heures. Bonne nuit.

Zoé coupa son téléphone et resta quelques instants dans cet état de contemplation légère, tellement inhabituel chez elle. Elle aimait beaucoup Conor, et Conor l'aimait beaucoup. La vie pouvait donc être aussi simple ? Zoé sentait qu'elle n'avait rien à craindre, il n'y aurait pas de souffle noir qui détruirait tout. Conor était exactement le garçon qui lui fallait, assez vulnérable pour qu'elle puisse lui donner un peu de sa force et de son courage, suffisamment seul pour qu'elle ait cette incroyable impression d'être utile et d'apporter de bonnes choses à quelqu'un. Pour qu'elle se sente exister.

49.

À l'opposé de sa sœur, Mortimer, lui, aurait tout fait pour disparaître aux yeux du monde. De tout le monde. Les derniers jours l'avaient projeté dans une situation qui le dépassait. Très perturbé, il ressassait, ruminait, décortiquait les événements un à un, sans parvenir à les lier de façon cohérente. Non, s'il voulait être honnête, la cohérence était là, flagrante, mais il n'en voulait pas, il la repoussait de toutes ses forces en essayant de trouver d'autres explications. Aucune n'était satisfaisante.

Il augmenta la vitesse du tapis de course sur lequel, en nage, il courait à en perdre la raison depuis plus d'une heure. Josh et le souffle noir. OMG, au courant de tout. Comment ? Pourquoi ?

C'est quoi, la prochaine étape ?

Épuisé, il arrêta l'engin et essuya son visage trempé de sueur. Il se sentait épié, traqué, impuissant. Complètement piégé.

Ça craint, ça craint, ça craint...

Il ne dormit pas de la nuit. Mille fois il eut envie d'aller frapper à la porte d'un des membres de sa famille et de tout raconter. Mais il avait tant attendu. Trop. Comment Abakoum et Barbara réagiraient-ils en apprenant ce qui s'était passé ? La fille de la piscine et sa maison incendiée, la fille de la plage retrouvée dans la réserve de crocodiles, les messages d'OMG, Josh... Les siens lui en voudraient de s'être mis dans une telle situation et de les y avoir entraînés. Pire : ils seraient terriblement déçus. Ce que Mortimer redoutait par-dessus tout. La déception, c'était la prérogative de son père. Plus jamais il ne voulait affronter un regard plein de la désillusion et du dépit qu'il pouvait susciter. Et là, pas de doute, il avait fait fort...

Non. Il ne pouvait rien dire à personne, même pas à Tugdual et à Zoé. Ils savaient déjà pour la fille de la piscine, ils l'avaient couvert, mais il ne pouvait pas les impliquer davantage. Son père – cette ordure – lui avait appris qu'il ne devait compter que sur lui-même. Les quatre autres Cobb défendaient un point de vue bien différent : malgré leur indépendance d'esprit et leur goût pour le secret, rien ne parvenait à écorner cette puissante solidarité sans laquelle aucun d'entre eux n'aurait survécu, Mortimer en était persuadé. Il comprenait ces principes, pourtant si peu familiers. Il avait même réussi à prouver qu'il était capable d'entraide en se rendant plus qu'utile à sa communauté. Cependant, à cet instant, il restait convaincu qu'il pouvait gérer la situation sans qu'aucun de ceux qu'il aimait sincèrement en subisse les conséquences. Orgueil ou déraison ? Il préférait esquiver. Comme d'habitude.

*

Le lendemain de cette nuit difficile, Mortimer n'emprunta pas le chemin habituel pour se rendre à la piscine à la fin de son dernier cours. Il avait envie de voir Josh, vraiment, et il le redoutait tout autant. Les nerfs à vif, il se dévêtit et se dirigea vers le plongeoir. Son quart d'heure d'avance sur les autres membres de l'équipe lui permit d'effectuer une bonne dizaine de plongeons aussi complexes que parfaits.

— Mortimer ?

Le jeune homme s'immobilisa : M. Coleman, le coach, était là, assis en haut des gradins. Son regard stupéfait laissait entendre qu'il n'avait rien perdu de la démonstration de Mortimer.

— Bonjour, monsieur Coleman.

Il passa en revue ses plongeons, en proie à un début de panique galopante. Avait-il fait quoi que ce soit de compromettant ? Un saut tout à fait impossible à réaliser pour un être humain ordinaire ? Impossible de s'en souvenir clairement. Pouvait-il être plus inconscient ? Plus… débile ? Il s'en serait tapé la tête contre les murs. À défaut de discernement, restait à espérer que son instinct de survie avait fonctionné.

— Plonger sans témoins te réussit ! lança le coach.

— Je me sens plus à l'aise quand personne ne me regarde.

— Apparemment ! Il va falloir travailler ça, mon garçon. Tu as un grand potentiel…

Le brouhaha des autres plongeurs qui arrivaient les interrompit. Mortimer avait l'impression d'être passé à deux doigts d'un désastre, alors qu'un autre s'épanouissait devant lui comme une fleur carnivore.

— Salut !

La voix de Josh provoqua l'effet qu'au fond de lui il attendait. Il le comprit dès qu'il l'entendit. Il comprit aussi que s'il avait vraiment voulu éviter son ami, il ne serait pas venu à l'entraînement. Or il était là.

— Je voulais essayer deux trois trucs avant la séance, marmonna-t-il sans regarder Josh.

— Hé ! T'as pas à te justifier, tu sais !

— Je ne me justifie pas !

À cet instant, il se détestait. Autant de maladresse, de brutalité, d'obstination à croire que tout s'arrangeait, toujours.

T'es lourd ! se blâma-t-il. *Tu fais n'importe quoi, tu dis n'importe quoi. Ferme-la et concentre-toi.*

M. Coleman frappa dans ses mains.

— Messieurs, au travail !

Il se tourna vers Mortimer.

— Tu veux bien montrer ton dernier saut à tes camarades ?

Évidemment, Coleman n'avait pas pu s'en empêcher. Pourtant, Mortimer s'exécuta, presque anesthésié par la douleur qui gonflait dans sa tête. Le souffle noir était toujours là, entre les lèvres de Josh, et il n'avait pas besoin de le voir pour le savoir. Il le sentait, tout simplement, et c'était bien suffisant. Il gravit l'escalier métallique, la nuque raide, les mouvements brusques. Arrivé au sommet, il se positionna sur la plate-forme, prêt à refaire ce qu'il avait fait quelques instants plus tôt, en moins bien. Alors qu'il avait jusqu'alors réussi à s'en empêcher, un coup d'œil purement machinal vers les gradins suffit à le déstabiliser. Son énergie tout entière fut absorbée par la silhouette de Josh, intégralement enveloppée d'une brume d'encre. Et c'est en entendant le cri d'effroi des autres garçons qu'il comprit qu'il tombait, aussi lourdement qu'un corps sans vie.

50.

Des voix diffuses et indistinctes lui parvenaient, sans aller plus loin que la périphérie de sa conscience. Il sentit qu'il pouvait ouvrir les yeux, mais il ne le voulait pas. Son dos, la paume de ses mains, ses bras étaient froids. Il se devina allongé sur le carrelage, au bord du bassin, pesant et blême comme un éléphant de mer échoué. Quelqu'un lui toucha le visage, on prononça son nom en secouant énergiquement son épaule. Il retrouvait ses esprits, sans aucun doute. Plus les secondes s'écoulaient, plus il percevait ceux qui étaient autour de lui, leur inquiétude, ou leur sang-froid. La douleur cuisante sur son ventre l'y aidait. Il avait dû faire un plat monumental lors de sa chute dans l'eau. L'autre douleur, au fond de son crâne, apportait elle aussi une généreuse contribution, d'autant plus quand la voix de Josh émergea d'entre toutes, plus soucieuse que les autres. Mortimer ne put s'empêcher de gémir sous les assauts de ces élancements.

— Il revient à lui !

Le premier visage qu'il vit fut celui de son ami. Inévitablement, aurait-il pu dire. Le brouillard qui l'entourait un instant plus tôt avait disparu, mais le souffle était toujours là, sombre confirmation.

— Ça va, mec ?

— Mmmm.

Mortimer ne pouvait pas détacher ses yeux des volutes noires. Il se redressa, honteux de se retrouver en position de faiblesse – et en maillot de bain – avec tous ces regards braqués sur lui. Mais également perdu face à la fascination troublée qu'il ressentait. Le moment ne pouvait pas être plus mal choisi, et pourtant les pensées du jeune homme se précipitaient les unes sur les autres, s'entrechoquaient et se repoussaient comme des boules de billard. Est-ce que quelqu'un avait déjà été amoureux de lui ? Si c'était le cas, il n'en avait rien su. Mais là, aujourd'hui même, dans la moiteur chlorée de la piscine, il devait reconnaître l'évidence : c'était en train d'arriver. On l'aimait. Josh l'aimait. Le souffle noir n'était d'ailleurs pas le seul signe, Mortimer s'en rendait bien compte : la façon qu'avait le jeune homme de le regarder et de l'aborder, cette recherche de contact, ces attentions... Oui, on pouvait y voir de l'amitié, une sincère sympathie, de la pure camaraderie. Oui, mais non.

— Comment tu te sens ? demanda M. Coleman, accroupi devant lui.

Mortimer secoua la tête.

— Comme quelqu'un qui s'est bien vautré...

Le coach se tourna vers les autres.

— Ce sont des choses qui arrivent, même aux meilleurs.

Tous les plongeurs opinèrent.

— Bien ! fit-il en se redressant. On va se remettre au travail et toi, Mortimer, tu vas rentrer chez toi te reposer.

Il regarda son ventre dont la peau écarlate témoignait de la violence de sa chute.

— Tu demanderas à tes parents de passer à la pharmacie pour t'acheter de la crème apaisante et dans deux jours tu n'y penseras plus.

Pas la peine d'aller à la pharmacie, j'ai un herboriste à la maison, un peu sorcier sur les bords !

M. Coleman l'observa encore un instant.

— Et ce serait plus sûr de voir un médecin et de passer des radios pour voir si tu n'as rien...

Je n'ai rien, monsieur Coleman. Même si je m'étais éventré ou cassé un bras, ce serait déjà réparé...

— D'accord, je le ferai, acquiesça-t-il poliment.

— Tu veux que j'appelle chez toi pour qu'on vienne te chercher ?

— Je vais le raccompagner ! intervint Josh.

— C'est bon, je peux rentrer seul, se défendit Mortimer.

— Hors de question ! fit l'entraîneur. Merci de te proposer, Josh.

Mortimer capitula avec une facilité qui le déroutait. Dans son esprit, deux sentiments parfaitement distincts s'entremêlaient : l'anxiété et le plaisir. Oui, un plaisir immense et contradictoire à la perspective de marcher aux côtés de Josh pendant quelques minutes, alors qu'il n'y avait qu'une chose à faire : fuir !

Qu'est-ce qui m'arrive ? Je ne peux pas éprouver du plaisir à représenter un danger de mort pour mon meilleur pote – mon seul pote ! Ça n'a aucun sens !

Abasourdi, il suivit Josh jusqu'aux vestiaires où ils se rhabillèrent tous deux en silence. Ils s'assirent sur un banc pour se chausser, Josh ne cessait de jeter des coups d'œil en biais à Mortimer qui faisait mine de les ignorer. Cette fausse indifférence le faisait souffrir autant que ses maux de tête. Quand Josh le gratifia d'une petite tape sur l'épaule, Mortimer sursauta. Le contact physique ne faisait qu'amplifier les effets du souffle noir.

— T'es sûr que ça va ? s'alarma Josh en retirant aussitôt sa main.

Dis quelque chose. Envoie-le promener. Ne le laisse pas croire que quelque chose est possible. Arrête-le pendant qu'il est temps !

Cependant, au fond de lui, il savait bien que non seulement le seuil critique était dépassé, mais surtout qu'il n'avait envie ni d'arrêter Josh ni de lui dire quoi que ce soit qui puisse lui faire du mal. Déconcerté, il tourna la tête et croisa le regard de Josh, un peu surpris.

Casse-le ! Maintenant ! lui ordonna sa conscience.

Il ne l'écouta pas. L'évidence de ce qui se passait le terrifiait. Et le captivait.

— C'était un beau plat, hein ? dit-il d'une voix éraillée par l'eau chlorée qu'il avait avalée.

— Super beau, fit Josh avec un sourire.

Il semblait si heureux de ces retrouvailles.

— Je me suis écrasé comme une grosse bouse...

— Un peu, concéda son ami. Mais Coleman a raison, ce n'est pas si grave.

— Je vais essayer d'en persuader mon amour-propre. Mais c'est pas gagné...

— Il paraît que ce ne sont pas les blessures les plus graves, renchérit Josh.

Mortimer se leva et se massa les tempes.

Tu fais n'importe quoi, se rabroua-t-il. Tu l'encourages pour te donner de meilleures raisons de le tuer, c'est ça ? Pour te trouver de meilleures excuses une fois que tu l'auras fait ? Oh ! non, m'sieur, c'est pas ma faute, c'est lui qui m'a attiré à lui, moi, j'y suis pour rien, je suis comme ça, j'y peux rien. T'es pourri, Mortimer Cobb, t'es pourri jusqu'à la moelle...

Il enfourna ses affaires dans son sac de sport et sortit, Josh sur ses talons.

— T'es pas obligé de me raccompagner jusqu'à chez moi, tu sais.

— Oui, je sais, mais je m'y suis engagé auprès de Coleman, tu te rappelles ?

Ils avancèrent le long de l'allée qui bordait le front de mer. Le soleil, grosse boule orangée, abordait la cime des chênes couverts de mousse. Le soir tombait, déjà. L'heure du couvre-feu pour les Cobb juniors...

— Ça te gêne ? demanda soudain Josh.

— Quoi ?

— Que je te raccompagne.

— Pourquoi ça me gênerait ? répliqua-t-il brutalement.

Dans la famille Taureau Super Sympa, je demande le fils...

— Tu connais déjà la moitié de la famille, se reprit-il d'un ton plus amène.

Son portable vibra dans sa poche. Sans réfléchir, il le sortit. L'écran affichait un SMS.

« Je peux t'aider à épargner ton ami. OMG. »

Il s'arrêta net, la respiration soudain heurtée.

— Un problème ? lui demanda Josh.

— Non, non... répondit Mortimer en regardant autour de lui à la dérobée.

Ils continuèrent de marcher et débouchèrent bientôt sur Destiny Drive. Mortimer n'avait jamais été aussi décontenancé.

— Tu sais que j'habite à deux rues d'ici ?

— Ah oui ?

— Mais ma maison est nettement moins classe que la tienne !

Mortimer risqua un coup d'œil sur Josh qui admirait la demeure coloniale, tapie dans l'ombre du soir et de l'abondante végétation.

— Bon... fit-il, grimaçant sous l'effet d'une nouvelle déchirure à l'intérieur de son crâne.

Il pensait donner le signal du départ, mais Josh n'avait pas l'air de vouloir le comprendre. Ce dernier poussa la petite porte en fer forgé et s'engagea dans l'allée bordée de plantes foisonnantes. Mortimer ne put faire autrement que de le suivre.

— Y a quelqu'un ? cria-t-il en pénétrant dans le hall d'entrée.

— Oui ! Il y a toujours quelqu'un ! répondit en écho la voix de Barbara.

— Ça, c'est sûr... grommela Mortimer.

Il regretta aussitôt ses paroles et se tourna vers Josh.

— J'ai une famille très... présente... murmura-t-il comme s'il lui présentait des excuses.

— C'est plutôt sympa, non ?

— Ça dépend, répondit Mortimer.

Il aperçut sa mère qui traversait le salon dans leur direction. Elle tendit la main à Josh, très souriante.

— Bonsoir ! Je suis Barbara, la mère de Mortimer.

— Bonsoir, madame. Moi, c'est Josh.

— Laisse tomber le « madame », je t'en prie, Josh !

Barbara semblait si heureuse. Mortimer avait-il déjà ramené des amis à la maison ? Aussi loin qu'il s'en souvienne, pas depuis... son neuvième anniversaire. Pourvu que sa mère n'ait pas l'idée de le rappeler haut et fort...

— Vous voulez un soda, les garçons ?

— M'man... gémit Mortimer, mortifié.

— Avec plaisir ! enchaîna Josh.

Mortimer aurait fait n'importe quoi pour accélérer le temps afin de se retrouver seul, tranquille dans sa chambre. Cette journée ne finirait-elle donc jamais ? Il avait envie de réfléchir, de se poser et de se reposer. Et pourtant, c'était à n'y rien comprendre : il souffrait le martyre, le souffle noir de Josh le torturait, mais dans le fond n'était-il pas en train de tout faire pour qu'il reste ? Encore ? Un peu ?

— Tu veux visiter ? proposa-t-il à son ami, les yeux plissés comme pour contenir sa douleur.

Josh n'allait pas dire non. Ils passèrent de pièce en pièce, dans un silence étrange, au pas de course – Mortimer n'était pas très doué pour ce genre de choses –, et terminèrent la visite dans le jardin. Ils prirent place au bord de la piscine, leur soda à la main, et contemplèrent les clapotis de l'eau, bleu sombre dans le jour qui s'effaçait.

— Au fait, merci ! fit Mortimer.

— De quoi ?

— De n'avoir rien dit à ma mère à propos de mon plongeon raté. Elle aurait tellement balisé...

— J'ai cru comprendre, oui.

D'ici quelques minutes, il allait faire définitivement nuit. Josh devait partir et, pourtant, Mortimer n'arrivait pas à s'y résoudre.

C'est quoi mon problème ?

— Lundi soir, c'est l'une des plus grandes marées de l'année ! lança soudain Josh. C'est très spectaculaire, on pourrait y aller...

— Non !

Il sentit son ami se rembrunir et osa à peine le regarder.

— Lundi soir, je ne peux pas... tenta-t-il de se rattraper.

Il finit son verre. Ses gestes étaient brusques, son regard dur et douloureux. Comme son cerveau, en proie au mal qui gonflait, hérissé d'épines venimeuses. Une fois de plus, son portable vibra. Si c'était encore un message d'OMG, il allait craquer.

« Accepte d'y aller. OMG. »

Il referma sans ménagement le couvercle de l'appareil, avec l'impression de se vider de tout son sang. Une nouvelle vibration lui tira un gémissement. Il s'en fallut de peu qu'il ne jette le portable dans la piscine. Mais la curiosité, aussi malsaine qu'angoissante, écrasa tout et prit le dessus.

« Accepte ! OMG. »

Un peu froissé par l'inattention de son ami, Josh se leva.

— Il est temps que j'y aille.

— Attends ! s'écria Mortimer en bondissant sur ses pieds.

La douleur dans son crâne le plia presque en deux.

— Ça va ? s'effraya Josh.

— Mmm.

— Coleman a raison, il faudrait peut-être que tu voies un médecin.

— Lundi... balbutia-t-il.

— Non ! Pourquoi attendre jusque-là ?

Mortimer balaya l'air d'un geste de la main. On aurait presque pu le croire agacé.

— Je viendrai à la plage, lâcha-t-il.

Le sourire de Josh manqua de le faire tomber raide sur l'herbe.

— OK, fit son ami d'une voix traînante.

51.

D'abord, ce fut la voiture du médecin qui longea Destiny Drive à une vitesse anormalement rapide. Puis une ambulance ne tarda pas à emprunter le même chemin, sirène en sourdine. Chaque fois, Zoé ne put s'empêcher de lever la tête de ses cours d'histoire pour suivre des yeux la lumière tournoyante que projetaient les gyrophares dans la nuit. La pensée que quelqu'un allait mal, quelque part, l'attrista. Elle essaya cependant de se remettre à sa leçon d'histoire et d'intégrer la chronologie de la vie d'Abraham Lincoln. Mais quand, un quart d'heure plus tard, l'ambulance repassa dans le sens inverse en direction du centre-ville, sa concentration s'évanouit définitivement. Un mauvais pressentiment naquit dans son esprit. Conor n'habitait pas très loin : pourvu que ce ne soit pas lui, dans ce véhicule médical...

— Pourquoi arriverait-il quelque chose de grave ? marmonna-t-elle. Parfois, tout va bien, tu sais ?

Cependant, elle ne put s'empêcher de prendre son portable. Elle hésita un instant, quelques secondes tout au plus, et abandonna. Il était tard, elle avait déjà longuement parlé au téléphone avec Conor aujourd'hui et, même si ce genre de choses était loin d'effleurer son ami, pour rien au monde elle ne voulait donner l'impression qu'elle lui courait après. Alors, elle éteignit son ordinateur, ferma ses livres et se coucha.

Tout va bien. Tout va bien. Tout va bien... se répéta-t-elle comme un mantra.

Elle finit par tomber dans un sommeil épais. Demain serait un autre jour et tout irait bien, oui.

*

Planté devant le grand miroir du premier étage, Mortimer s'observait, renfrogné. Zoé sentit sa mauvaise humeur dès qu'elle s'engagea dans le couloir. En apercevant le reflet de sa sœur, le jeune homme se retourna, l'air furieux.

— Qu'est-ce que tu fais là ? Tu m'espionnes ?

Zoé s'arrêta à son niveau et leva les yeux au ciel.

— C'est sûr, je n'ai que ça à faire...

Elle pencha la tête pour le regarder par en dessous.

— J'habite là moi aussi, tu t'en souviens ? Alors il peut arriver qu'on se croise de temps en temps et même qu'on prenne le petit déj' ensemble.

— Excuse... bredouilla Mortimer.

Elle se plaça à côté de lui et tous les deux firent face à leur image dans le miroir.

— Même avec ta sale mine, tu restes plutôt canon, tu sais... fit Zoé. Et puis... est-ce que je peux être franche avec toi ?

— Vas-y, soupira Mortimer.

— Ce petit côté pas-coiffé-décoiffé, ça te va vraiment bien.

Tugdual apparut au bout du couloir et se dirigea vers eux. Sans un regard pour son reflet, ni pour son frère et sa sœur, il enjamba la balustrade et lévita jusqu'au rez-de-chaussée.

— On dirait que je suis condamnée à affronter des frères super grognons, aujourd'hui...

— Y a des jours comme ça, rétorqua Mortimer.

Il l'entraîna vers l'escalier, le visage fermé.

— Pas la peine de faire ta tête d'huître ! le taquina Zoé.

— Je ne fais pas une tête d'huître.

— Non, t'as raison ! On dirait plutôt un bouc prêt à défoncer son enclos...

— Zoé ?

— Mortimer ?

— C'est *vraiment* pas le jour.

Redevenant sérieuse, la jeune fille lui jeta un coup d'œil.

— OK. J'espère juste que si tu avais des ennuis, tu nous le dirais.

Elle se doutait que son frère ne répondrait rien. Ce qui ne l'empêcha pas d'être déçue. Et soucieuse.

*

— Je pars avant vous, je dois passer chercher Conor. On se retrouve à midi ?

— Non ! répondirent quasiment en chœur Tugdual et Mortimer.

— Ah ? s'étonna Zoé.

Elle attendit une excuse, ou du moins une explication. Mais rien ne vint.

— Les frangins ? Si j'ai fait quelque chose de très très mal, ce serait bien de me le dire au lieu de...

Elle s'interrompit, la gorge nouée, et serra ses cours contre elle.

— Laissons tomber... marmonna-t-elle.

Lorsque Tugdual retira ses lunettes de soleil et qu'elle vit ses yeux, rouges et cernés, elle eut clairement envie de pleurer.

— OK, dit-elle sans laisser à son frère le temps de parler. C'est pas ton jour, à toi non plus.

Et elle sortit de la maison.

— On l'a blessée, murmura Tugdual. C'est nul.

— Très nul, confirma Mortimer.

Tugdual sortit son portable et envoya aussitôt un SMS à sa sœur.

« Pardon, P'tite Madone. »

Elle lui répondit illico.

« Je m'en remettrai. À ce soir. »

Tugdual rangea son portable, soulagé d'avoir plus ou moins rattrapé sa maladresse. Puis il se tourna vers son frère, assis sur la première marche de l'escalier, les coudes sur les genoux, la tête entre les mains.

— T'es prêt ? On y va ?

— Je crois que je vais rester là aujourd'hui. Je ne suis pas en forme.

— T'as des soucis ?

Mortimer lui jeta un regard ombrageux.

— Mais pourquoi tout le monde veut que j'aie des soucis ? s'emporta-t-il.

— Personne ne veut que tu aies des soucis !

— Alors arrêtez d'être tous sur mon dos, Zoé, ma mère, toi ! Et ça ira beaucoup mieux !

Il se leva d'un bond, l'air aussi furieux que malheureux. Sans même prendre la peine de gravir l'escalier, il vola jusqu'au premier étage et se précipita dans sa chambre. Les murs vibrèrent quand il claqua sa porte, puis le silence régna à nouveau.

*

Ainsi qu'elle le lui avait quasiment ordonné, Conor attendait que Zoé passe le chercher pour aller au lycée. Il n'était pas dans une forme éblouissante et son regard s'avérait fuyant, mais la joie de la jeune fille, quoique discrète, semblait lui faire du bien.

— Au fait, merci de m'avoir filé les cours ! dit-il en cheminant vers la salle de langues.

— Oh, pas de quoi !

« Zoé Cobb est demandée au bureau de Mme le Proviseur. Zoé Cobb... »

Machinalement, elle regarda un des haut-parleurs accrochés au plafond.

— On dirait qu'Erica Patton t'aime bien... plaisanta Conor.

Zoé se força à lui sourire. Elle quitta les couloirs animés et s'engagea à contrecœur vers le troisième étage. La proviseur la héla dès qu'elle l'aperçut devant la porte entrouverte de son bureau.

— Mademoiselle Cobb, entrez !

Elle la fixait d'un regard ardent contrastant avec son allure stricte – le col Mao de son tailleur gris perle accentuait sa posture déjà si rigide. Elle fit signe à Zoé de s'asseoir, sans la quitter des yeux.

— Mademoiselle Cobb, j'ai bien peur d'avoir une mauvaise nouvelle...

La jeune fille bougea légèrement pour se sentir plus stable sur son siège et ses cours glissèrent sur le sol. Sous la pression, elle faillit les ramasser sans bouger, d'un petit geste magique de la main.

Ho ! Reste concentrée ! pesta-t-elle en se baissant.

— Qu'est-ce qui se passe ? demanda-t-elle, la voix tremblante.

Quelques secondes avaient suffi pour qu'elle imagine le pire.

— Lana Summer...

Elle ne veut plus de moi au club de journalisme... Elle a été déçue par mes photos... Je ne suis pas assez douée...

— Lana Summer a succombé à une crise cardiaque, l'informa la proviseur d'un air désolé.

Zoé se sentit soudain très lasse. Tout ralentit en elle, sa respiration, les battements de son cœur, les connexions à l'intérieur de son cerveau. La vie, la mort, aussi aléatoires l'une que l'autre... En face d'elle, Erica Patton continuait de la fixer de ses yeux étrangement écarquillés. Ses longs cils très maquillés ressemblaient à des pattes d'araignée et ses lèvres à un piège à loup, écarlate et rutilant. Zoé se choqua elle-même d'avoir de telles images en tête au beau milieu d'une annonce aussi tragique.

— Elle se trouvait seule dans le local du club de journalisme de l'établissement, expliqua la proviseur. Quelques détails à régler pour la récolte de dons en faveur de Bright House... L'agent de sécurité de nuit l'a trouvée inanimée. Il a aussitôt appelé les secours, mais c'était trop tard.

L'ambulance que j'ai vue passer... se souvint Zoé.

— Je tenais à vous apprendre personnellement cette terrible nouvelle.

Zoé ne sut que dire. De toute façon Erica Patton poursuivait déjà.

— Lana vous appréciait beaucoup. Elle vous considérait comme une personne de confiance.

Pourtant, on se connaît... on se connaissait depuis quelques jours seulement...

— Sans doute vous avait-elle confié sur quels projets elle comptait travailler ?

— Non, répondit Zoé.

La proviseur s'enfonça sur son siège, les yeux plissés.

— Non ? fit-elle en écho.

Zoé passa rapidement en revue les sujets de conversation qu'elle avait pu avoir avec Lana Summer. Mais à part quelques échanges sur la façon de présenter des portraits et leur discussion lors de leur visite à Bright House, elles n'avaient pas vraiment eu le temps d'échanger quoi que ce soit d'autre. Zoé secoua négativement la tête.

— Je comprends que vous soyez bouleversée. Mais nous allons faire notre possible pour que le club continue de fonctionner normalement jusqu'à ce que nous trouvions quelqu'un d'autre pour prendre le relais.

Elle posa les mains sur le bureau et entrecroisa ses doigts lourdement bagués.

— En attendant, je compte sur vous pour mener à bien les missions en cours, mademoiselle Cobb. Lana croyait en vous et moi aussi.

Zoé vit dans ce compliment une invitation à quitter le bureau, ce qu'elle fit volontiers. La mort de Lana Summer la peinait, forcément, mais elle ne tenait pas à montrer ses émotions. Et encore moins à une femme comme Erica Patton.

52.

Pendant que Zoé apprenait la nouvelle de la mort de Lana Summer, Tugdual était en route pour le lycée, seul. Mortimer n'avait peut-être pas tout à fait tort, l'attention qu'ils se portaient les uns aux autres, cette extrême bienveillance, l'angoisse permanente de ce qui pouvait arriver... tout cela avait quelque chose de très rassurant, mais pouvait également s'avérer pesant. Tugdual était bien placé pour comprendre ce sentiment, tellement oppressant quand il était généré par des personnes qu'on aimait. Comment dire stop à quelqu'un qui ne vous veut que du bien ? C'était si cruel, si ingrat...

— Il va falloir que tu trouves une excuse en acier trempé !

La voix de Victoria électrisa Tugdual. Son visage aussi, lorsqu'il l'aperçut ; ses pommettes bien dessinées ; ses cheveux rassemblés sur sa nuque ; ses doigts étonnamment forts par rapport à sa physionomie ; elle, intégralement.

— Alors, Tugdual Cobb ? Qu'est-ce que tu as à dire pour ta défense ?

Son sourire avait quelque chose d'ironique. Ou peut-être de très amer.

— Problème de batterie ? Grosse fatigue ? Fête de famille improvisée ? Accident domestique ?

Sous tension, Tugdual en arrivait presque à souhaiter voir apparaître des volutes noires à travers les lèvres rose poudre de la jeune fille. Au moins, il aurait eu une bonne raison de fuir. Mais il n'y avait rien. Seulement ce visage tourné vers lui, peau de pêche blanche, yeux vides derrière le verre fumé de ses lunettes. Épuisé de réfléchir, il coupa net le flux de ses pensées, s'approcha de Victoria en inclinant la tête et l'embrassa.

Il sentit la surprise la faire vaciller. Cependant, elle ne le repoussa pas. Il plongea alors les doigts dans sa chevelure et lui tira doucement la tête en arrière. D'une main, il lui retira ses lunettes et les glissa dans la poche de sa robe.

— Non ! murmura-t-elle. Je ne veux pas que tu me voies comme ça.

Il la fit taire en posant ses lèvres sur chacune de ses paupières, un peu froissées comme du papier de soie bleuté, et la regarda à nouveau. Il adorait la découvrir ainsi, percevoir la combustion qui naissait en elle, en lui. Toujours adossée contre une des colonnes de l'entrée, elle mit ses mains en coupe autour du visage de Tugdual tout en caressant sa peau du bout des doigts, avec prudence et audace à la fois, comme si elle partait en reconnaissance d'un territoire nouveau qu'elle voulait connaître depuis toujours.

— Tu m'as fait craquer à la seconde où je t'ai vue... fit Tugdual.

— Toi aussi.

Elle sourit, peut-être à l'évocation du mot « voir » ou tout simplement parce qu'elle était heureuse. Il regarda à nouveau ses lèvres et n'y vit rien d'autre que le rose poudre dessinant leur contour parfait.

Pourquoi il n'y a pas cette saloperie de souffle noir ? C'est quoi, ce foutoir ?

Puis tout se précipita. Elle l'attira vers elle, si ardemment qu'à ce moment il comprit combien il avait sous-estimé son désir pour elle et combien il avait ignoré celui qu'elle avait pour lui. Elle se pressait contre lui, tout entière, ses seins et son ventre, son visage, ses lèvres.

Impatiente, elle noua les bras autour du cou de Tugdual et glissa un genou entre ses jambes : elle allait plus vite, plus loin que lui, mais c'est exactement ce qu'il voulait.

Non, non, non ! Ne nous laisse pas faire ça, Victoria ! s'affola-t-il.

Mais comment aurait-il pu se raisonner alors qu'il brûlait d'envie de continuer ?

Leur deuxième baiser les renversa. Ils se retinrent l'un à l'autre, en pleine perdition, en totale dérive, seuls au monde sous le porche de St. Mary's où les lycéens passaient en leur jetant un coup d'œil goguenard. Tugdual avait l'impression de vouloir la dévorer et elle ne semblait pas moins affamée que lui.

— Viens chez moi... lui chuchota-t-elle à l'oreille entre deux baisers.

Il émanait une telle volupté de tout son être qu'il crut mourir de plaisir rien qu'en imaginant comment ce serait s'il acceptait. Pourtant, il la repoussa.

— S'il te plaît... soupira-t-elle.

— Je ne peux pas !

Il recula, vit son désarroi, faillit se laisser emporter par le tourbillon qui explosait toutes ses résistances. Et finit par tourner le dos en la laissant là, débordante d'un désir aussi brutal que le sien.

*

Affairé en cuisine, Abakoum vit passer Tugdual en trombe. Il consulta la pendule : dix heures... Il s'essuya les mains, retira son tablier et monta à l'étage d'un pas lourd.

— Je peux faire quelque chose pour toi, mon garçon ? murmura-t-il à travers la porte de la chambre du jeune homme.

— Je n'ai pas cours, j'ai préféré revenir.

Le front en appui sur la porte, Abakoum hésita. Lorsqu'il entendit jaillir la musique depuis l'intérieur de la pièce, il préféra renoncer. Visiblement, Tugdual avait besoin d'être seul. Le patriarche rebroussa chemin. En passant devant la chambre de Mortimer, il se sentit plus vieux que jamais. Le garçon avait prétexté une mauvaise digestion du dîner de la veille, Barbara l'avait cru – ou avait fait semblant de le croire –, mais Abakoum, non. C'était une vraie torture pour lui de les voir tous deux souffrir autant. Il avait plus mal pour eux que pour lui, en dépit de la perte de son propre bonheur. Personne ne pouvait prétendre avoir de certitudes quant à l'avenir, mais force était de reconnaître que celui de ces trois jeunes gens s'annonçait couvert d'échardes. Gris et voûté, le vieux veilleur descendit l'escalier et rejoignit la cuisine. Que pouvait-il faire de plus ? De mieux ? Il lui semblait être arrivé au bout de ses limites et ce constat l'accablait.

— Maudit sois-tu, Orthon... murmura-t-il à l'adresse de son ennemi de toujours, mort, enfin. Tu ne méritais pas d'être père, la nature aurait dû t'en empêcher...

Il secoua la tête avec un petit gémissement. Il repensa aux convictions qui lui avaient permis d'avancer, envers et contre tout. Sa détermination secrète à rendre les liens du cœur plus puissants que ceux du sang. Toute sa vie, il avait lutté pour le Bien, tout en sachant que rien n'était aussi tranché. Le Bien, le Mal... Aucun des deux ne triomphait jamais vraiment. La preuve avec ce qui s'était passé quelques mois plus tôt dans la Michigan Central Station de Detroit[1] : Abakoum et les siens – sa communauté tant aimée – avaient réduit Orthon en cendres. Et pourtant, il était encore là, aussi présent que lorsqu'il était vivant. Par un moyen ou un autre, le Mal réussissait toujours à survivre.

---

1. Cette scène est amplement détaillée dans *La Dernière Étoile* (série *Oksa Pollock,* tome 6).

Le téléphone sonna dans l'entrée.

— Monsieur Cobb ?

— Oui ?

— Ici la secrétaire de St. Mary's High School. Je vous appelle au sujet de votre fils, Tugdual...

— Mon petit-fils, voulez-vous dire ?

— Euh, oui, pardonnez-moi.

— Nous avons bien noté l'absence de Mortimer, signalée par sa mère ce matin, mais on vient de m'indiquer que Tugdual ne s'était pas présenté au cours de dix heures, ni au suivant...

— Oh, c'est entièrement ma faute ! s'écria Abakoum en s'asseyant sur une chaise, le téléphone à la main. Il est revenu, un peu souffrant, et j'ai oublié de vous prévenir.

— J'espère que ce n'est pas trop grave !

— Je ne le pense pas. Merci de votre sollicitude, madame. Je vous souhaite une bonne journée.

— Merci, au revoir, monsieur Cobb.

Abakoum raccrocha lentement et resta un long moment assis sur sa chaise. Il était là, dans l'entrée de cette maison magnifique, au milieu d'une journée qui avait tout pour être superbe, dans une vie qui aurait dû être meilleure... Par leurs mensonges, les deux garçons démontraient que les liens du sang l'emportaient sur ceux du cœur. Et Abakoum n'était pas sûr de pouvoir le supporter.

53.

Tout au long de son premier jour d'absence, le téléphone de Tugdual sonna tant de fois qu'il finit
par le mettre en sourdine. Ce qui ne l'empêcha
pas d'être la proie d'une vive douleur chaque fois que
l'appareil vibrait, affichant le nom de Victoria comme un
appel à l'aide.

Perdu. Il se sentait perdu. À force de se torturer l'esprit,
il finit par se rendre compte qu'il n'y avait que deux
possibilités et qu'il détestait autant l'une que l'autre : le
désir de Victoria était invisible à cause de sa cécité ou
bien elle se jouait de lui.

Non ! Elle ne peut pas être comme ça !

Elle avait été encore plus démonstrative que lui, elle
voulait ce qui était arrivé. Son désir n'était pas feint, il
ne pouvait pas avoir rêvé. Pourtant, le jeune homme ne
ressentait pas la moindre amorce de migraine, aucun des
signes précurseurs qu'il redoutait tant.

Alors quoi ? Qu'est-ce que tu en déduis ?

Chaque fois, il revenait au point de départ : ou il y avait
une faille dans cette saleté de fléau ou Victoria n'était
pas sincère.

Quoi qu'il en soit, que Victoria soit amoureuse de lui
ou non, il venait de prendre – *de lui faire prendre !* – un
risque énorme. Comment avait-il pu faire ça ?

Tu crois que tu as changé, mais que dalle ! Tu es resté le même, tu es comme ton père, à croire que le monde tourne autour de ton nombril… Elle est en danger avec toi, tu dois t'empêcher de lui faire du mal.

Le lendemain et les jours suivants, Victoria tenta de le joindre sur la ligne fixe. Elle tomba sur Abakoum ou Barbara qui, navrés, ne purent que rester évasifs : Tugdual était malade, il ne fallait pas le déranger – ses consignes avaient été claires. Malade, il l'était vraiment. Tout le monde comprenait plus ou moins pourquoi, chacun essayait à sa façon de lui soutirer des explications, mais la muraille qu'il avait dressée entre le monde et lui était bien trop épaisse. Il restait de marbre, lugubre, tendu, devenant peu à peu l'ombre de lui-même.

Un soir après la classe, Victoria se hasarda à sonner à la porte. Devant le regard inquiet d'Abakoum, Tugdual fila à l'étage comme si les troupes d'élite du FBI menaçaient de débarquer dans le salon.

— Vous pourrez lui donner ça de ma part, s'il vous plaît ? dit la jeune fille à Abakoum. Ce sont les enregistrements des principaux cours.

Posté en haut de l'escalier, Tugdual fut complètement retourné en entendant sa voix. Il dut lutter de toutes ses forces contre lui-même pour ne pas dévaler les marches afin de la serrer contre lui, lui prendre la main, l'emmener dans sa chambre, même si cela devait la tuer. Le corps tout gonflé d'amertume, il se sentit autant empoisonné qu'empoisonneur.

*

Du côté de Mortimer, ce n'était guère mieux. Lui aussi recevait de nombreux coups de fil et SMS de Josh. Il se sentait incapable d'y répondre, tout en brûlant d'envie de le faire. Non. Il devait prendre son mal – son si grand mal – en patience. Jusqu'à samedi. Car si OMG avait dit vrai, ses problèmes avaient une chance d'être réglés. Et le jeune homme se sentait prêt à faire n'importe quoi pour cela. En attendant, le temps ne passait pas, les minutes semblaient être des heures et les nuits se transformaient en une véritable éternité.

Pendant qu'Abakoum veillait sur les deux garçons, tel un garde-malade muet et impuissant, la vie continuait tant bien que mal pour Barbara et Zoé. Mme Cobb, la nouvelle paysagiste, s'engageait avec passion dans ses fonctions et, si les garçons n'étaient pas allés si mal, elle aurait pu leur exprimer tout son bonheur de travailler et de côtoyer des gens ordinaires avec des problèmes et des joies ordinaires... Elle aurait également pu leur parler de la soirée en l'honneur des colons de Serendipity à laquelle le maire l'avait si gentiment invitée. Elle avait même commandé une robe spécialement pour l'événement – tout le monde serait déguisé. Il y avait si longtemps qu'elle ne s'était pas amusée ! À cette perspective, elle se réjouissait comme une ado qui va à sa première fête. Mais dès qu'elle rentrait à la maison, l'autre réalité prenait le dessus. Alors elle se taisait en souhaitant de toutes ses forces ne pas être obligée de fuir, encore, pour survivre.

Zoé redoutait cela, elle aussi. Pour sa part, la vie prenait un tournant qui lui plaisait. Elle commençait à compter pour Conor, de façon si amicale que l'inquiétude battait en retraite, peu à peu. Deux jours après qu'elle fut venue le tirer presque de force hors de sa maison, il avait lâché une drôle de phrase : « Tu es le meilleur pote que j'aie jamais eu... » La plupart des filles se seraient formalisées d'être considérées comme « le meilleur pote » d'un garçon. Mais Conor ne pouvait pas lui faire de plus beau compliment.

Elle s'était toujours beaucoup souciée des autres, peut-être pour éviter de s'apitoyer sur son propre sort. Mais ce vendredi soir, au terme d'une semaine pénible, l'attitude de ses frères l'exaspérait.

— Vous n'avez *vraiment* rien à nous dire ?

Elle avait lancé cette question tout en s'appliquant à découper sa tranche de jambon en très petits morceaux, sans un regard pour Tugdual et Mortimer. Bien que basse, sa voix vibrait d'une colère qui ne demandait qu'à exploser. Et même si chacun savait que cette colère resterait confinée à l'intérieur de son cœur et de son esprit, la jeune fille n'en demeurait pas moins impressionnante.

Soudain, elle laissa tomber bruyamment ses couverts sur son assiette. Abakoum lui jeta un coup d'œil solidaire.

— Alors ? insista-t-elle. On vous a mis une muselière ?

— Je suis un peu patraque, lâcha Tugdual.

Abakoum ne put s'empêcher de froncer les sourcils. Il connaissait les remèdes à tous les maux du corps, mais ceux de l'esprit n'étaient pas toujours guérissables.

— Tu es un peu patraque... répéta Zoé, sans cacher sa perplexité. Et toi, Mortimer ?

— Pareil.

— Eh bien, nous voilà bien avancés... grommela Barbara en jetant sa serviette sur la table.

Son dépit semblait déborder.

— Vous vous souvenez de notre conversation lorsque nous sommes arrivés ici ? Vous vouliez entrer au lycée à tout prix, suivre des cours comme n'importe quel jeune de votre âge. J'ai tout fait pour mettre ma réticence et toutes mes angoisses de côté, je me suis fait violence pour accepter ce qui semblait être tellement important pour vous. Et quelques semaines plus tard, vous lâchez tout, sans daigner nous donner la moindre explication.

Elle inspira à fond, pour reprendre son souffle autant que pour se calmer.

— Alors, permettez que je vous trouve un peu gonflés, mes chéris, conclut-elle.

Zoé rapprocha son visage de celui de Tugdual qui se trouvait face à elle.

— C'est à cause de Victoria ?

Le jeune homme leva sur elle un regard à vif.

— Elle est amoureuse de toi ? enchaîna sa sœur. Elle a... le souffle noir ?

— Non.

Le soulagement fut presque palpable.

— Alors, quel est le problème ?

Le fait de poser la question provoqua un séisme en Zoé. Elle avait la réponse, celle que Tugdual ne donnerait jamais ouvertement.

Le problème ? Il est là... Tu es amoureux, Victoria ne l'est pas, tu sais ce qu'il faut faire pour qu'elle le soit et tu sais que tu ne le dois pas...

Les lèvres entrouvertes, la respiration suspendue, elle fixa son frère d'un air catastrophé. Si ce qu'elle pensait était juste, Tugdual s'apprêtait à affronter de terribles tourments. Elle crut lire dans son expression une supplique :

Tu as compris, mais je t'en conjure ne dis rien...

— Il faut que tu te ressaisisses, dit-elle simplement.

Il fit un petit signe de tête.

— Et souviens-toi qu'on est là... ajouta-t-elle.

Mais Tugdual avait à nouveau coupé le contact. Zoé se jura de le harceler jusqu'à ce qu'il se libère, au moins par la parole, plus tard, quand elle en aurait fini avec son autre frère.

— Et toi, le Petit Taureau ? Qu'est-ce qui ne va pas ?

— Moi aussi, je vais me ressaisir, annonça le jeune homme d'une voix un peu forte. Dès lundi, je retourne au lycée !

Barbara plaqua les deux mains sur la table.

— C'est une très bonne nouvelle !

Elle regarda ses enfants un à un. Comme elle les aimait... Même ceux qu'elle n'avait pas mis au monde. Les larmes lui montèrent aux yeux. Pourvu qu'ils arrivent tous à s'en sortir...

54.

« RDV ce soir, 21 heures, mausolée des Colons. Souviens-toi, je suis là pour t'aider. OMG. »

S'il y avait bien une chose que Mortimer ne risquait pas d'oublier, c'était ce rendez-vous. Voilà cinq jours qu'il l'attendait, obnubilé au point d'être incapable de faire autre chose que de rester enfermé dans sa salle de sport et de courir, frapper, soulever, ahaner...

— Tu parles d'un malade ! avait ironisé Zoé en le croisant, deux jours plus tôt.

Elle avait glissé sous sa porte une photo de lui, prise à son insu, le montrant en nage et grimaçant. Au dos, elle avait écrit : « On peut tous être de bons punching-balls. » Il avait fait semblant de ne pas comprendre l'allusion et était resté silencieux, autant que morose.

Josh avait essayé de le joindre à plusieurs reprises, sans oser venir jusqu'à la maison comme avait eu le courage de le faire Victoria. Mais à l'inverse de Tugdual, Mortimer n'avait pas rejeté les appels de son ami, même s'ils aggravaient ses maux de tête. Leurs échanges avaient été brefs et pourtant suffisants pour que le jeune homme comprenne que Josh comptait bien plus pour lui qu'il ne voulait l'admettre. Il ne connaissait pas grand-chose aux subtilités de la vie et des sentiments que deux personnes pouvaient avoir l'une pour l'autre. Cependant, il savait que l'amour pouvait modifier la perception que l'on avait d'une personne. Cet amour, surtout quand il n'était pas réciproque, métamorphosait les relations. On devenait plus délicat, ou plus dur. On prenait l'autre en sympathie, parfois en pitié, on le ménageait pour ne pas lui faire de peine, ou bien on le brisait en mille morceaux. On avait tous les pouvoirs. Presque tous... Car l'autre – l'amoureux, l'amoureuse – n'en était pas entièrement dépossédé non plus.

Le trouble de Mortimer se situait exactement à ce niveau : était-ce l'amour que Josh lui portait qui le mettait si mal à l'aise ou bien ses propres sentiments ? Il sentait bien qu'il manquait d'honnêteté face à lui-même. Et cela le jetait dans une frustration qu'il gérait de façon chaotique et poussive.

Mais pour le moment, il devait se concentrer sur ce qui allait se passer à 21 heures, sans en avoir la moindre idée. Le soir était arrivé, enfin, et la nuit avait fini par tomber. L'heure H approchait. Mortimer descendit au rez-de-chaussée, en « mode reconnaissance ». Tugdual jouait du piano dans la bibliothèque, les échos de sa voix glissaient sous la porte. Zoé et Abakoum regardaient le DVD d'une série anglaise dans le salon.

— Excusez-moi, mais vous avez vu ma... Vous savez où est maman ?

— Je suis là !

Il se retourna et découvrit Barbara dans une tenue qui le décontenança.

— Eh bien, ne fais pas cette tête ! fit Barbara, gentiment moqueuse.

— Tu es magnifique ! s'exclama Zoé en mettant la télé sur pause.

— Tout à fait superbe, confirma Abakoum. Cette robe a été faite pour toi !

— Merci, vous êtes adorables ! Dommage que mon fils n'ait pas l'air de cet avis...

Elle s'approcha de Mortimer, les amples volants de sa crinoline froufroutant à chacun de ses pas.

— Tu vas où dans cette tenue ? demanda-t-il d'un air réprobateur.

— À la fête des Colons. Ta sœur et ton grand-père ont réussi à me convaincre d'y aller.

La mine renfrognée de Mortimer fit l'effet d'un courant d'air glacé traversant la maison.

— Je serai de retour avant minuit, histoire de ne pas me changer en souillon au douzième coup de l'horloge, précisa-t-elle avec un petit sourire forcé.

Sa tentative pour détendre le jeune homme échoua. Sa bougonnerie se transforma en animosité

— Je trouve ça dingue que tu sortes...

Il s'arrêta à temps, mais tout le monde avait déjà saisi le sens de son sous-entendu : ... *alors que nous, on est bloqués à la maison !*

— Mortimer ! s'écria Abakoum en se levant d'un bond. Ça suffit ! Ta mère fait tout ce qu'elle peut pour nous, elle a bien le droit de se divertir quelques heures !

Il avait rarement élevé la voix avec autant d'indignation. Malgré cela, Mortimer esquiva son regard fâché.

— C'est ce policier qui t'a invitée ? persista-t-il. Je ne sais pas à quoi il joue, celui-là. Il est marié, je te rappelle !

Barbara fut la plus étonnée quand sa main s'abattit sur la joue de son fils. Elle était capable de supporter beaucoup de choses, mais l'insolence n'en faisait pas partie.

— Merci... gronda-t-elle, les lèvres pincées. Merci de me gâcher ma soirée.

Écœurée, elle commença à retirer ses boucles d'oreilles. Juste à ce moment, le carillon de la porte retentit. Les yeux pleins de larmes et de colère, Barbara chercha le regard d'Abakoum et de Zoé.

— Vas-y, Barbara, fit le vieil homme. Mets tout cela entre parenthèses et amuse-toi, je t'en prie.

Barbara se passa les mains sur le visage comme si elle pouvait retirer le masque de tristesse qui le marquait. Zoé se précipita vers elle. Au passage, elle retira une pivoine du bouquet posé sur la table, coupa la tige et plaça la fleur dans les cheveux de celle qu'elle aimait désormais comme sa mère.

— Comme ça, tu es parfaite !

Elle lui fit un baiser sur la joue avant de la pousser vers l'entrée. Barbara souffla si fort qu'on aurait dit qu'elle s'apprêtait à faire du saut à la perche. Puis elle disparut dans un bruissement de soie.

De retour dans le salon, Zoé pointa un doigt furieux vers son frère.

— Je n'aurais jamais cru dire ça un jour, mais t'es vraiment un petit con quand tu t'y mets !

Elle se jeta dans le canapé, hors d'elle et pourtant décidée à ignorer l'objet de sa colère. D'ailleurs, ce dernier avait déjà tourné les talons…

*

Encore sous le coup de sa dispute avec sa mère, Mortimer enjamba la fenêtre de sa chambre, s'accrocha aux bardeaux de bois de la façade et descendit, façon « araignée humaine ». Puis il longea le jardin, abrité par la végétation, jusqu'à la haute clôture du fond, qu'il franchit avec son aisance surnaturelle.

Savait il que son frère le suivait comme son ombre ? En dépit de ses propres soucis, Tugdual le surveillait depuis le début de la semaine. Pourquoi Mortimer se comportait-il ainsi ? Où allait-il, alors que la nuit était tombée et que son bracelet ne fonctionnait plus ? En tout cas, lui, il serait là pour le protéger. Toujours.

Ses quelques minutes d'avance sur l'heure du rendez-vous mirent Mortimer sur des charbons ardents. Le mausolée se trouvait dans le parc, à l'écart d'une superbe maison de maître ayant appartenu à l'un des plus grands propriétaires terriens de la région, au XIXe siècle. Aujourd'hui réhabilitée en musée et à l'occasion en lieu de réception, elle faisait figure de demeure enchantée projetée dans un passé splendide, avec toutes ses fenêtres éclairées, les immenses candélabres sous le porche, l'allée de chênes séculaires bordée de lanternes dont l'éclat fragile s'arrêtait à la lisière du parc, maintenu dans une quasi-obscurité. Les invités convergeaient à pied, les femmes dans de volumineuses robes longues, les hommes en redingote, jabot, gilet de brocart... tous attirés par la musique, classique et néanmoins dansante, venant de la maison.

L'ambiance avait quelque chose de magique. Elle laissait pourtant Mortimer de glace. Il allait bientôt être 21 heures. Très nerveux, il s'assit sur les marches du mausolée et scruta le parc sombre. Sa vision nocturne lui permettait de distinguer le mouvement des feuilles, bercées par le souffle léger de la nuit, quelques oiseaux et même une toute petite chauve-souris. Mais il ne vit pas Tugdual qui l'observait, perché dans un arbre, à quelques mètres seulement.

Qu'est-ce que tu trafiques, frangin ?

Un grincement métallique les fit frémir tous les deux. Mortimer se leva pour observer le monument. Sur une des faces, il découvrit une grille en fer forgé. Son cœur s'emballa : la grille était entrouverte. Et une lumière vacillante perçait de l'intérieur, comme une invitation à entrer.

Alors, il entra.

55.

La flamme d'une lampe à huile tremblota au passage du jeune homme. Au fond du mausolée brillaient les noms des colons, gravés dans le marbre et rehaussés de feuilles d'or. Sous la lumière oscillante, ils faisaient penser à une formule secrète ou à quelque mystérieux message ayant traversé les siècles. L'effet était étrange, mais l'attention de Mortimer se focalisait sur tout autre chose : ce qui allait se passer, avec qui, et surtout, comment.

Son téléphone vibra au fond de sa poche, manquant lui arracher un cri.

« Plaque-toi contre la dalle et glisse tes doigts derrière les bords au niveau du nom d'Aaron Bright. Tu trouveras un loquet de chaque côté. Lève celui de gauche, abaisse celui de droite. Je t'attends. OMG. »

— OK... murmura Mortimer en rangeant son portable dans sa poche. Vous savez beaucoup de choses, mais, apparemment, vous ignorez que je peux traverser les murs...

Il suivit néanmoins les instructions, en se disant qu'il devait être fou. La musique et les rires parvenaient jusqu'à lui, en sourdine. On était samedi soir, les gens faisaient la fête, et lui, il était là, collé à une plaque mortuaire, les bras en croix.

— Ça ne s'arrange vraiment pas... maugréa-t-il en cherchant le nom d'Aaron Bright.

Il trouva facilement les loquets et fit comme OMG le lui avait indiqué. La dalle verticale s'ébranla alors, avant de pivoter sur elle-même en entraînant Mortimer dans son mouvement. Il se retrouva derrière le fond du mausolée, face à un escalier qui s'enfonçait peu profondément : d'où il était, le garçon pouvait déjà apercevoir le sol couvert de larges pierres plates.

— Viens ! retentit une voix masculine.

Il descendit une dizaine de marches et commença à discerner une petite pièce, sorte de caveau voûté dont la température se révélait étonnamment douce. Le faible éclairage lui permettait juste de distinguer la partie inférieure d'un homme, vêtu d'un costume de planteur. À l'évidence, OMG participait à la fête déguisée qui devait battre son plein, là-haut, si près, si loin. Puis il aperçut aux côtés de l'homme plusieurs pieds chaussés de chaussures à boucle ou de bottes de cuir, des pantalons courts, le bas d'une redingote, les volants d'une robe longue... OMG n'était pas seul, ils étaient au moins trois à l'attendre ! Mortimer s'arrêta net. Il se sentait de taille – et d'humeur – à affronter plusieurs personnes, mais dans des circonstances *ordinaires*. Là, comment savoir si ces gens n'étaient pas comme lui ? Plus forts ? Plus dangereux ? Comment être sûr qu'il ne fonçait pas droit dans un piège ? Son cœur s'emballa, mille scintillements brouillèrent sa vue, il devait sortir d'ici, tout de suite !

Il fit volte-face et s'empressa de gravir les quelques marches. Arrivé en haut, il constata que la dalle s'était refermée. Qu'à cela ne tienne ! Il allait la traverser ! Il avait déjà fait cela des dizaines de fois, le marbre ne devait pas être très différent du métal ou du béton.

— Attends ! fit la voix qui l'avait invité à le rejoindre. Nous ne sommes pas là pour te faire du mal, mais pour t'apporter notre aide ! C'est bien ce que tu recherchais en venant ici ?

Mortimer avait déjà un bras enfoncé dans la dalle. Malgré un fort sentiment de terreur, il s'arrêta.

— Tu ne veux pas tuer ton ami Josh, n'est-ce pas ? reprit la voix.

— Qui êtes-vous ? demanda Mortimer d'une voix précipitée.

— Je te l'ai dit, nous sommes là pour t'aider.

L'homme laissa planer un court silence avant de continuer :

— Quand sont mortes Brooke Wells et Joana Caldwell, comment crois-tu qu'a pu être détournée l'attention de la police ? C'est nous qui avons tout fait pour que personne ne découvre que tu les avais tuées.

À l'évocation de la fille de la plage et de celle de la piscine, Mortimer sentit une griffe glacée lui enserrer le crâne et descendre le long de ses vertèbres pour les pétrir, une à une. Le bras toujours enfoncé dans la pierre, il vit l'ombre d'OMG couvrir la moitié des marches. Il se rapprochait.

— Tu veux connaître les détails ?

L'homme prit le silence de Mortimer pour un acquiescement et poursuivit :

— J'ai moi-même allumé l'incendie qui a permis d'effacer les preuves qu'on aurait trouvées sur le corps de Brooke Wells et qui auraient aussitôt relié cette affaire à quelques autres, identiques, survenues à Chicago en avril dernier. Inutile de te préciser lesquelles... Ensuite, pour les mêmes raisons, un de nos amis ici présent s'est chargé de repêcher le corps de Joana Caldwell, avant qu'il ne dérive au large des côtes de Serendipity. Puis nous avons fait en sorte qu'il soit retrouvé à vingt-deux kilomètres de là, dans la réserve de crocodiles...

L'ombre se rapprocha encore.

— Tu comprends ce que je veux dire, maintenant, ou bien tu continues de douter de notre *bienveillance* à ton égard ?

Le ton de l'homme n'avait rien d'agressif ou de vindicatif. Il parlait à mi-voix, calmement, comme s'il ne voulait pas le blesser ou l'effrayer. Pourtant, Mortimer se sentait encore plus pétrifié que la pierre elle-même. La forme n'enlevait rien au fond : cet homme savait tout. *Ces gens savaient tout.*

— Ton ami Josh ne doit pas subir le même sort que ces malheureuses, n'est-ce pas ?

— Vous voulez quoi ? réussit à ânonner le jeune homme.

— Que tu nous aides à ton tour.

— Je ne vois vraiment pas comment...

— Et nous, nous le savons exactement.

Mortimer n'arrivait plus à bouger. Dans quel pétrin s'était-il fourré ? À moins que tout cela ne soit la chance de sa vie ? Il retira lentement son bras du marbre, se retourna, et regarda vers le bas. Les jambes et une partie du buste de l'homme apparaissaient en contre-jour de la lumière de la cave. Les autres s'étaient sans doute reculés.

— Nous te proposons un échange : l'immunisation de Josh contre cette substance que tu sécrètes lorsque tu...

— Quelle substance ? l'interrompit Mortimer.

OMG fit claquer sa langue contre son palais.

— Si tu penses encore pouvoir nous cacher quoi que ce soit, tu te trompes.

La main de Mortimer battit frénétiquement le long de sa cuisse. Il avait pu tromper son père, le trahir sans que celui-ci s'en aperçoive, mais il avait la très désagréable impression qu'avec OMG et ses complices, silencieux à quelques pas de lui, son cerveau était à nu, son esprit exposé, sa nature profonde sans aucun filtre pour la protéger.

OMG lui tendit une main gantée. Son poignet, entouré de volants en dentelle, semblait complètement décalé. Les nerfs à vif, le garçon descendit les marches une à une. Peu à peu, OMG lui apparut. Bientôt, il put le voir en entier, ainsi que les deux hommes et la femme. Leur visage était couvert de ce genre de masques que Mortimer détestait, blancs, si neutres qu'ils en devenaient angoissants.

— Vous voulez du goudron noir, poursuivit Mortimer.

Sa voix se brisa et resta suspendue, en sursis. OMG et ses trois associés opinèrent comme des marionnettes inquiétantes.

— Pourquoi faire ?

Personne ne répondit.

— Mais... vous savez ce que ça... implique ?

Le jeune homme sentait la panique revenir au grand galop. Il n'était pas un tueur, il n'avait pas aimé ôter la vie à ces deux filles. L'idée même de recommencer lui faisait horreur.

— Oui, nous le savons, dit gravement OMG. C'est pourquoi la jeune femme que nous avons choisie pour toi ne sera regrettée par personne.

Mortimer crut se vider de toute raison.

— Quoi ?

Un des hommes, resté silencieux jusqu'alors, prit la parole :

— Elle était la complice d'un pédophile. C'est elle qui approchait les petites filles. Elle les mettait en confiance, les kidnappait et les ramenait pour *son* homme. Il y a eu un vice de forme au moment du procès, une des pièces du dossier a été contestée, les poursuites ont dû être abandonnées.

Il existait des milliers d'histoires comme celles-là, Mortimer le savait bien, et de telles impunités l'écœuraient, toujours. Si Tugdual et Zoé avaient été à ses côtés, aucun doute : ils auraient tous les trois mené une expédition « à la Kaiiisuuus » ! Pourtant, cette femme méritait-elle plus que lui d'être punie ? Était-il moins coupable qu'elle ? L'éternelle et insoluble question...

Comme si elle percevait ses doutes, la femme en robe longue intervint :

— Tu n'es pas comme cette femme. Ce que tu as fait à Brooke Wells et Joana Caldwell était un accident. Tu ne pouvais pas empêcher que cela arrive.

— Je ne sais pas pourquoi j'ai l'impression que cette interprétation vous arrange bien ! maugréa Mortimer.

— Nous avons pourtant cru remarquer que faire justice ne te déplaisait pas tant que ça ! rétorqua la femme.

OMG tourna la tête vers elle. Mortimer se demanda ce qu'il voulait lui faire comprendre. De ne pas insister ? D'arrêter de pousser le jeune homme dans ses retranchements ? Il était impulsif, sanguin, parfois violent. À manier avec précaution. Ces quatre personnes ne devaient pas l'ignorer puisqu'elles semblaient tant savoir sur lui ! De toute façon, leur prudence se révélait tout à fait inutile : il avait déjà pris sa décision. Restait à éclaircir un point.

— Qu'est-ce qui me prouve que vous n'allez pas m'arnaquer ?

À l'évidence, OMG et ses associés s'attendaient à cette réaction. Cependant, Mortimer ne put s'empêcher de continuer :

— Je fais ce que vous attendez de moi, vous récupérez cette merde de goudron, vous disparaissez dans la nature et moi, je me retrouve au point de départ.

— Alors, faisons l'inverse ! Nous immunisons ton ami Josh et ensuite, tu nous donnes ce que tu nous dois.

Ses interlocuteurs ne laissaient rien filtrer. À peine Mortimer voyait-il leurs yeux briller à travers les cavités de leur masque blanc.

— Lundi, tu auras la preuve que nous ne t'avons pas menti.

OMG s'approcha de lui et, avant que Mortimer ait eu le temps de réagir, il sortit une seringue de la poche de sa redingote et la lui planta dans le cou. Un des deux hommes le retint alors qu'il s'effondrait, mais le jeune homme avait déjà perdu toute conscience.

56.

Étaient-ce des étoiles que Mortimer voyait à travers la voûte formée par le feuillage des chênes ? Sans doute. Mais était-il normal qu'elles virevoltent autant ? Il caressa l'herbe sur laquelle il se trouvait allongé et tourna doucement la tête. Naturellement, sa main se porta à la base de son cou. Ce simple geste provoqua un fort vertige, suivi d'une nausée.

— Calme-toi… balbutia-t-il d'une voix pâteuse.

Il se rappelait tout ce qui s'était passé depuis son entrée dans le mausolée. Il manquait juste la fin.

Je suis entier, c'est déjà ça…

En se redressant, il crut percevoir une drôle d'odeur. Il huma l'air autour de lui, ses manches, son tee-shirt, et écarquilla les yeux. C'était lui ! Il empestait l'alcool ! Il n'avait jamais été ivre pourtant, il savait qu'il n'avait pas bu. Ça, c'est ce qu'OMG voulait faire croire. Pourquoi ?

Des voix joyeuses attirèrent son attention. La grande demeure où se déroulait la fête des Colons n'était qu'à quelques dizaines de mètres. La vision encore troublée de Mortimer la transformait en une espèce de paquebot aux hublots enflammés. Il essaya de se mettre debout et dut s'appuyer à un arbre pour trouver son équilibre.

On dirait un vieil alcoolo…

Il tourna le dos à la bâtisse et avança d'un pas chancelant vers la rue. Destiny Drive n'était pas si loin, il arriverait bien à rentrer. Il pouvait aussi téléphoner à Tugdual pour qu'il vienne le chercher. Il le massacrerait, mais il viendrait... D'ailleurs, Mortimer ne s'en doutait pas, mais son frère n'était pas très loin.

*

Dès qu'OMG et ses associés remontèrent du caveau en soutenant Mortimer sous les bras, Tugdual s'esquiva. Il les vit poser son frère dans l'herbe et s'éloigner. Déterminé à les démasquer, il les suivit. Malheureusement, ils se fondirent tous les quatre dans la foule. Il les chercha depuis la coursive, scrutant à travers les hautes fenêtres et les portes grandes ouvertes sans entrer ni se mêler aux gens. La bille de cristal-éponge de son bracelet était noire comme l'ébène, elle ne le protégeait pas – ne *les* protégeait pas.

L'esprit sens dessus dessous, il repartit en direction du mausolée et de l'endroit où il avait vu Mortimer pour la dernière fois. Son frère n'était plus là... Sans doute avait-il repris connaissance et décidé de retourner à la maison. Tugdual préféra s'en assurer en lui passant un coup de fil.

Mortimer Cobb. Pas dispo. Laissez un message.

Tugdual grogna. L'annonce de la messagerie vocale de son frère était à son image... Agacé, perturbé, inquiet, il se mit en route pour Destiny Drive. Une sérieuse explication allait s'imposer.

*

À cet instant, Mortimer aurait été bien incapable de retrouver son chemin. Groggy, il avançait en titubant entre les arbres du parc sans parvenir à en sortir. Et pour cause : il tournait en rond !

— Oh, t'as pas l'air en forme, toi ! éclata une voix. T'as drôlement picolé, mec !

Sans que Mortimer ait le temps ou la capacité de réagir, il se sentit fermement empoigné. Un garçon et une fille, déguisés en domestiques d'antan, avaient décidé de le prendre en charge. Contrairement à lui, ils étaient *vraiment* éméchés.

— Hé ! C'est par là que ça se passe !

Ils lui firent faire demi-tour en riant aux éclats et le conduisirent cahin-caha jusqu'à la salle de bal où des dizaines de gens dansaient, buvaient, s'amusaient. Mortimer essaya de résister. Il ne devait se trouver au contact de personne ! Sinon, il risquait de faire un carnage... Mais il se sentait si mal, vaseux et apeuré, soûl sans l'être.

— Il faut que je rentre chez moi... balbutia-t-il.

— Pas question ! rétorqua la fille titubante et hilare. La fête n'est pas finie, tu restes avec nous !

Avec l'aide approximative de son ami, elle le conduisit sur la galerie extérieure en manquant s'étaler de tout son long. Par chance, ils finirent tous deux par abandonner Mortimer sur un rocking-chair, ce qui n'allait pas atténuer ses abominables haut-le-cœur. En essayant de s'extirper du fauteuil, il se rendit compte qu'il ne pourrait rien faire de mieux qu'amplifier les mouvements de bascule. Alors il ferma les yeux en priant pour devenir invisible.

Il possédait des dons incroyables, mais pas celui-là. Le pire – sa mère débarquant sur la galerie et le trouvant affalé, puant l'alcool, dans ce fauteuil – pouvait donc arriver à tout moment. Il ne tarda pas...

— Mortimer ? Mais qu'est-ce que tu fais là ?

Il ouvrit les yeux et la vit, aussi stupéfaite que fâchée. Le gémissement qu'il poussa, loin de l'émouvoir, la rendit carrément furieuse.

— Et en plus, tu as bu !

— Non, je te jure...

— Arrête !

Elle ne criait pas. Elle ne criait jamais. Mais Mortimer aurait préféré une explosion de colère plutôt que cette immense déception dans le regard qu'elle posait sur lui. Il en arrivait même à espérer qu'elle lui donne encore une gifle, qu'elle le frappe de toutes ses forces si cela pouvait lui faire du bien. Tout plutôt que de lui donner cette impression qu'il était indigne d'être son fils.

— Tu te rends compte des risques que tu prends en venant ici ? lâcha-t-elle en se forçant à assourdir sa voix.

— Ce n'est pas ce que tu crois...

— Et depuis quand te soucies-tu de ce que je crois ? De ce que je pense ? De ce que je ressens ? Non seulement tu nous mets tous les cinq en danger, mais en plus tu fais tout pour gâcher le seul moment de détente que je m'autorise à prendre depuis des mois, peut-être des années !

Il s'attendait à ce qu'elle conclue en lui disant qu'il était aussi égoïste et possessif que son père. Mais elle ne le fit pas. Au lieu d'en être soulagé, Mortimer éprouva une violente envie de pleurer.

— Un problème, Barbara ?

Un homme venait de déboucher sur la coursive. Il retira son masque, blanc et inexpressif comme celui d'OMG et de ses associés. Comme celui de la moitié des gens présents à cette fête... Mais la voix de l'homme et sa corpulence ne correspondaient pas. Mortimer ne l'avait jamais vu.

— Non, Carl, tout va bien... répondit Barbara, tendue.

Elle détourna la tête et se frotta les tempes.

— Tu es sûre ? insista l'homme.

Son attitude envers sa mère ne fit que démontrer à Mortimer combien il s'était trompé et combien il avait été injuste. À l'évidence, c'était lui le cavalier de Barbara, et non le lieutenant Willis.

Cette soirée est un pur cauchemar... Quelqu'un, cet OMG, sait qui tu es et connaît les horreurs que tu as commises.

Et il n'est pas le seul, ils sont plusieurs. Même s'ils te couvrent et même s'ils semblent avoir autant de choses à cacher que toi, est-ce que ça sera toujours le cas ? Ta mère a raison, tu as mis tout le monde en danger. Tout ce qu'on a réussi à construire. Et pour couronner le tout, tu viens de briser quelque chose entre elle et toi. Quelque chose que tu ne pourras peut-être jamais réparer.

— Mon fils n'a rien trouvé de mieux à faire que de s'inviter et de vider des verres d'alcool, répondit Barbara à l'homme. Je doute qu'il soit en état de marcher, je vais téléphoner à mon beau-père, il va venir nous chercher.

— Je peux vous ramener tous les deux...

— Non, merci, Carl, dit-elle dans un souffle. Je crois que j'ai suffisamment honte comme cela.

L'homme pressa son épaule et sourit.

— Ce n'est pas si grave...

— Si, protesta Barbara d'un ton las. C'est beaucoup plus grave que tu ne le penses.

L'homme afficha une expression compatissante que Mortimer détesta sur-le-champ. Il resta auprès de Barbara quand elle appela Abakoum, endossant le rôle de tampon entre le jeune homme et elle.

Quand le patriarche des Cobb apparut enfin dans l'allée de chênes, Barbara prit congé et Carl la regarda partir à regret, son fils titubant accroché à son bras.

— M'man...

— Stop, Mortimer ! le coupa sa mère. Si tu veux avoir une chance que je te pardonne un jour, tais-toi.

57.

Après quelques heures d'un sommeil tourmenté, Mortimer avait rejoint les siens pour le petit déjeuner, l'esprit écartelé entre ses remords, ses angoisses et ses secrets. Sa mère ne montrait ni colère ni reproche, seulement ce qu'il redoutait : une immense déception. Sous le regard inquisiteur de Tugdual et celui atterré de Zoé, leurs échanges se limitèrent au strict minimum, n'allant pas plus loin que des considérations matérielles – *tu veux bien me passer la confiture... tu me donneras ton linge à laver... il faudra que tu remplisses mon billet d'absence...*

Comme d'habitude, Abakoum se plaça entre eux deux, arbitre bienveillant, conciliateur obstiné. Mais il faudrait beaucoup plus de temps pour que la mère et le fils arrivent à se retrouver – à supposer que cela soit possible. Mortimer se demandait si le vieil homme savait ce qui s'était réellement passé. Il lui semblait que non, mais comment en être sûr sans risquer de livrer malgré lui des informations ? sans semer le doute ? L'intuition d'Abakoum, comme celle de Tugdual et de Zoé, pouvait s'éveiller à la moindre allusion.

Barbara n'avait pas prononcé un mot lors de son retour à la maison. Dans sa belle robe à crinoline, elle avait aidé Mortimer, mal en point et puant, à monter dans sa chambre avant de s'enfermer à son tour dans la sienne. Tugdual et Zoé respectaient le mutisme de leur mère et ne se faisaient pas d'illusions sur leur frère : borné comme il l'était, il ne lâcherait rien.

Tugdual avait cependant une sacrée longueur d'avance sur sa sœur et comptait bien obtenir des explications. Qui étaient ces gens que Mortimer avait rencontrés ? Comment en était-il venu à accepter ce marché ? Pourquoi n'en avait-il jamais parlé ? Mais plus encore, depuis qu'il avait épié la conversation dans le mausolée, une terrible pensée taraudait Tugdual. Il fallait absolument qu'il parle à son frère. Le plus vite possible.

Les deux frères partageaient la même salle de bains. Cette grande pièce, confortablement équipée, se trouvait entre leurs chambres respectives, chacun pouvant y accéder depuis la sienne. En entendant Mortimer se laver les dents, Tugdual se précipita.

— Alors ? lança-t-il en s'adossant contre la céramique qui tapissait le mur.

— Alors quoi ? marmonna Mortimer, la bouche pleine de dentifrice.

Il prit son temps pour se rincer et s'essuyer.

— C'est bon, Mister Morale... J'ai un peu pété les plombs en voyant ma mère invitée par un mec à une fête. Ça peut arriver, non ? Et puis, je me suis excusé.

Tugdual s'avança de quelques pas en le fixant d'un air sombre, longuement.

— T'as rien d'autre à me dire ?

Sur la défensive, son frère le toisa, bien décidé à ne pas répondre.

— Tu te fous de moi ? assena Tugdual.

— Oh, ça va ! Vous n'allez pas m'en vouloir jusqu'à la fin de mes jours, quand même !

— Pourquoi tu ne nous as pas parlé de Josh ?

Mortimer eut du mal à garder bonne figure. Tugdual décida d'enfoncer le clou.

— Tu as estimé que ce n'était pas suffisamment important pour nous tenir au courant ? Ou bien tu pensais peut-être pouvoir gérer ça tout seul ? Comme tu l'as fait avec Joana Caldwell et Brooke Wells ?

En face de lui, son frère se décomposait à vue d'œil.

— En même temps, sans le coup de main de tes nouveaux amis, tu serais dans de beaux draps aujourd'hui... et nous aussi... On pourrait presque les remercier si ça ne craignait pas autant !

Tugdual ne s'attendait pas à ce que Mortimer réagisse, et encore moins avec cette violence : il se retrouva projeté contre le mur, si fortement qu'il en fut étourdi.

— Ce n'est pas ton problème ! martela son frère en le saisissant par le col.

— Ah oui ? fit Tugdual en le repoussant tout aussi violemment.

Pour toute réponse, Mortimer disparut à travers le mur.

— Tu ne pourras pas toujours esquiver ! ne put s'empêcher de crier Tugdual.

Plus personne ne revit son frère de la journée.

*

Le lundi, Barbara partit au travail avec tant de tristesse au fond des yeux que les siens en furent sincèrement peinés, Mortimer compris. Il la regarda s'éloigner dans l'allée en essayant de cacher la honte qu'il éprouvait, mais il ne réussit qu'à la transformer en une sorte de brusquerie presque touchante aux yeux de Zoé et d'Abakoum – Tugdual lui en voulait bien trop pour être compatissant.

Ainsi qu'il l'avait annoncé, Mortimer était prêt à retourner au lycée.

— Excellent ! s'exclama Zoé en le voyant avec ses cours. J'en ai assez de faire le trajet toute seule !

Ce n'était pas tout à fait vrai, mais quelle importance ? Elle aurait dit n'importe quoi pour que les liens familiaux soient maintenus. Et ils avaient clairement besoin d'être renforcés après ce week-end morose.

— Tugdual ? Tu es des nôtres ?

Du haut de l'escalier, le jeune homme regarda son frère et sa sœur, et secoua négativement la tête.

— Qu'est-ce que je dois dire à Victoria ? Elle va me demander ce qui se passe…

Tugdual inspira à fond.

— Dis-lui que je suis malade et que je ne tiens pas debout, répondit-il.

Zoé bondit jusqu'à lui. Il eut un mouvement de recul

— Tu sais que ce n'est pas vrai, je sais que ce n'est pas vrai et Victoria sait que ce n'est pas vrai, murmura sa sœur sur un ton réprobateur. Alors ?

Elle le fixa de ses grands yeux de miel.

— Alors, rien… fit Tugdual.

Il tourna le dos et s'éloigna dans le couloir.

— Super réponse… marmonna Zoé.

Elle rejoignit Mortimer dans le hall. Le cœur en charpie, Tugdual les regarda traverser le parterre de végétaux. Il ne pouvait pas prendre le risque de revoir Victoria pour la simple et bonne raison qu'il n'avait aucune idée de sa propre capacité à ne rien faire pour ne pas l'attirer à lui. Cruel paradoxe… Il dévia son attention sur les silhouettes de son frère et de sa sœur qui s'éloignaient. Avant qu'ils ne disparaissent à l'angle de Destiny Drive, la pensée qui l'avait obsédé depuis samedi soir devint une évidence. Sa décision était prise, il ne reviendrait pas en arrière.

*

Zoé eut le bon sens de ne pas évoquer l'incident de la fête des Colons au cours du trajet et Mortimer lui en fut reconnaissant. Il se sentait bien assez nerveux. Plusieurs voitures les dépassèrent, sa sœur et lui. Ils arrivaient à St. Mary's. Le verdict allait tomber.

— Je te laisse ? demanda Zoé. Ça va aller ?

— Oui ! Pourquoi ça n'irait pas ?

Elle le regarda avec le petit air sévère et entendu de celle qui ne savait peut-être pas tout, mais qu'il ne fallait pas prendre pour une idiote.

— On mange ensemble à midi ?

— Je vais m'entraîner pour rattraper mon absence...

— Tu as raison ! Alors, plonge bien, frangin. À ce soir.

— À ce soir, frangine.

Il la regarda rejoindre Victoria, qui attendait Tugdual en vain, comme chaque matin depuis une semaine. Il vit les deux filles converser un instant, Zoé poser la main sur l'épaule de Victoria. Tugdual avait un problème avec cette fille, il en était dévasté, et elle aussi. Il le niait farouchement, mais Mortimer en était certain : son frère fuyait le souffle noir qu'il avait vu apparaître sur Victoria, tout comme lui-même avait fui en le voyant s'échapper de Josh... Quoi d'autre, sinon ?

— Bienvenue chez les vivants !

Pression sanguine, battements de cœur, respiration, activité cérébrale... tout se bloqua en Mortimer quand il reconnut la voix de son ami. Le moment de vérité était arrivé.

— Enfin, je m'avance peut-être... se moqua gentiment Josh en se plaçant devant lui. T'es peut-être pas si vivant que ça, en fait !

Il claqua des doigts à quelques centimètres du visage de Mortimer.

— Hé ! ho ! T'es parmi nous ?

— Salut, Josh.

— Alléluia ! Il parle !

Mortimer ne savait quelle contenance prendre.

— Content de te revoir ! poursuivit Josh en lui donnant une tape amicale sur l'épaule. On se voit à midi ? Tu viens plonger ?

— OK.

Il resta planté au milieu de l'allée, se demandant s'il hallucinait. Josh n'avait pas changé, le regard qu'il posait sur lui était le même que la semaine dernière, peut-être même plus intense. Mais la grande, l'énorme, l'incroyable différence, c'était que Mortimer ne ressentait pas le moindre signe d'une quelconque douleur. Et pour cause : OMG avait tenu sa promesse, il n'y avait plus aucune trace du souffle noir entre les lèvres de Josh.

58.

Pendant que Mortimer plongeait aux côtés de Josh, le cœur délesté d'un immense poids, Zoé faisait une bien étrange découverte.

— Qu'est-ce que c'est ?

Conor lorgnait les trois photos format A5 que son amie sortait d'une enveloppe kraft.

— Je ne sais pas, quelqu'un a glissé ça dans mon casier…

— Fais voir !

Il observa les clichés et s'exclama :

— Ah ! les curiosités de Serendipity ! Si ça te tente, on mange un sandwich en marchant et je te montre !

Il la conduisit au centre-ville d'un pas si enthousiaste que Zoé en arriva même à se demander s'il n'était pas à l'origine de tout cela. Un jeu de piste ? Une chasse au trésor ? Ce serait bien son genre !

— Et voilà ! fit-il en s'arrêtant enfin devant un bâtiment en brique blanche.

Un immense drapeau américain flottait au-dessus de l'entrée.

— Quoi ? Ici, à la mairie !

— Viens voir à l'intérieur.

Zoé resta en arrêt sitôt la porte franchie. Son regard alterna entre la photo et la statue d'un cheval cabré qui se dressait au beau milieu du hall.

— Hé ! Mais tu as complètement raison ! Bravo, Sherlock Holmes !

— Pas de quoi, Watson. Et en même temps, je n'ai pas beaucoup de mérite...

La jeune fille s'approcha de la sculpture, si grande qu'elle put se poster dessous. Les sabots de l'animal à une cinquantaine de centimètres de sa tête, elle observa la singulière statue, sa matière bleue laissant saillir les muscles et les veines d'un rouge presque noir, les yeux flamboyants, enragés.

— Drôle de façon d'accueillir les visiteurs... murmura-t-elle, mal à l'aise.

— Je trouve ça assez flippant, moi aussi, fit Conor. Et je ne suis pas le seul. Tu n'imagines pas quelle polémique il y a eue lorsque le maire a décidé d'installer cette statue ici ! Et quand il a décidé que ce serait le nouvel emblème de la ville, on a frôlé la guerre civile...

Ils tournèrent tous deux autour de l'animal, avec autant de précautions que s'il était vivant.

— En fait, c'est la copie d'une statue beaucoup plus grande, précisa Conor. Celle-là mesure exactement la moitié de l'originale, au centimètre près.

— C'est... monstrueux ! lâcha Zoé en imaginant l'effet que pouvait produire une pareille représentation de dix mètres de hauteur.

— Et attends ! Le plus dingue, c'est que Luis Jiménez, le sculpteur, est mort écrasé par son œuvre !

Zoé grimaça.

— Viens, sortons d'ici.

La chaleur et la luminosité les enveloppèrent aussitôt de bien-être ; le contraste avec le hall sombre et cette affreuse statue en était d'autant plus marqué. En face de la mairie, un parc magnifiquement arboré formait une enclave aux innombrables nuances de vert et devenait à cette heure de la journée le lieu préféré des employés des administrations et des bureaux des alentours pour un déjeuner sur l'herbe.

— On se pose un peu ? fit Conor.

— Bonne idée !

Ils achetèrent des glaces auprès du vendeur ambulant et s'installèrent au pied d'un gigantesque chêne. Une question, parmi cent autres, brûlait les lèvres de Zoé. Elle se risqua à la poser :

— C'est toi qui as déposé ces photos dans mon casier ?

— Non, répondit-il en toute simplicité.

Zoé sentit qu'elle pouvait le croire.

Alors, c'est qui ? Et quel est le but ?

Lana Summer avait peut-être mis ces photos de côté pour elle. Quelqu'un les avait trouvées en triant ses affaires et les avait glissées dans son casier... Oui, c'était certainement ça...

Tu ne vas tout de même pas baliser pour quelque chose d'aussi anodin !

Toutefois, penser à la journaliste était plus pénible qu'elle ne l'aurait cru. Déroutée, elle étala les photos sur l'herbe. Conor se saisit de la deuxième pour l'observer de plus près. Avec ses couleurs vives et son style très expressif, elle ressemblait à un dessin d'enfant.

— Des tigres avec des visages de gosses...

— Ou des gosses avec des corps de tigres... renchérit Zoé. Et ça ? Est-ce que ça te dit quelque chose ?

Conor s'attarda sur le dernier cliché.

— Le porte-bonheur des petits orphelins de Bright House ?

Zoé opina lentement. Bien sûr, elle aussi avait tout de suite pensé à Adam et à Hope en voyant la photo de la gargouille.

— Mais là, c'est une photo de la version originale, ajouta Conor. Et je sais où la trouver !

D'un mouvement du menton, il lui montra l'église, qu'on apercevait à travers les arbres, de l'autre côté du parc.

— On va voir de plus près ?

Ils se levèrent et longèrent l'allée centrale.

— Ce n'est pas ton frère, là-bas ?

Zoé plissa les yeux.

— Si, c'est lui.

Au premier abord, Tugdual semblait si paisible assis sur ce banc, absorbé par son livre ! Et pourtant, elle le savait si torturé. Elle avait mal pour lui. Conor perçut-il combien le cœur de son amie se serrait ? Il la dévisageait comme s'il s'apprêtait à lui venir en aide. Au même moment, Tugdual leva la tête et les aperçut. Sans hésiter, Conor se dirigea vers lui, entraînant Zoé malgré elle – elle aurait préféré laisser son frère tranquille. Mais Conor avait sans doute raison.

— Je n'allais pas tarder à rentrer, fit Tugdual. Ça vous embête si je marche un peu avec vous ?

Cette perspective avait l'air de lui faire plaisir.

— Non, viens ! s'écria Zoé. Conor voulait me montrer quelque chose avant qu'on retourne en cours.

Elle lui expliqua brièvement ce qui l'amenait, Conor et elle, à faire cette petite excursion au centre-ville. L'inquiétude soudaine de Tugdual ne lui échappa pas et accentua celle qu'elle éprouvait et qu'elle n'avait pas réussi à chasser, malgré sa bonne volonté. Contrairement à Mortimer qui avait tendance à afficher un optimisme aveuglant, ce qu'ils ne pouvaient expliquer leur paraissait toujours suspect. Souvent à juste titre, d'ailleurs.

— Regardez ! les interpella Conor.

La gargouille se trouvait là, vigie démoniaque et moqueuse en tout point identique à celle de la photo et aux porte-bonheur des petits de Bright House.

— Bingo ! s'exclama Zoé, pourtant décontenancée par cette histoire.

Ils traversèrent la rue pour avoir un point de vue plus large quand Tugdual s'arrêta net. Zoé sentit aussitôt que quelque chose n'allait pas. En alerte, elle scruta autour d'elle et ne tarda pas à comprendre : une dizaine de jeunes de leur âge sortaient de l'église. Parmi eux se trouvait Victoria.

— Tu savais qu'elle était là ? lui chuchota Zoé. C'est pour ça que tu étais dans le parc ?

Elle se sentait si triste de l'imaginer tout seul sur son banc, à guetter celle qui le faisait craquer, dans l'espoir de l'entrevoir pendant quelques secondes. Pourquoi cherchait-il à se faire autant de mal ?

— Non ! fit Tugdual dans un souffle. Je n'en savais rien.

La revoir l'empêchait presque de respirer. À nouveau le trou noir au creux de son ventre, le désir de se précipiter vers elle et de l'emmener, de se fondre en elle.

— Euh... ça va ? Il y a un problème ? s'enquit Conor.

— Non, tout va bien ! s'empressa de répondre Zoé d'un air faussement léger.

Le pasteur Hopkins apparut sur le seuil de l'église et salua de la main les jeunes qui s'éloignaient.

Vite ! Dis quelque chose !

— Je ne savais pas qu'il y avait des messes en pleine journée... poursuivit-elle.

Conor aura certainement quelque chose à dire à ce propos. Conor a toujours quelque chose à dire !

— Je t'arrête tout de suite ! Ce n'est pas une messe, mais une réunion de Fiat lux !

Si Zoé n'avait pas été aussi crispée par l'attitude de Tugdual, elle aurait souri.

— Tu nous expliques ? fit Tugdual d'une voix d'outre-tombe.

— Fiat lux est un cercle réservé à certains jeunes de Serendipity, assez confidentiel et élitiste, on n'y entre pas comme ça.

— Religieux ? demanda Zoé.

— Non, pas spécialement. D'après ce que je sais, les membres se réunissent pour parler de spiritualité, de philosophie, des grandes théories humanistes... En tant qu'homme de foi, Hopkins apporte ses lumières.

— Un club de discussion haut niveau, en quelque sorte !

— Beaucoup plus que ça ! C'est hyper-organisé, il y a des sections, une hiérarchie. Et puis les Fiat lux ne font pas que refaire le monde, ils sont aussi très branchés survivalisme, autonomie post-apocalyptique, ce genre de délires.

Zoé sentit Tugdual particulièrement touché par ces révélations.

— Tu connais Victoria Danes ? lâcha-t-il soudain.

— La fille du procureur ?

Le jeune homme acquiesça. Poli, Conor fit comme s'il n'était pas surpris par cette digression.

— Victoria Danes fait partie du cercle depuis qu'elle est petite, comme son père avant elle et son frère. Quand ce dernier s'est suicidé, je sais que le pasteur Hopkins l'a beaucoup aidée.

Tugdual tressaillit. Comprenant qu'il ne parviendrait pas à questionner davantage Conor, Zoé prit le relais.

— C'est arrivé quand ?

— Il y a deux ans.

Voyant le trouble qu'il jetait malgré lui, il hésita. Mais le regard de Zoé se faisait encourageant.

— Tu te souviens de la couronne de fleurs qu'on a vue en allant à Bright House ?

— Oui...

— Eh bien, le frère de Victoria avait réussi à pénétrer dans la base militaire et c'est là-bas qu'il s'est donné la mort.

— Ou c'est plutôt l'armée qui l'a tué et qui a maquillé ça en suicide, non ?

— Je ne sais pas. Toujours est-il que Nicholas Danes était un garçon très perturbé. Il avait fini par tomber dans une espèce de paranoïa dans laquelle il mélangeait tout, l'armée, les extraterrestres, les secrets d'État... Vers la fin, il s'était persuadé qu'on lui avait mis des implants dans le cerveau... Il s'était même carrément mutilé pour essayer de les retirer...

— C'est atroce !

— Oui, il était complètement obnubilé. Quand on l'a trouvé dans la base militaire, le choc a été si terrible pour Victoria qu'elle est devenue aveugle, quelques semaines plus tard. Ça a dû briser quelque chose en elle, et pas seulement émotionnellement.

Zoé jeta des coups d'œil soucieux à son frère. Il avait sorti son masque de glace, dressé la muraille, coupé le contact.

— Les Danes ont bien morflé... conclut Conor. C'est vraiment une sale affaire...

59.

Avant que la nuit tombe, Mortimer était revenu les bras chargés de cadeaux pour chacun des membres de sa famille, en particulier pour sa mère à qui il avait offert un cadre ancien en argent avec, à l'intérieur, le souvenir d'un instant dont elle avait visiblement oublié l'existence : une photo d'elle et de lui, âgé de sept ou huit ans, au sommet du Grand Canyon. Au dos, il avait écrit quelques mots qui avaient failli tirer à Barbara des larmes d'émotion :

« *Nous deux, solides comme des rocs, pour toujours.* »

— Tu ne chercherais pas à acheter mon pardon, par hasard ? marmonna-t-elle en s'essuyant les yeux. Parce que si c'est le cas, sache que ce n'est pas encore gagné…

Mortimer opina avec un sourire dénué de provocation – du moins l'espérait-il. En croisant le regard de Zoé, il lut clairement le soulagement qu'elle ressentait. La mésentente des deux derniers jours avait été insupportable pour tout le monde, il était temps d'y mettre fin.

— C'est bien, mon garçon… lui confia Abakoum en le prenant à part. Il faut toujours éviter de faire souffrir ceux qui t'aiment.

— Mais je les aime aussi ! se défendit le jeune homme. Je *vous* aime tous !

— Alors ne l'oublie plus… Ce que tu fais peut avoir de lourdes conséquences pour toi et aussi pour ta famille. En faisant cavalier seul, tu risques le pire.

Ces derniers mots donnèrent mauvaise conscience à Mortimer. Il faisait tout ce qu'Abakoum lui disait de ne pas faire. Il faisait tout ce qu'il ne fallait pas faire. Le patriarche l'avait-il deviné ? Ça n'aurait rien eu d'étonnant, il savait tellement de choses dont il ne parlait pas, ou bien à demi-mot. Comme à cet instant ?

— Ne t'inquiète pas, fit Mortimer.

Super réaction... se dit-il, peu fier de lui. *Il n'y a pas à dire : tu es brillantissime dès qu'il s'agit d'esquiver !*

Il dut à nouveau mettre son « talent » à profit lorsqu'il croisa Tugdual dans l'escalier.

— Il faut qu'on parle !

— Écoute, Tug, je n'ai pas trop la tête à ça...

Tugdual plaqua la main sur l'épaule de son frère et serra plutôt fort.

— Tu fais quoi, là ? gronda Mortimer.

— J'essaie de parler avec toi.

Mortimer se dégagea d'un mouvement irascible et il s'en fallut de peu que Tugdual ne se jette sur lui et ne l'oblige à avoir enfin cette conversation. Non. Au milieu de l'escalier, à quelques mètres de Barbara, de Zoé, d'Abakoum... Il pouvait faire mieux que cela. Ne pas quitter son frère d'une semelle, par exemple. Et le moment viendrait où Mortimer ne pourrait pas faire autrement que de l'écouter et d'accepter son offre.

*

En embuscade derrière un massif de camélias, Tugdual attendit que son frère sorte de St. Mary's. La sonnerie retentit, les sempiternels haut-parleurs se mirent à déverser musique et informations, et les lycéens envahirent bientôt le parking et les pelouses. Victoria apparut, perdue au milieu de cette foule, canne dépliée. Le cœur de Tugdual se fendit en deux, malade de tristesse, et ses oreilles commencèrent à bourdonner follement. Pourtant,

il ne ressentait pas le plus petit signe de la douleur familière et tant redoutée au fond de son crâne. Alors, pourquoi ne pas bondir hors de cette cachette ridicule pour
prendre Victoria par la main ?

Tu peux te calmer ? maugréa-t-il. *Arrêter de t'emballer ?
Tu as des choses à comprendre et à régler.*

Son frère finit par sortir, accompagné de Josh. Josh,
amoureux de Mortimer... Tugdual l'avait compris aux
propos de cet homme, dans le mausolée. En voyant les
deux garçons marcher l'un à côté de l'autre, cela lui parut
une évidence. L'amour aurait bien fini par arriver, un
jour ou l'autre, dans la vie de son frère et il en éprouvait
une joie sincère pour lui. Tout le monde devait pouvoir
aimer et être aimé. Même eux, les cœurs noirs, les enfants
maudits.

Mortimer était-il amoureux de Josh ? Tugdual se le
demandait. Quoi qu'il en soit, ce que l'homme du mausolée avait promis semblait faire effet : Mortimer ne souffrait pas, le souffle noir avait disparu, mais pas le désir
de Josh. Tout était *normal* !

Toute la soirée, le jeune homme se comporta en fils et
frère idéal. Sa violence semblait l'avoir abandonné, il se
montrait apaisé, plus attentif. Une fois le dîner terminé,
il salua tout le monde.

— Bonsoir, mon garçon... lui dit Abakoum avec un
regard appuyé.

Le baiser que lui fit Barbara fut un peu plus chaleureux
que celui des soirs précédents ; il en parut touché, à sa
façon, avec cette pudeur un peu bourrue. Il monta dans
sa chambre, Tugdual ne s'attarda pas dans le salon et
gagna l'étage à son tour.

Dix minutes plus tard, Mortimer se faufilait à travers la
végétation du jardin et regagnait la façade de la maison
donnant sur la rue. Tugdual fit de même, après avoir
enjambé la balustrade de la galerie de bois. Son frère allait

vite, il courait presque, le cœur neuf et une seule idée en tête : goûter enfin à sa libération et la fêter comme il se devait. Mais à quel prix ? Tugdual connaissait bien son frère : il rejetait tout ce que l'accord qu'il avait passé recelait de mauvais ou d'inquiétant. Ces gens dans le mausolée, la connaissance qu'ils avaient de ses secrets, et certainement de ceux de tous les Cobb, le « sacrifice », l'usage qu'ils allaient faire du goudron... Aux yeux de Mortimer, à cet instant, le déni de la menace était plus fort que la menace elle-même. La lucidité devenait un accessoire dont il n'avait absolument pas besoin.

*

Sous l'effet de la marée montante, les vagues gonflaient et projetaient des paquets d'écume sur la grève et jusque sur la promenade. La lune n'était pas très lumineuse, aussi ne voyait-on qu'au dernier moment la mer s'approcher au plus près du remblai, parfois trop tard pour avoir le temps de reculer et d'échapper aux projections d'eau.

Josh attendait au bout de la jetée face au large, assis les jambes dans le vide, les mains dans les poches. Des flocons de mousse salée s'accrochaient à ses cheveux décoiffés, il paraissait à la fois distrait et terriblement concentré. Tugdual vit son frère s'asseoir à ses côtés. Il resta en retrait, à l'abri du phare. Les deux garçons en ligne de mire, il tendit l'oreille.

— C'est cool que tu sois venu, fit Josh.

Il se saisit de la bouteille posée par terre et en avala une longue gorgée. Puis il la tendit à Mortimer, qui l'imita. La mer rugissait sous eux et tout autour, puissante et offensive comme si elle voulait les impressionner avant de les dévorer.

— T'avais raison, c'est super beau... avoua Mortimer.

Il devait forcer la voix pour se faire entendre tant le grondement des vagues était fort. Au cœur de la nuit et sous ce ciel de marbre noir, les deux garçons vidèrent la bouteille sans échanger autre chose que des regards furtifs, puis de plus en plus insistants. D'où il se trouvait, Tugdual observait la scène sans pouvoir s'empêcher d'envier son frère. Il aurait donné n'importe quoi pour être à sa place, avec Victoria. Et il allait faire ce qu'il fallait pour rendre cela possible.

Quand Mortimer et Josh se levèrent, il se plaqua contre le phare, juste à temps pour ne pas être vu. Il savait ce qui allait arriver et se sentait terriblement mal à l'aise d'être témoin de cet instant qui devait rester celui des deux garçons et de personne d'autre. Même s'il ne regardait pas, il était là. Alors, il choisit de s'envoler.

Josh posa les mains sur les épaules de Mortimer. Il l'attira vers lui et l'embrassa.

60.

Quand Mortimer fut de retour à la maison après avoir laissé Josh devant chez lui, il se jeta sur son lit sans allumer la lumière. De tout ce qu'il avait connu, enduré, apprécié au cours de sa vie, ces derniers instants représentaient les plus intimes et les plus beaux. Dans l'obscurité depuis laquelle il l'observait, Tugdual s'en rendait bien compte – l'air extatique du garçon était suffisamment éloquent. Il ressentit à nouveau le bonheur de voir son frère dans cet état d'apesanteur amoureuse et lui accorda encore un peu de répit. Quelques minutes de plus ou de moins ne changeraient rien.

Ce ne fut pourtant pas lui qui ramena le jeune homme à la réalité : son téléphone vibra, tout en projetant une lumière froide sur son visage qui se durcit quand il lut le message qu'il venait de recevoir.

— Une mauvaise nouvelle ? fit Tugdual.

Mortimer se redressa comme si une énorme guêpe venait de le piquer. Il alluma sa lampe et jeta un œil orageux à son frère, assis par terre, les avant-bras en appui sur les genoux.

— Qu'est-ce que tu fous là ?

Devant le silence de son frère, il commença à s'emporter.

— Tire-toi ! T'as pas le droit d'entrer dans ma chambre quand je n'y suis pas, t'as enfreint la règle !

— Ah oui ? Parce que toi, tu n'en as enfreint aucune ?

Mortimer fut clairement déstabilisé. Qu'est-ce que savait Tugdual ? Peut-être rien, peut-être tout.

— Alors ?

— Alors quoi ?

Les deux frères se défièrent du regard. Qui céderait le premier ? Alors que Mortimer s'attendait à des mots, des vérités lâchées abruptement, Tugdual décida de procéder d'une façon qui ne manquerait pas de mettre le feu aux poudres : d'un geste de la main, il attira à lui le téléphone dont l'écran affichait encore le dernier message.

— Lâche ça tout de suite ! rugit Mortimer en lui fonçant dessus.

Tugdual se leva d'un bond et esquiva. Il eut juste le temps de lire le SMS avant que Mortimer ne lui arrache l'appareil des mains.

— OMG, le mec du mausolée, c'est ça ? Dis donc, il n'a pas perdu de temps pour te rappeler l'accord que vous avez passé...

— Quel mec du mausolée ? De quoi tu parles ?

Tugdual soupira et se laissa glisser contre le mur, reprenant la position dans laquelle Mortimer l'avait découvert. En quelques secondes, en quelques mots, son frère venait de lui faire comprendre qu'il savait tout. Au-delà du choc, le garçon se sentit soudain misérable. Comment avait-il pu croire qu'il pourrait garder secrète toute cette histoire ? Nier ne servait à rien. Mentir non plus. Il prit place à côté de Tugdual et attendit, à la fois trop honteux et trop fier pour engager la conversation.

Tugdual prit son temps. Pourtant, ce qu'il avait à dire tenait en quelques mots :

— Je vais honorer le contrat à ta place.

Mortimer en eut le souffle coupé.

— Hors de question ! C'est *mon* problème, c'est à moi de le régler...

— Parce que tu crois que tu n'as pas assez merdé comme ça ? le coupa Tugdual.

Froide et cassante comme un éclat de verre, sa voix avait un effet tétanisant sur Mortimer.

— Je vais faire ce que cet OMG te demande.

— Je... je ne peux pas... te laisser faire un truc pareil..

La perspective de devoir tuer l'épouvantait – même s'il s'agissait d'une personne elle-même coupable des pires horreurs. Il aurait fait n'importe quoi pour ne pas le faire. Sauf laisser quelqu'un d'autre le faire à sa place, et surtout pas son frère qu'il aimait, malgré tout. Mais autre chose le terrifiait presque dans les mêmes proportions : s'il n'allait pas jusqu'au bout, Josh ne perdrait-il pas son immunisation ? Tous ses espoirs de vivre quelque chose de bien tomberaient alors en poussière. Étrangement, et pour la première fois de sa vie, il douta d'être capable de supporter un tel échec.

— Tu n'es pas en position de négocier, reprit Tugdual. Imagine si Barbara et Abakoum étaient au courant de ce qui s'est passé, Brooke Wells et Joana Caldwell, OMG, notre secret connu par au moins quatre personnes...

— Tu es en train de me menacer ?

— Ils en seraient malades. Tu les achèverais. Leur déception serait si violente que plus jamais ils n'auraient confiance en toi.

Mortimer se pencha en avant. Mais il ne réussit pas à capter le regard de son frère, qui fixait résolument le mur d'en face. Il tenta un nouvel angle de défense, le dernier.

— OMG ne voudra jamais. C'est entre lui et moi.

— OMG s'en fout, rétorqua Tugdual. Tout ce qui l'intéresse, c'est le goudron. Qu'il vienne de toi ou de moi, quelle importance ?

Il bougea la tête, comme s'il essayait de décontracter ses vertèbres cervicales et d'évacuer la tension. Or c'est un coup de grâce qu'il assena, inattendu de cruauté.

— De toute façon, qu'est-ce que tu crois ? OMG ne s'est intéressé à toi que parce que tu es le plus faible de nous trois.

Une forme de colère, sourde et venimeuse, gonfla en Mortimer. D'autant plus que son frère avait raison.

— Pourquoi tu me fais ça ? murmura-t-il.

— Je ne dis rien à personne et tu me laisses prendre ta place. Point barre.

Sur ces mots, Tugdual se leva et, sans prendre la peine d'ouvrir la porte, il disparut à travers le mur.

61.

Tugdual n'éprouvait aucune satisfaction d'avoir accablé son frère comme il l'avait fait. Mortimer s'était laissé piéger par son excès de confiance en lui, son manque de discernement et l'amour qui lui était tombé dessus comme ça, comme dans la vie de n'importe qui. Sauf qu'il n'était pas n'importe qui.

Tugdual pensait tout ce qu'il lui avait dit. Mais il savait aussi qu'il aurait pu y mettre un minimum de formes pour ne pas aggraver le terrible sentiment de malaise dans lequel se trouvait déjà le garçon. Par exemple lorsqu'il avait dit « faible » alors qu'il pensait « fragile » et « vulnérable »…

Pardon, frangin. Mais moi aussi, j'ai besoin de protéger quelqu'un que j'aime.

Il avait volontairement omis de mentionner Josh. Il comprenait ô combien l'histoire d'amour de son frère et il la respectait. De la même façon, il n'avait pas parlé de Victoria, même si c'était avant tout pour elle qu'il était en train de marcher en direction du mausolée des Colons. Vivre à côté d'elle mais sans elle lui pesait de plus en plus. Il en était malade, elle aussi. Et il n'existait qu'une seule solution pour empêcher le mal qu'il pourrait lui faire. Il ralentit le pas, en proie à un étourdissement. Il avait tellement cru qu'il ne serait plus confronté à… ça. Quelle illusion…

OK, tu n'es pas un tueur et tu étouffes sous des montagnes de scrupules. Mais cette femme qu'on va te donner en pâture serait morte d'une façon ou d'une autre, injection létale dans une prison, vengeance d'un parent ou d'une victime, baiser de Mortimer...

Il lâcha un petit cri, entre ricanement et gémissement.

Tu fais quoi, là ? Tu essaies de te convaincre que ce que tu vas faire est juste ? Inévitable ? Bien ? Hé ! Mais on ne parle pas d'une petite mission « à la Kaiiisuuus » ! On parle de tuer quelqu'un !

Il se sentit à deux doigts de faire demi-tour.

— Et merde... maugréa-t-il en poursuivant son chemin. Arrête de réfléchir et fais ce que tu as à faire...

OMG avait fixé le rendez-vous au mausolée, à deux heures du matin. Tugdual s'enfonça dans le parc et fut surpris par la douceur qui restait très présente sous la frondaison basse des arbres. Un fort parfum de terre et de feuilles lui piqua le nez. À moins que ce ne soit l'appréhension.

Il s'approcha du monument d'un pas qu'il voulait déterminé et poussa la grille en fer forgé. L'obscurité était presque totale à l'intérieur, mais sa vision nocturne lui permit d'entrevoir une silhouette tapie dans l'angle.

— Ce n'est pas ce qui était prévu, résonna une voix d'homme assourdie.

— Mon frère ou moi, c'est la même chose pour vous.

— En effet, mais ce n'est pas à toi d'en décider.

L'homme s'avança. Stature moyenne, épaules larges et bras épais, certainement musclés, pull à col roulé... Tugdual ne pouvait guère distinguer davantage. La casquette à large visière, du style de celles que portent les policiers, masquait la plus grande partie de son visage. Tugual ne put s'empêcher de penser au lieutenant Willis.

Ce ne serait pas inconcevable...

— Pourquoi es-tu venu à la place de ton frère ? poursuivit OMG.

— Pour que vous donniez à quelqu'un la même immunisation qu'à Josh Bell.

— Tu veux parler de Victoria Danes ?

Tugdual vacilla. Le sang sembla entrer en fusion dans ses veines, il sentit ses tempes palpiter follement alors que des étincelles scintillaient devant ses yeux. Que pouvait-il répondre à ça ? OMG en savait encore plus que ce qu'il avait cru.

— Victoria n'est pas en danger, reprit l'homme.

Un profond sentiment de désolation s'empara de Tugdual. Si Victoria ne risquait rien, cela signifiait qu'elle n'était pas amoureuse de lui...

Elle fait semblant depuis le début et toi, tu y as cru comme un pauvre débile...

D'autres évidences, de nouvelles questions entouraient cette révélation : OMG et Victoria se connaissaient. Mais quel était le rôle de la jeune fille dans toute cette histoire ? Avait-elle été envoyée pour le piéger ?

À ton avis ? Arrête de te voiler la face, tu t'es fait avoir !

Mais était-ce si simple ? Et si elle-même se trouvait piégée ? Il était bien placé pour savoir combien on pouvait juger en bien ou en mal les actes d'autrui, les interpréter de mille façons, alors qu'on ne possédait qu'un minuscule fragment de la vérité. Si on s'était cantonné à ce qu'on avait vu de lui et de ce qu'il avait fait dans le passé, il serait seul aujourd'hui, détesté de tous. On pouvait parfois être influencé, manipulé, poussé à agir de telle ou telle façon, sans même s'en rendre compte soi-même...

— Le marché que j'ai passé avec ton frère ne concernait que lui et Joshua Bell, reprit OMG en se forçant toujours à étouffer sa voix. Néanmoins, je dois dire que ton courage est impressionnant...

Pour des raisons que Tugdual ignorait encore, ils avaient besoin l'un de l'autre et tous les deux savaient qu'à ce point de leur rencontre ils ne pouvaient que tomber d'accord. Et c'est avec un soulagement pernicieux que le jeune homme reçut le verdict :

— J'accepte ta proposition. Suis-moi.

*

Sitôt la dalle verticale ouverte, des cris jaillirent du fond de la pièce en contrebas.

— Détachez-moi, espèce de salopard ! Laissez-moi sortir de là !

OMG invita Tugdual à passer devant lui et lui indiqua l'escalier. Une lumière plutôt douce éclairait les premières marches, mais ne parvenait pas jusqu'au palier. Tugdual ne voyait rien de plus d'OMG : il restait définitivement anonyme.

— À tout à l'heure... fit ce dernier.

Tugdual fut surpris lorsqu'il posa la main sur son épaule. Ce geste – paternel ? compatissant ? reconnaissant ? – lui semblait si étrange dans ces circonstances. Il se dégagea et descendit, pendant que la dalle se refermait derrière lui.

Un cliquetis métallique retentit dans le silence oppressant.

— Enlevez-moi ces saletés !

Tugdual s'avança, juste assez pour voir la jeune femme menottée à une chaise. Jolie brune d'environ vingt-cinq ans, elle paraissait douce et tout à fait inoffensive, davantage proie que prédatrice. On pouvait facilement l'imaginer au service des autres, infirmière ou institutrice. Seul un petit éclat dans son regard trahissait cette part d'elle que la candeur de ses traits masquait si bien, quelque chose d'impitoyable qui inversait la première impression quand on prenait la peine de regarder au-delà.

Tugdual s'assit sur l'avant-dernière marche et fixa la prisonnière. Elle s'agita à nouveau et ses menottes tintèrent contre le métal de la chaise.

— Qu'est-ce que tu veux ? fulmina-t-elle.

Elle tira sur ses entraves et grimaça de douleur. Tugdual remarqua que ses poignets portaient de vilaines marques rouges. Elle devait se trouver là depuis plusieurs heures.

— Qu'est-ce que tu vas me faire ? Me violer ? Me torturer ? Me découper en morceaux ?

Ces mots, crachés avec rage, donnèrent la nausée au jeune homme. Quelle ironie... Il était le bourreau et c'est lui qui avait le cœur au bord des lèvres !

Rappelle-toi ce qu'elle a fait... Ces petites filles qu'elle a prises par la main pour les conduire en enfer...

À quelques mètres de lui, elle le provoquait du regard, sans chercher à implorer sa pitié ou à faire appel à son empathie. Sans doute sentait-elle que ce serait vain, qu'elle ne pouvait l'atteindre de cette façon parce que tout au fond de lui il avait quelque chose d'aussi mauvais qu'elle. Certes, il ne ferait *jamais* ce qu'elle avait fait, mais Harmony et la fille de l'aéroport seraient-elles d'accord pour le trouver moins monstrueux ?

— Tu comptes me regarder comme ça pendant longtemps avec tes yeux de merlan frit ? railla-t-elle.

— Le temps qu'il faudra.

— Tu cherches à m'envoûter, c'est ça ?

En quelque sorte...

— Tu sais que tu ressembles à mon petit ami ? poursuivit-elle d'une voix plus enjôleuse.

— Tu veux parler de celui qui a détruit toutes les gosses que tu rabattais pour lui ?

Elle se raidit, comme statufiée. Seules ses paupières battaient nerveusement sur ses grands yeux verts.

— La justice a prononcé un non-lieu à mon bénéfice.. murmura-t-elle.

— Ça ne veut pas dire que tu es innocente, seulement que tu es maligne ou que tu as eu de la chance.

Elle s'apprêtait à répliquer, mais il ne supportait même plus l'idée d'entendre le son de sa voix. Alors, d'un mouvement de la main, il agit à distance en poussant violemment la chaise contre le mur.

— Maintenant, tu la fermes et tu attends… fit-il, glacial.

Pour la première fois, la fille manifesta ouvertement sa peur et obéit.

62.

Voir le visage de Mortimer au-dessus de lui, si inquiet, réconforta Tugdual plus qu'il ne l'aurait pensé.

— Salut, frangin...

— Salut...

— Tu te sens comment ?

Tugdual analysa rapidement avant de répondre :

— Comme si j'avais mangé un kilo de champignons vénéneux...

Il voulut bouger, mais le simple geste de tourner la tête lui arracha une plainte. Il eut pourtant le temps de constater qu'il se trouvait dans sa chambre.

OK... Rassemble tes pensées, fouille dans ta mémoire...

Il pouvait se souvenir de presque tout : la belle brune menottée dans le mausolée, l'attente les yeux dans les yeux, le souffle noir, l'insupportable douleur dans le crâne... le baiser... La jeune femme ne s'était pas défendue, même quand il l'avait détachée. Aussi avide que lui, elle avait tendu ses lèvres, offert tout ce qu'elle possédait, son corps, son désir, sa vie. Et lui, il avait tout pris, jusqu'à ce qu'il ne reste d'elle rien d'autre qu'une enveloppe inerte, peau grise et ridée, chevelure de cendre.

L'instant d'après, il était là, dans sa chambre. Entre les deux, un grand vide.

— Tu es venu me chercher... dit-il à son frère.

— Oui... enfin, non... À vrai dire, je t'ai suivi.

Tugdual soupira.

— Tu avais si peur que je n'aille pas jusqu'au bout ?

Mortimer s'assombrit et Tugdual s'en voulut aussitôt. Quand allait-il arrêter de le blesser inutilement ?

— Oh, ça va... fit Mortimer, mi-heurté, mi-penaud. Je sais que j'ai bien merdé, pas la peine d'en rajouter...

— Je ne te jette pas la pierre ! Tu as fait du mieux que tu as pu.

Mortimer en resta bouche bée.

— T'es sérieux ?

— Mmm... marmonna Tugdual.

Les yeux brillants, son jeune frère détourna la tête.

— En tout cas, merci.

— Pas de quoi. C'est normal de s'entraider, non ?

— Bon, les frangins, vous avez fini de vous congratuler ?

En entendant la voix de Zoé, Tugdual se sentit blêmir.

— Qu'est-ce que tu fais là ?

— Je l'ai appelée une fois qu'OMG et sa bande ont quitté le mausolée avec ton goudron et la fille, précisa Mortimer. J'avais besoin d'aide pour te ramener.

— Et bien sûr, tu lui as tout raconté...

Mortimer acquiesça.

— Surtout, faites comme si je n'étais pas là... bougonna Zoé.

Tugdual regarda alternativement son frère et sa sœur. Décontenancé, il s'assit au bord du lit et, les coudes sur les genoux, il se prit la tête entre les mains.

— Hé ! C'est si terrible que ça ? reprit Zoé de sa jolie voix si tendre. Vous auriez bien fini par m'en parler, non ? Enfin, j'espère..

Elle se pencha pour se placer dans le champ de vision de Tugdual.

— On ne doit pas avoir ce genre de secret entre nous. On ne *peut* pas.

Pour toute réponse, il passa son index sur la joue de la jeune fille. Elle lui rendit par un sourire cette petite caresse qui valait tous les mots.

— Moi aussi, j'ai un truc de dingue à vous confier... murmura-t-elle.

63.

Tugdual et Mortimer suivirent Zoé dans sa chambre. Des dizaines de feuilles jonchaient le sol, articles de journaux, photos, annotations... La jeune fille s'agenouilla et ramassa tout sans distinction. Puis elle fit signe à ses frères de s'asseoir sur le lit, où elle les rejoignit, ordinateur portable en main.

— Tug, tu te souviens des photos que j'ai trouvées dans mon casier ?

Tugdual acquiesça, tandis que Mortimer s'étonnait. Zoé lui expliqua brièvement et il eut le bon sens de ne faire aucun reproche.

— Je n'avais pas vu le lien Internet au dos de l'une d'elles, griffonné au crayon de papier. Je suis allée voir et là, le choc...

Elle pianota sur son clavier avec une évidente nervosité et lança une vidéo. Une autoroute menant à une installation hérissée de tentes blanches apparut sur l'écran, en même temps que le générique s'affichait...

L'aéroport international de Denver,
étrangetés, aberrations, interrogations...

Un reportage de Lana Summer,
pour South East Channel

Un cheval apocalyptique accueillant les visiteurs
Des fresques murales cauchemardesques
Des sculptures de gargouilles jaillissant de valises
Des couloirs en forme de svastika
D'étranges symboles dans le sol et les murs...

Bienvenue à l'aéroport de Denver !

L'aéroport international de Denver est le plus grand des États-Unis. Inauguré en 1995, il a coûté près de cinq milliards de dollars – trois fois plus que son budget initial.

Dès le début de sa mise en œuvre, on observe des singularités difficiles à justifier. Parmi les plus flagrantes, je retiendrai celles-ci :

Les entrepreneurs et les ouvriers ayant œuvré sur les différentes parties de la construction de l'aéroport ont tous été licenciés au fur et à mesure que les travaux avançaient, comme si on cherchait à éviter que quiconque ait une vue globale du projet.

8 530 kilomètres de fibre optique ont été installés pour les communications. Pour vous donner un ordre de grandeur, il en faut 4 830 pour aller de la côte Est à la côte Ouest des États-Unis.

Les pompes peuvent distribuer jusqu'à 4 000 litres de kérosène par minute, une quantité faramineuse pour un aéroport commercial.

Cent millions de mètres cubes de terre ont été déplacés pour la construction d'une véritable infrastructure souterraine si énorme que des camions et des trains peuvent y circuler. Les principaux observateurs avancent l'hypothèse que ces tunnels en sous-sol soient susceptibles d'être utilisés comme base militaire (on parle de huit niveaux !) ou comme gigantesque abri antiatomique ou post-apocalyptique.

Mais son gigantisme n'est pas ce qui fait de l'AID bien plus qu'un aéroport. Surnommé la Cathédrale New Age par certains, le Temple des aliens par d'autres, on peut y reconnaître une multitude de symboles occultes et de références aux sociétés secrètes (Nouvel Ordre Mondial, franc-maçonnerie, Illuminati, etc.).

Que dire de la statue de Luis Jiménez dressée à l'entrée de la zone aéroportuaire ? Un mustang cabré, en fibre de verre bleue, haut de près de dix mètres, dont les yeux rouges transpercent la nuit et les veines saillantes parcourent les flancs... Nombreux sont ceux qui voient dans cette statue anxiogène le quatrième cheval de l'Apocalypse, celui du cavalier appelé « Mort » dans le dernier livre du Nouveau Testament. Un symbole plutôt effroyable pour les millions de voyageurs qui transitent chaque année par Denver...

« Le pouvoir leur fut donné sur le quart de la Terre, pour faire périr les hommes par l'épée, par la famine, par la mortalité, et par les bêtes sauvages de la Terre. »

Mais continuons notre visite et vous allez voir que les bizarreries ne s'arrêtent pas à ce cheval à l'aspect démoniaque...

Regardez ces immenses fresques murales. De l'art naïf ? Du « chicano art » typique du peintre Leo Tanguma ? On les retrouve sur quatre murs de l'aéroport, toutes sont supposées représenter la paix, l'harmonie et la nature. Mais en les observant de plus près, vous réalisez qu'elles renvoient à une imagerie terrifiante.

Tanguma a reconnu avoir reçu des directives précises dans ce sens, avant de revenir sur ses déclarations et de démentir toute allusion aux théories appelant à un Nouvel Ordre Mondial comme on le lui reprochait.

Un revirement d'autant plus intrigant que ces fresques paraissent aussi incongrues dans un aéroport que le mustang bleu menaçant. Approchons-nous et observons. Qu'y voit-on ?

Des enfants tristes ; des plantes et des animaux éteints ; des villes et des forêts en feu ; des cercueils avec, à l'intérieur, des fillettes mortes ; une fille avec une Bible et une étoile jaune telle que devaient porter les Juifs pendant la période nazie.

Encore des enfants de toutes origines, vêtus de costumes folkloriques, donnant gaiement leurs armes et leurs drapeaux à un petit garçon en habit bavarois.

Examinez ce militaire avec son masque à gaz et le symbole nazi sur son uniforme : la lame de son sabre n'est-elle pas en train de tuer la colombe ? D'ailleurs, autour de lui, tout le monde est mort. Étrange pour une fresque dont le titre est Les enfants du monde rêvent de la paix...

La dernière fresque semble beaucoup moins morbide : les gens sont heureux, les plantes luxuriantes, les animaux en harmonie avec ce monde idyllique. Pourtant, rien ne paraît vraiment naturel. Que signifient ces enfants à corps de tigre ? Un nouveau monde est-il né ? Artificiel ou génétiquement modifié ?

Les messages sont aussi innombrables que les interprétations. Je ne retiendrai que celles coïncidant avec les autres symboles qui foisonnent dans l'aéroport de Denver : dépeuplement massif et nécessaire de la Terre ; conservation des espèces animales ; disparition des croyances judéochrétiennes ; établissement d'un gouvernement unique et mondial, sous l'autorité d'un petit garçon ; renaissance des êtres et de la nature grâce à la génétique...

Zoé pressa sur la touche « pause » et ferma lentement son ordinateur. Un simple coup d'œil sur ses frères lui suffit pour comprendre qu'ils étaient aussi abasourdis qu'elle quand elle avait découvert la vidéo. Tugdual se laissa tomber de tout son long sur le lit. Les mains plongées dans les cheveux, il inspira et expira plusieurs fois sans parvenir à chasser la terrible tension qui s'était installée au fur et à mesure que la vidéo avançait. Plus il réfléchissait, plus ses pensées s'organisaient, convergeaient, l'abattaient. Mortimer et Zoé ne pouvaient guère l'aider : tous deux étaient exactement dans le même état.

— Ces histoires d'eugénisme et d'amélioration génétique de l'humanité, ça ne vous rappelle rien ? lança
Tugdual au bout d'un long moment.

— Votre père... Orthon... murmura Zoé.

Mortimer se massa les tempes, le regard sombre.

— Je n'y comprends rien, gémit-il. Et vous ?

— Voyons les choses les unes après les autres, fit Zoé.
Il y a un lien entre l'aéroport de Denver et Serendipity,
La statue du mustang bleu et la gargouille sont le trait
d'union et quelqu'un voulait me mettre – *nous* mettre –
sur cette voie...

— Lana Summer ? suggéra Mortimer.

— Possible... En tout cas, elle est impliquée. Enfin...
elle l'était...

Troublée, la jeune fille fouilla dans ses papiers en vrac
et en tira la photo du cheval bleu.

— Il y a aussi un lien entre le mustang et la proviseur...
Elle a un tatouage qui le représente.

— C'est l'emblème de Serendipity, fit remarquer Mortimer.

— Oui, mais tu crois vraiment que c'est une raison suf-
fisante pour se le faire tatouer ? Je ne pense pas qu'Erica
Patton soit à ce point attachée à sa ville.

— Je ne le pense pas non plus, admit Mortimer. Mais
alors, ça voudrait dire quoi ?

— Je ne sais pas... Pas encore, en tout cas. Ensuite,
on retrouve la représentation de la gargouille de Denver
sur la façade de l'église de Serendipity et sur les porte-
bonheur des petits orphelins de Bright House. Elle est
trop spéciale pour que ce soit une coïncidence. Quant
aux peintures...

Elle s'interrompit, bouche bée, main suspendue au-
dessus de sa liasse de documents. Puis elle rouvrit son
ordinateur, l'air enflammé, et parcourut à nouveau la
vidéo qu'elle stoppa au niveau de la présentation des
fresques. Son cri de stupeur rompit le silence.

— Les dessins des enfants à corps de tigre ! Je savais bien que je les avais vus quelque part !

— Où ? lui demanda Mortimer.

Zoé le regarda comme si elle découvrait sa présence.

— Dans le bureau d'Erica Patton !

Mortimer se prit la tête entre les mains.

— Cette femme a donc un lien...

— Il n'y a pas qu'elle, intervint Tugdual d'une voix d'outre-tombe.

Il se redressa et dévisagea Zoé et Mortimer. Son regard avait perdu toute sa sévérité glaciale et exprimait désormais une intense désolation.

— Victoria a le même tatouage qu'Erica Patton sur le poignet. Elle est directement mêlée à cette histoire et aussi à OMG. Je ne sais pas quelles sont exactement les ramifications, mais tout est lié. Et le trait d'union, c'est elle ! C'est Victoria !

Zoé fut agitée par un violent frisson.

— À moins que ce ne soit nous... fit-elle.

64.

Tugdual, Zoé et Mortimer ne parvenaient pas à se quitter des yeux. Chacun reprenait les éléments et les passait au tamis, un à un. Mais la conclusion à laquelle ils arrivaient était toujours la même : ils se trouvaient tous les trois au centre de quelque chose dont ils ne connaissaient que les contours, flous et inquiétants.

— Serendipity... La ville où l'on trouvera autre chose que ce qu'on était venu chercher... finit par lâcher Tugdual.

Il souffla, l'air terriblement tendu.

— On n'est pas là par hasard, ajouta-t-il.

— Ça craint, ça craint, ça craint... fit Mortimer dans un grincement de dents.

Zoé respirait bruyamment, comme si elle manquait d'air. Ses narines palpitaient à chaque inspiration et son corps était si contracté qu'il semblait sur le point de se briser au moindre mouvement. Son regard révélait l'ampleur de son effroi et de son sentiment de révolte.

Ça ne finira donc jamais ? On sera toute notre vie à la merci des autres ? De leurs ambitions ? De leurs délires mégalos ?

— On ne peut plus garder ça pour nous, fit Tugdual. Il faut qu'on en parle à Barbara et à Abakoum.

L'aîné de la fratrie avait l'impression de capituler en prononçant ces mots. Pourtant, cette discussion aurait dû avoir lieu depuis longtemps, dès le début, il le savait bien.

Ils se levèrent tous les trois, le cœur plombé, l'esprit en feu. Le petit matin se levait, calmement après le tumulte de la grande marée de la veille. Le ciel rosissait au-delà des magnolias et des cyprès chauves, tout s'éveillait, à nouveau, comme chaque jour.

— Il est encore tôt, fit remarquer Mortimer.

— On va les attendre au salon, proposa Tugdual.

Abakoum avait installé son bureau dans une pièce donnant sur l'entrée. En descendant l'escalier, les trois jeunes distinguèrent la lumière dorée de sa lampe de travail à travers la porte entrebâillée. Zoé la poussa et jeta un coup d'œil à l'intérieur de la pièce. Puis elle se tourna vers ses frères, l'index sur la bouche.

— Il est là, il dort...

Après un instant d'hésitation, ils entrèrent tout de même. S'ils attendaient encore, aucun d'eux ne trouverait peut-être le courage de parler.

— Abakoum ? chuchota Tugdual.

D'où ils se trouvaient, ils ne voyaient que ses épaules dépassant du fauteuil, rondes et affaissées, ainsi que sa chevelure d'un blanc neigeux. Sa main, posée sur la table, tenait un crayon. Il s'était endormi en écrivant...

— Abakoum ? répéta Tugdual, un peu plus fort.

Il s'approcha, Zoé et Mortimer à ses côtés. Ils voyaient maintenant le profil de leur grand-père, sa barbe frôlant son buste, ses lèvres entrouvertes... Ses yeux ouverts...

Zoé plaqua la main sur sa bouche, alors que Tugdual tombait à genoux aux pieds du vieil homme.

— C'est pas vrai... gémit Mortimer. Ça ne peut pas être vrai...

Abakoum était mort.

Le veilleur n'était plus.

Épilogue

Mes chers enfants,

On dit que certains animaux partent loin des leurs lorsqu'ils sentent que leur fin approche. J'aurais aimé faire de même, mais je n'en ai ni l'énergie ni le courage. Vous entendre vivre dans cette maison… vous voir encore quelques instants aura été le dernier et le plus merveilleux cadeau que la vie pouvait m'offrir. Percevoir l'amour qui existe entre vous malgré vos coups de griffes et de dents, savoir que vous êtes bons en dépit de ce que vous croyez être…

Je pars avec une certitude : cet amour et cette bonté, dont vous n'avez qu'une conscience lointaine, seront vos armes les plus solides pour affronter vos lendemains. Mais vous aurez aussi besoin de votre profonde obscurité et de vos monstres intérieurs. Ne les rejetez pas, je vous en prie. Acceptez-les et faites-en vos alliés.

Je sais ce qui est enclenché. J'en suis à la fois l'origine et le détonateur. Aurais-je pu faire autrement ? Peut-être. Aurait-ce été mieux ? Non.

Bien sûr, tout aurait été différent si j'avais réussi à mettre au point le remède au mal dont vous êtes affligés, ce fléau légué par Orthon.

Je vous ai menti, mes chers enfants. Je n'ai pas réussi. Orthon a été plus fort que moi et c'est le plus grand regret que j'emporte avec moi. Mais d'autres que moi ont trouvé. L'homme qui prenait des photos dans les montagnes du Vermont n'était pas un photographe animalier ni un agent du FBI, mais un émissaire d'OMG cherchant à entrer en contact avec moi pour me proposer un marché.

OMG. L'Ordre de la Main germinale.

Depuis le début, ses membres vous observent et vous protègent – ils ont écarté tous les soupçons pouvant peser sur vous lorsqu'il vous est arrivé de ne pouvoir faire face au mal. Ils n'ignorent rien de nous, de nos origines, de nos pouvoirs. Nous leur devons ces bracelets qui vous permettent d'endurer votre souffrance. Que serions-nous tous devenus sans cela ? Des fugitifs, des ermites, reclus pour toujours. Peut-être aussi serions-nous leurs prisonniers... J'ai préféré que nous restions libres.

Vous vous doutez qu'une telle « bienveillance » et que la possibilité d'avoir une vie supportable ne sont pas sans contrepartie. La première était de s'installer à Serendipity, une des bases de l'Ordre. La seconde, je l'ai découverte en même temps que vous et c'est cette révélation qui hâte aujourd'hui ma fin.

J'ignore à quoi est destiné le goudron qu'on vous prélève. Je sais seulement qu'il a un lien avec les enfants de Bright House et que les enjeux vont au-delà de ce que nous pouvons imaginer. L'Ordre sait que nous venons d'un autre monde, tout comme il sait qu'il existe des êtres issus d'autres planètes, bien moins pacifiques.

L'Ordre a besoin de vous, mes chers enfants. Il ne vous sera fait aucun mal tant que vous restez « conciliants ». Tant que cette forme d'équilibre est assurée. L'Ordre et vous. Vous et l'Ordre.

Comme j'aimerais en savoir plus, comme j'aimerais vous en dire plus... Comme j'aimerais être à vos côtés, encore et toujours...

Mais je ne peux plus.

Vous êtes devenus ma famille, plus solide et plus belle que toutes celles dont j'ai pu rêver pendant toutes ces années.

Barbara, je te passe le relais. Tu es forte et grande, bien plus que tu ne le penses.

Mortimer, reste fier et droit, mais n'aie pas peur de ton humanité et aide-toi des autres. Tu es capable de tant de bonté…

Zoé, ma tendre enfant, tu sais ce que tu représentes pour moi, une partie inaliénable de mon cœur. Le bonheur n'est pas une chimère, tu le comprendras un jour..

Tugdual, mon garçon, j'ai toujours cru en toi. Tu seras toujours celui que tu es. Alors ne renie jamais tes démons. ils font partie de l'Équilibre, de tous les Équilibres.

Je vous aime et vous aimerai éternellement, ailleurs, au-delà de ce qui est vu et su.

Abakoum

RETROUVEZ
les chansons de Tugdual et Zoé
interprétées par Léa et Jérémy
sur la chaîne YouTube The No-Body

Le site de Tugdual
tugdual-cobb.com

À paraître
TUGDUAL
Tome 2
Printemps 2015

Nos remerciements et notre gratitude vont à toutes celles et tous ceux qui font que des projets tels que *Tugdual* prennent corps, âme, vie.

L'équipe XO dans son intégralité, fourmilière haut perchée.

Vous, lecteurs, les nouveaux venus dans nos univers comme les fidèles, familiers, précieux.

Celles et ceux qui œuvrent entre nous et pour nous tous, indispensables libraires, bibliothécaires, documentalistes, professeurs, journalistes, bloggeurs.

Léa Lonjon, Dan Richemont et Julien Jovanovski, prestidigitateurs qui transforment les mots en musique.

La chance, la bonne étoile, la destinée, l'intuition, quel que soit son nom.

Composition et mise en pages
Nord Compo à Villeneuve-d'Ascq

Cet ouvrage a été imprimé en France par

BUSSIÈRE

à Saint-Amand-Montrond (Cher)
en octobre 2014

Nº d'édition : 2525/1 – Nº d'impression : 2010800
Dépôt légal : octobre 2014
Imprimé en France